Guillaume Musso

Traduit en 38 langues, plusieurs fois adapté au cinéma, Guillaume Musso est l'auteur français le plus lu.
Passionné de littérature depuis l'enfance, il commence à écrire alors qu'il est étudiant. Paru en 2004, son roman *Et après…* est vendu à plus de deux millions d'exemplaires. Cette incroyable rencontre avec les lecteurs, confirmée par l'immense succès de tous ses romans ultérieurs, *Sauve-moi*, *Seras-tu là ?*, *Parce que je t'aime*, *Je reviens te chercher*, *Que serais-je sans toi ?*, *La Fille de papier*, *L'Appel de l'ange*, *7 ans après, Demain* et *Central Park* fait de lui un des auteurs français favoris du grand public.
Le nouveau roman de Guillaume Musso, *L'Instant présent*, paraît chez XO Éditions en 2015.

Retrouvez toute l'actualité de l'auteur sur :
www.guillaumemusso.com

L'APPEL DE L'ANGE

DU MÊME AUTEUR
CHEZ POCKET

ET APRÈS...
SAUVE-MOI
SERAS-TU LÀ ?
PARCE QUE JE T'AIME
JE REVIENS TE CHERCHER
QUE SERAIS-JE SANS TOI ?
LA FILLE DE PAPIER
L'APPEL DE L'ANGE
7 ANS APRÈS…
DEMAIN
CENTRAL PARK

GUILLAUME MUSSO

L'APPEL DE L'ANGE

XO ÉDITIONS

Pocket, une marque d'Univers Poche,
est un éditeur qui s'engage pour la préservation
de son environnement et qui utilise du papier fabriqué
à partir de bois provenant de forêts gérées
de manière responsable.

ISBN : 978-2-266-24687-3

Le rivage est plus sûr, mais j'aime me battre avec les flots.

Emily DICKINSON

PROLOGUE

Un téléphone *portable* ?

Au début, vous n'en voyiez pas vraiment l'utilité, mais pour ne pas paraître dépassée, vous vous êtes laissé tenter par un modèle très simple avec un forfait basique. Les premiers temps, vous vous êtes parfois surprise à bavarder un peu fort, au restaurant, dans le train ou à la terrasse des cafés. C'est vrai que c'était pratique et rassurant d'avoir toujours la famille et les amis à portée de voix.

Comme tout le monde, vous avez appris à rédiger des SMS en tapant sur un clavier minuscule et vous vous êtes habituée à en envoyer à tour de bras. Comme tout le monde, vous avez renoncé à votre agenda pour le remplacer par sa version électronique. Avec application, vous avez saisi dans le répertoire les numéros de vos connaissances, de votre famille et de votre amant. Vous y avez camouflé ceux de vos ex ainsi que le code de votre carte bleue qu'il vous arrive d'oublier.

Même s'il prenait des clichés de piètre qualité, vous avez utilisé l'appareil de votre portable. C'était sympa d'avoir toujours sur soi une photo rigolote à montrer aux collègues.

D'ailleurs, tout le monde faisait pareil. L'objet collait à l'époque : les cloisons s'effaçaient entre vie intime, vie professionnelle et vie sociale. Surtout, le quotidien était devenu plus urgent, plus flexible, nécessitant en permanence de jongler avec votre emploi du temps.

★

Récemment, vous avez changé votre vieil appareil contre un modèle plus perfectionné : une petite merveille vous permettant d'avoir accès à vos mails, de naviguer sur Internet et d'y télécharger des centaines d'applications.

C'est là que vous êtes devenue accro. Comme greffé à votre corps, votre mobile est désormais un prolongement de vous-même qui vous accompagne jusque dans votre salle de bains ou vos toilettes. Où que vous soyez, vous laissez rarement passer plus d'une demi-heure sans regarder votre écran, guettant un appel resté en absence, un message intime ou amical. Et si votre boîte mail est vide, vous cliquez pour vérifier qu'aucun courrier n'est en attente.

Comme le doudou de votre enfance, votre téléphone vous rassure. Son écran est doux, apaisant, hypnotique. Il vous donne une contenance dans toutes les situations et vous offre une facilité de contact immédiat qui laisse ouverts tous les possibles…

★

Mais un soir, en rentrant, vous fouillez vos poches puis votre sac et vous prenez conscience que votre mobile a disparu. Perdu ? Volé ? Non, vous refusez d'y croire. Vous vérifiez à nouveau sans plus de succès, essayant de vous persuader que vous l'avez oublié au bureau, mais… non : vous vous souvenez de l'avoir consulté dans l'ascenseur en quittant le boulot et – sans doute – dans le métro et dans le bus.

Zut !

D'abord, vous êtes en colère à cause de la perte de l'appareil lui-même, puis vous vous félicitez d'avoir souscrit cette assurance « vol/perte/casse », tout en comptant les points de fidélité qui, dès demain, vous permettront de vous offrir un nouveau jouet high-tech et tactile.

Pourtant, à 3 heures du matin, vous n'avez toujours pas réussi à trouver le sommeil…

*

Vous vous levez sans bruit pour ne pas réveiller l'homme endormi à vos côtés.

Dans la cuisine, en haut d'un placard, vous allez chercher le vieux paquet de clopes entamé que vous avez planqué là en cas de coup dur. Vous en grillez une et, au point où vous en êtes, l'accompagnez d'un verre de vodka.

Merde…

Vous êtes assise, courbée sur votre chaise. Vous avez froid, car vous avez laissé la fenêtre ouverte à cause de l'odeur de cigarette.

Vous faites l'inventaire de tout ce que contient votre téléphone : quelques vidéos, une cinquantaine de photos, l'historique de votre navigation sur Internet, votre adresse (y compris le code de la porte d'entrée de l'immeuble), celle de vos parents, des numéros de gens qui ne devraient pas forcément s'y trouver, des messages qui pourraient laisser supposer que…

Ne sois pas parano !

Vous tirez une nouvelle bouffée et prenez une gorgée d'alcool.

En apparence, il n'y a rien de *vraiment* compromettant, mais vous savez bien que les apparences sont trompeuses.

Ce qui vous inquiète, c'est que votre appareil ait atterri entre des mains malintentionnées.

Déjà, vous regrettez certaines photos, certains mails, certaines conversations. Le passé, la famille, l'argent, le sexe… En cherchant bien, quelqu'un qui voudrait vous nuire aurait de quoi briser votre vie. Vous regrettez, mais les regrets ne servent plus à rien.

Comme vous frissonnez, vous vous levez pour fermer la fenêtre. Le front collé contre la vitre, vous regardez les rares lumières qui brillent encore dans la nuit en vous disant qu'à l'autre bout de la ville, un homme a peut-être les yeux vissés à l'écran de votre téléphone, explorant avec délectation les zones d'ombre de votre vie privée et fouillant méthodiquement dans les entrailles de l'appareil à la recherche de vos *dirty little secrets*.

PREMIÈRE PARTIE

LE CHAT ET LA SOURIS

1

L'échange

Il est des êtres dont c'est le destin de se croiser. Où qu'ils soient. Où qu'ils aillent. Un jour ils se rencontrent.

Claudie GALLAY

New York
Aéroport JFK
Une semaine avant Noël

ELLE

— Et ensuite ?

— Ensuite, Raphaël m'a offert une bague en diamants de chez *Tiffany* et m'a demandé d'être sa femme.

Téléphone collé à l'oreille, Madeline déambulait

devant les hautes baies vitrées qui donnaient sur le tarmac. À cinq mille kilomètres de là, dans son petit appartement du nord de Londres, sa meilleure amie écoutait, impatiente, le compte rendu détaillé de son escapade romantique à Big Apple.

— Il t'a vraiment sorti le grand jeu ! constata Juliane. Week-end à Manhattan, chambre au *Waldorf*, balade en calèche, demande de mariage à l'ancienne…

— Oui, se réjouit Madeline. Tout était parfait, comme dans un film.

— Peut-être un petit peu trop parfait, non ? la taquina Juliane.

— Tu peux m'expliquer comment quelque chose peut être « trop » parfait, madame la blasée ?

Juliane essaya maladroitement de se rattraper :

— Je veux dire : peut-être que ça manquait de *surprise*. New York, *Tiffany*, la promenade sous la neige et la patinoire de Central Park… C'est un peu attendu, un peu cliché quoi !

Malicieuse, Madeline contre-attaqua :

— Si je me souviens bien, lorsque Wayne t'a demandée en mariage, c'était au retour du pub, un soir de beuverie. Il était bourré comme une rame de métro à l'heure de pointe et il est parti vomir dans les toilettes juste après t'avoir demandé ta main, c'est ça ?

— OK, tu gagnes cette manche, capitula Juliane.

Madeline sourit tout en se rapprochant de la zone d'embarquement pour essayer de trouver Raphaël au milieu de la foule compacte. En ce début de vacances de Noël, des milliers de voyageurs se pressaient dans l'aérogare qui bourdonnait comme une ruche. Certains allaient rejoindre leur famille tandis que d'autres partaient au bout du monde, vers des destinations paradisiaques, loin de la grisaille de New York.

— Au fait, reprit Juliane, tu ne m'as pas dit quelle a été ta réponse.

— Tu plaisantes ? Je lui ai dit oui bien sûr !

— Tu ne l'as pas fait languir un peu ?

— Languir ? Jul', j'ai presque trente-quatre ans ! Tu ne crois pas que j'ai assez attendu comme ça ? J'aime Raphaël, je sors avec lui depuis deux ans et nous essayons d'avoir un enfant. Dans quelques semaines, nous allons emménager dans la maison que nous avons choisie ensemble. Juliane, pour la première fois de ma vie, je me sens protégée et heureuse.

— Tu dis ça parce qu'il est à côté de toi, c'est ça ?

— Non ! s'écria Madeline en riant. Il est allé enregistrer nos bagages. Je dis ça parce que je le pense !

Elle s'arrêta devant un kiosque à journaux. Mises bout à bout, les unes des quotidiens brossaient le portrait d'un monde à la dérive qui avait hypothéqué son avenir : crise économique, chômage, scandales politiques, exaspération sociale, catastrophes écologiques…

— Tu n'as pas peur qu'avec Raphaël ta vie soit prévisible ? assena Juliane.

— Ce n'est pas une tare ! rétorqua Madeline. J'ai besoin de quelqu'un de solide, de fiable, de fidèle. Autour de nous, tout est précaire, fragile et vacillant. Je ne veux pas de ça dans mon couple. Je veux rentrer chez moi le soir et être certaine de trouver du calme et de la sérénité dans mon foyer. Tu comprends ?

— Hum…, fit Juliane.

— Il n'y a pas de « hum » qui tienne, Jul'. Alors commence la tournée des boutiques pour ta robe de demoiselle d'honneur !

— Hum, répéta néanmoins la jeune Anglaise, mais cette fois davantage pour masquer son émotion que pour traduire son scepticisme.

Madeline regarda sa montre. Derrière elle, sur les pistes de décollage, des avions blanchâtres attendaient en file indienne avant de prendre leur envol.

— Bon, je te laisse, mon vol décolle à 17 h 30 et je n'ai toujours pas récupéré mon… mon mari !

— Ton *futur* mari…, corrigea Juliane en riant. Quand viens-tu me rendre une petite visite à Londres ? Pourquoi pas ce week-end ?

— J'aimerais tant, mais c'est impossible : on va atterrir à Roissy très tôt. J'aurai à peine le temps de passer prendre une douche à la maison avant l'ouverture de la boutique.

— Ben tu ne chômes pas, dis donc !

— Je suis fleuriste, Jul' ! La période de Noël est l'une de celles où j'ai le plus de travail !

— Essaie au moins de dormir pendant le voyage.

— D'accord ! Je t'appelle demain, promit Madeline avant de raccrocher.

★

LUI

— N'insiste pas, Francesca : il est hors de question de se voir !

— Mais je ne suis qu'à vingt mètres de toi, juste en bas de l'escalator…

Portable collé à l'oreille, Jonathan fronça les sourcils et se rapprocha de la balustrade qui surplombait l'escalier roulant. Au bas des marches, une jeune femme brune à l'allure de madone téléphonait tout en tenant la main d'un enfant emmitouflé dans une parka un peu trop grande. Elle avait des cheveux longs, portait un jean taille basse, une veste en duvet cintrée ainsi que des lunettes de soleil griffées à large monture qui, tel un masque, cachaient une partie de son visage.

Jonathan agita un bras en direction de son fils qui lui rendit timidement son salut.

— Envoie-moi Charly et casse-toi ! ordonna-t-il, à cran.

Chaque fois qu'il apercevait son ex-femme, une colère mêlée de douleur l'envahissait. Un sentiment puissant qu'il ne contrôlait pas et qui le rendait à la fois violent et déprimé.

— Tu ne peux pas continuer à me parler comme ça ! protesta-t-elle d'une voix où perçait un léger accent italien.

— Ne t'avise pas de me donner la moindre leçon ! explosa-t-il. Tu as fait un choix dont tu dois assumer les conséquences. Tu as trahi ta famille, Francesca ! Tu nous as trahis, Charly et moi.

— Laisse Charly en dehors de ça !

— Le laisser en dehors de ça ? Alors que c'est lui qui paie les pots cassés ? C'est à cause de tes frasques qu'il ne voit son père que quelques semaines par an !

— J'en suis déso…

— Et l'avion ! la coupa-t-il. Tu veux que je te rappelle pourquoi Charly a peur de prendre l'avion tout seul, ce qui m'oblige à traverser le pays à chacune des vacances scolaires ? demanda-t-il en élevant la voix.

— Ce qui nous arrive, c'est… c'est la vie, Jonathan. Nous sommes adultes et il n'y a pas d'un côté le gentil et de l'autre la méchante.

— Ce n'est pas ce qu'a estimé le juge, remarqua-t-il, soudain las, faisant allusion au divorce qui avait été prononcé aux torts de son ex-femme.

Pensif, Jonathan posa les yeux sur le tarmac. Il n'était que 16 h 30, mais la nuit n'allait pas tarder à tomber. Sur les pistes éclairées, une file impressionnante de gros-porteurs attendaient le signal de la tour de contrôle avant de décoller vers Barcelone, Hong Kong, Sydney, Paris…

— Bon, assez parlé, reprit-il. L'école recommence le 3 janvier, je te ramènerai Charly la veille.

— D'accord, admit Francesca. Une dernière chose : je lui ai acheté un portable. Je veux pouvoir le joindre n'importe quand.

— Tu rigoles ! C'est hors de question ! explosa-t-il. On n'a pas de téléphone à sept ans.

— Ça se discute, objecta-t-elle.

— Si ça se discute, tu n'avais pas à prendre cette décision toute seule. On en reparlera peut-être, mais, pour l'instant, tu remballes ton gadget et tu laisses Charly me rejoindre !

— D'accord, abdiqua-t-elle doucement.

Jonathan se pencha sur la balustrade et plissa les yeux pour constater que Charly restituait à

Francesca un petit combiné coloré. Puis le jeune garçon embrassa sa mère et, d'un pas mal assuré, s'engagea sur l'escalier roulant.

Jonathan bouscula quelques voyageurs pour être à la réception de son fils.

— Salut p'pa.

— Salut p'tit mec, lança-t-il en le serrant dans ses bras.

★

EUX

Les doigts de Madeline filaient sur le clavier à toute vitesse. Téléphone à la main, elle parcourait les vitrines de la zone de *duty free* tout en rédigeant presque à l'aveugle un SMS pour répondre à Raphaël. Son compagnon avait bien enregistré leurs bagages, mais il faisait à présent la queue pour passer les contrôles de sécurité. Dans son message, Madeline lui proposa de le rejoindre à la cafétéria.

— P'pa, j'ai une petite faim. Je peux avoir un *panino* s'il te plaît ? demanda poliment Charly.

La main posée sur l'épaule de son fils, Jonathan traversait le dédale de verre et d'acier qui menait aux portes d'embarquement. Il détestait les aéroports, particulièrement à cette époque de l'année – Noël et les aérogares lui rappelaient les circonstances sinistres dans lesquelles il avait appris la trahison de sa femme, deux ans plus tôt –, mais, tout à la joie de retrouver Charly, il le fit décoller du sol en le prenant par la taille.

— Un *panino* pour le jeune homme, un ! dit-il avec entrain en bifurquant pour entrer dans le restaurant.

La Porte du Ciel, la principale cafétéria du terminal, s'organisait autour d'un atrium au centre duquel différents comptoirs proposaient un large éventail de spécialités culinaires.

Un moelleux au chocolat ou une part de pizza ? se demanda Madeline en examinant le buffet. Bien sûr, un fruit serait plus raisonnable, mais elle avait une faim de loup. Elle posa le gâteau sur son plateau, puis le remit en place presque instantanément dès que son Jiminy Cricket lui eut susurré à l'oreille le nombre de calories que contenait cette tentation. Un peu déçue, elle piocha une pomme dans la corbeille en osier, commanda un thé citron et s'en alla régler sa commande à la caisse.

Pain *ciabatta*, pesto, tomates confites, jambon de Parme et mozzarella : Charly salivait devant son sandwich italien. Dès son plus jeune âge, il avait accompagné son père dans les cuisines des restaurants, ce qui lui avait donné le goût des bonnes choses et avait développé sa curiosité envers toutes sortes de saveurs.

— Fais attention à ne pas renverser ton plateau, d'accord ? conseilla Jonathan après avoir payé leur collation.

Le gamin approuva de la tête, attentif à maintenir l'équilibre précaire entre son *panino* et sa bouteille d'eau.

Le restaurant était bondé. De forme ovale, la salle s'étirait le long d'un mur de verre qui donnait directement sur les pistes.

— On se met où, papa ? demanda Charly, perdu au milieu du flot de voyageurs.

Jonathan scruta d'un œil inquiet la foule dense qui se bousculait entre les chaises. Visiblement, il y avait plus de clients que de places disponibles. Puis, comme par magie, une table se libéra près de la baie vitrée.

— Cap à l'est, moussaillon ! annonça-t-il en faisant un clin d'œil à son fils.

Alors qu'il pressait le pas, la sonnerie de

son téléphone retentit au milieu du vacarme. Jonathan hésita à prendre l'appel. Bien qu'il eût lui-même les bras encombrés – son bagage à roulettes dans une main et son plateau dans l'autre –, il essaya d'extirper son appareil de la poche de sa veste, mais…

Il y a une de ces cohues ! se désola Madeline en voyant l'armada de voyageurs envahir le restaurant. Elle qui avait espéré se délasser un moment avant son vol ne trouvait même pas une table où s'asseoir !

Aïe ! se retint-elle de crier alors qu'une ado décomplexée lui écrasait le pied sans un mot d'excuses.

Sale petite peste, pensa-t-elle très fort en lui lançant un regard sévère auquel la jeune fille répondit par un discret majeur tendu dont la signification ne laissait aucun doute.

Madeline n'eut même pas le temps d'être déstabilisée par cette agression. Elle venait d'apercevoir une table libre accolée à la baie vitrée. Elle pressa le pas de peur de laisser échapper le précieux emplacement. Elle n'était qu'à trois mètres de son but lorsque son téléphone vibra dans son sac.

C'est pas le moment !

Elle décida d'abord de ne pas répondre puis se ravisa : c'était sans doute Raphaël qui la cherchait. Maladroitement, elle prit son plateau dans une main – *Bon sang, que cette théière est lourde !* – tandis qu'elle fouillait dans son sac pour en extraire son portable noyé entre son volumineux trousseau de clés, son agenda et le roman qu'elle avait en cours. Elle se contorsionna pour décrocher l'appareil et le porter à son oreille lorsque…

★

Madeline et Jonathan se percutèrent de plein fouet. Théière, pomme, sandwich, bouteille de Coca, verre de vin : tout vola dans les airs avant de se retrouver sur le sol.

Surpris par le choc, Charly lui-même laissa tomber son plateau et se mit à pleurer.

Quelle conne ! s'agaça Jonathan en se relevant avec difficulté.

— Pouvez pas regarder où vous foutez les pieds ! cria-t-il.

Quel abruti ! s'irrita Madeline en reprenant ses esprits.

— Ah ! parce que c'est ma faute en plus ? Faut pas inverser les rôles, mon vieux ! lui tint-elle tête avant de récupérer sur le sol son téléphone, son sac et ses clés.

Jonathan se pencha vers son fils pour le rassurer, ramassant le sandwich protégé par un emballage en plastique ainsi que la bouteille d'eau et son portable.

— J'avais vu cette table en premier ! s'indigna-t-il. Nous étions pratiquement assis lorsque vous avez déboulé comme une avalanche sans même…

— Vous plaisantez ? J'ai repéré cette table bien avant vous !

La colère de la jeune femme soulignait un accent anglais jusqu'alors imperceptible.

— Quoi qu'il en soit, vous êtes seule alors que je suis avec un enfant.

— La belle excuse ! Je ne vois pas en quoi le fait d'avoir un mioche vous donne le droit de me rentrer dedans et de bousiller mon chemisier ! déplora-t-elle en découvrant la tache de vin qui maculait son cache-cœur.

Consterné, Jonathan secoua la tête et leva les yeux au ciel. Il ouvrit la bouche pour protester, mais Madeline le prit de vitesse :

— Et puis d'abord, je ne suis pas seule ! assura-t-elle en apercevant Raphaël.

Jonathan haussa les épaules et prit la main de Charly.

— Viens, on va ailleurs. Pauvre gourde…, lança-t-il en quittant le restaurant.

*

Le vol Delta 4565 quitta New York pour San Francisco à 17 heures. Tout à la joie de retrouver son fils, Jonathan ne vit pas le temps passer. Depuis la séparation de ses parents, Charly avait une peur phobique de l'avion. Impossible pour lui de voyager tout seul ou de trouver le sommeil pendant un vol. Les sept heures que durait le trajet furent donc consacrées à échanger des anecdotes, à se raconter des histoires drôles et à visionner pour la vingtième fois l'intégralité du film *La Belle et le Clochard* sur l'écran d'un ordinateur portable tout en se délectant de petits pots de crème glacée Häagen-Dazs. Ce genre de douceurs était réservé à la classe affaires, mais une hôtesse compréhensive, qui avait craqué devant la bouille de Charly et le charme maladroit de son papa, se fit un plaisir de transgresser les règles.

Le vol Air France 29 quitta l'aéroport JFK à 17 h 30. Dans le confort ouaté de la *business class* – décidément, Raphaël avait bien fait les choses… –, Madeline alluma son appareil photo et fit défiler les clichés de leur escapade new-yorkaise. Collés l'un à l'autre, les deux amoureux revécurent avec jubilation les meilleurs moments d'un voyage aux avant-goûts de lune de miel. Puis Raphaël s'assoupit, tandis qu'avec enchantement Madeline regardait pour la énième fois *The Shop Around the Corner*, la vieille comédie de Lubitsch proposée en vidéo à la demande.

Grâce au décalage horaire, il n'était même pas 21 heures lorsque l'avion de Jonathan se posa à San Francisco.

Délivré de son angoisse, Charly s'endormit dans les bras de son père à peine sorti de l'appareil.

Dans le hall des arrivées, Jonathan guettait son ami Marcus avec qui il tenait une petite brasserie française au cœur de North Beach et qui était censé venir les chercher en voiture. Il se mit sur la pointe des pieds pour dominer la foule.

— M'aurait étonné qu'il soit à l'heure celui-là ! maugréa-t-il.

De guerre lasse, il se résolut à consulter son

téléphone pour vérifier s'il avait un message. Dès qu'il désactiva le mode « avion », un texto à rallonge s'afficha sur l'écran :

> Bienvenue à Paris ma chérie ! J'espère que tu as pu te reposer pendant le vol et que Raphaël n'a pas trop ronflé ;-)
> Excuse-moi pour tout à l'heure : je suis ravie que tu te maries et que tu aies trouvé l'homme capable de te rendre heureuse. Je te promets de faire tout mon possible pour remplir avec sérieux et solennité mon rôle de demoiselle d'honneur !
> Ton amie pour la vie, Juliane.

C'est quoi cette embrouille ? pensa-t-il en relisant le SMS. Une blague loufoque de Marcus ? Il y crut pendant quelques secondes, jusqu'à ce qu'il inspecte son appareil : même modèle, même couleur, mais… ce n'était pas le sien ! Un rapide coup d'œil à l'application de courrier électronique lui permit de découvrir l'identité de sa propriétaire : une certaine Madeline Greene, qui vivait à Paris.

Bordel ! pesta-t-il. *C'est le téléphone de la greluche de JFK !*

Madeline regarda sa montre en écrasant un bâillement. Six heures et demie du matin. Le vol n'avait duré qu'un peu plus de sept heures mais, avec le décalage horaire, l'avion avait atterri samedi matin à Paris. Roissy s'éveillait à vitesse accélérée. Comme à New York, les vacanciers de Noël avaient pris possession de l'aéroport malgré l'heure matinale.

— Tu es certaine de vouloir aller travailler aujourd'hui ? demanda Raphaël devant le tapis à bagages.

— Bien sûr, chéri ! dit-elle en allumant son téléphone pour consulter son courrier. Je te parie que j'ai déjà plusieurs commandes en attente.

Elle écouta d'abord son répondeur où une voix traînante et endormie qui lui était totalement inconnue avait laissé un message :

« *Salut Jon', c'est Marcus. Euh... j'ai eu un p'tit souci avec la 4L : une fuite d'huile qui... bon, je t'expliquerai plus tard. Enfin, tout ça pour te dire que je risque d'être un peu en retard. S'cuse...* »

Qui est donc cet hurluberlu ? se demanda-t-elle en raccrochant. *Quelqu'un qui aurait composé un faux numéro ? Hum...*

Dubitative, elle examina son portable avec attention : c’était la même marque, le même modèle… mais ça n’était pas le sien.

— Et merde ! lâcha-t-elle tout haut. C’est le téléphone du cinglé de l’aéroport !

2

Separate Lives

C'est épouvantable d'être seul quand on a été deux.

Paul MORAND

Jonathan envoya le premier SMS…

J'ai votre téléphone, vous avez le mien ? Jonathan Lempereur

… auquel Madeline répondit presque instantanément :

Oui ! Où êtes-vous ? Madeline Greene

À San Francisco.
Et vous ?

À Paris :(
Comment fait-on ?

Ben, la poste, ça existe,
en France, non ?
Je vous renvoie le vôtre
dès demain par FedEx.

Trop aimable…
Je fais de même
dès que possible.
Quelle est votre adresse ?

Restaurant
French Touch,
1606 Stockton Street,
San Francisco, CA.

Voici la mienne :
Le Jardin Extraordinaire,
3 bis, rue Delambre
à Paris, dans le XIVe.

Vous êtes fleuriste, n'est-ce pas ? Si oui, vous avez une commande urgente d'un certain Oleg Mordhorov : 200 roses rouges à livrer au Théâtre du Châtelet pour l'actrice qui se déshabille dans le troisième acte. Entre nous, je doute que ce soit sa femme…

De quel droit avez-vous écouté mon répondeur ?

Mais pour vous rendre service,
espèce d'andouille.

Je vois que vous êtes aussi rustre
dans vos messages
que dans vos paroles !
Alors vous êtes restaurateur,
Jonathan ?

Oui.

Dans ce cas, votre boui-boui compte une nouvelle réservation : une table pour deux personnes demain soir au nom de M. et Mme Strzechowski. Enfin, c'est ce que j'ai compris dans leur message, mais la réception était mauvaise…

Très bien. Bonne nuit.

À Paris, il est 7 heures du matin…

Jonathan secoua la tête avec agacement et glissa le téléphone dans la poche intérieure de sa veste. Cette femme l'horripilait.

*

San Francisco
21 h 30

Une antique 4L Renault rouge vif quitta la nationale 101 pour prendre la sortie qui menait à *downtown*. La vieille guimbarde se traînait comme un veau sur l'Embarcadero, donnant l'impression de rouler au ralenti. Le chauffage avait beau être poussé à son maximum, les vitres dégoulinaient de buée.

— Tu vas nous envoyer dans le décor avec ton tas de ferraille ! se plaignit Jonathan, tassé sur le siège passager.

— Mais non, elle ronronne ma titine, se défendit Marcus. Si tu savais comme je la bichonne !

Cheveux collés et hérissés, sourcils broussailleux, barbe de dix-huit jours et paupières tombantes à la Droopy : Marcus paraissait téléporté d'une autre époque – la préhistoire – voire, certains jours, d'une autre planète. Flottant dans un pantalon *baggy* et une chemise hawaïenne ouverte jusqu'au nombril, sa silhouette rachitique semblait avoir été contorsionnée et disloquée pour tenir dans l'habitacle de la voiture. Chaussé d'une vieille paire de tongs, il conduisait avec un seul pied, le talon posé sur l'embrayage et les orteils écrasant successivement l'accélérateur et la pédale de frein.

— Moi, je l'aime bien, la voiture d'oncle Marcus ! s'enthousiasma Charly en gigotant sur le siège arrière.

— Merci p'tit mec ! répondit-il en lui adressant un clin d'oeil.

— Charly ! Boucle ta ceinture et arrête de t'agiter dans tous les sens, ordonna Jonathan.

Puis, se tournant vers son ami :

— Tu es passé au restaurant cet après-midi ?

— Euh... on est fermés aujourd'hui, non ?

— Mais tu as pris livraison des canards au moins ?

— Quels canards ?

— Les cuisses de canard et la roquette que nous livre Bob Woodmark tous les vendredis !

— Ah ! je me disais bien que j'avais oublié un truc !

— Bougre de grande bourrique ! s'énerva Jonathan. Comment peux-tu oublier la seule chose à laquelle je t'avais demandé de penser ?

— Ce n'est pas dramatique non plus... maugréa Marcus.

— Si justement ! Même si Woodmark est imbuvable, sa ferme nous fournit nos meilleurs produits. Si tu lui as posé un lapin, il va nous prendre en grippe et ne voudra plus de nous comme clients. Fais un détour par le restaurant : je te parie qu'il a laissé sa cargaison dans l'arrière-cour.

— Je peux voir ça tout seul, assura Marcus. Je vous ramène d'abord à la mais…

— Non ! le coupa Jonathan. Tu n'es qu'un traîne-savates sur qui on ne peut pas compter, donc je vais prendre les choses en main.

— Mais le petit est crevé !

— Non, non ! se réjouit Charly. Je veux aller au restaurant, moi aussi !

— Comme ça, c'est réglé, trancha Jonathan. Prends l'embranchement au niveau de la 3e Rue, ordonna-t-il en essuyant avec sa manche la buée qui se condensait sur le pare-brise.

Mais la vieille 4L n'aimait pas être bousculée dans son itinéraire. Ses pneus étroits manquaient d'adhérence et le changement brutal de direction faillit provoquer un accident.

— Tu vois bien que tu ne contrôles pas ce tas de boue ! cria Jonathan. Putain, tu vas nous tuer !

— Je fais ce que je peux ! assura Marcus en redressant le volant dans un concert de klaxons exaspérés.

Tout en remontant Kearney Street, le tacot retrouva un semblant de stabilité.

— C'est parce que tu as revu ma sœur que tu es dans cet état-là ? demanda Marcus après un long silence.

— Francesca n'est que ta *demi*-sœur, corrigea Jonathan.

— Comment va-t-elle ?

Jonathan lui jeta un regard hostile.

— Si tu crois qu'on a fait la causette…

Marcus savait que le sujet était sensible et n'insista pas. Il se concentra sur sa conduite pour rejoindre Columbus Avenue et garer sa « titine » devant une brasserie portant l'enseigne *French Touch*, à l'angle d'Union Street et de Stockton Street.

Comme Jonathan l'avait deviné, Bob Woodmark avait laissé sa cargaison à l'arrière du restaurant. Les deux hommes empoignèrent les cageots pour les entreposer dans la chambre froide avant de vérifier que tout était en ordre dans la salle principale.

French Touch était un bout de l'Hexagone au cœur de North Beach, le quartier italien de San Francisco. Petit mais chaleureux, l'endroit reproduisait l'intérieur d'un bistrot français des années 1930 : boiseries, moulures, sol en mosaïque, immenses miroirs Belle Époque, vieilles affiches de Joséphine Baker, Maurice Chevalier et Mistinguett. L'établissement proposait une cuisine française traditionnelle, sans prétention, sans chichis. Sur l'ardoise accrochée au mur, on pouvait lire : « feuilleté d'escargots au miel, magret de canard à l'orange, tarte tropézienne… ».

— Je peux avoir une glace, papa ? demanda

Charly en s'installant devant le zinc rutilant qui trônait le long de la salle.

— Non, chéri. Tu en as mangé des kilos dans l'avion. Et puis, il est très tard, tu devrais déjà être au lit depuis longtemps.

— Mais c'est les vacances…

— Allez, Jon', sois cool ! demanda Marcus.

— Ah, non, tu ne vas pas t'y mettre toi aussi !

— Mais c'est Noël !

— Deux gosses ! ne put s'empêcher de sourire Jonathan.

Il prit place au bout du restaurant, derrière le comptoir de la cuisine ouverte qui permettait aux convives de suivre en partie la préparation des plats.

— Qu'est-ce qui te ferait plaisir ? demanda-t-il à son fils.

— Une Dame blanche ! s'enthousiasma le gamin.

Avec dextérité, le « cuistot » cassa quelques carrés de chocolat noir dans une petite jatte pour les faire fondre au bain-marie.

— Et pour toi ? demanda-t-il à Marcus.

— On pourrait ouvrir une bouteille de vin…

— Si tu veux.

Un large sourire éclaira le visage de Marcus. Il quitta son siège avec entrain pour rejoindre son lieu de prédilection : la cave du restaurant.

Pendant ce temps, sous le regard gourmand de

Charly, Jonathan disposa dans une coupe deux boules de glace à la vanille accompagnées d'une meringue. Une fois le chocolat fondu, il y incorpora une cuillerée de crème fleurette. Il versa le chocolat chaud sur la crème glacée et recouvrit le tout de chantilly et d'amandes grillées.

— *Enjoy !* dit-il en piquant une petite ombrelle sur le dôme de crème.

Le père et le fils s'installèrent à une table, assis côte à côte sur une banquette moelleuse. Des étoiles dans les yeux, Charly s'arma d'une longue cuillère et commença sa dégustation.

— Vise un peu cette merveille ! s'enflamma Marcus en revenant de la cave.

— Un screaming eagle 1997 ! Tu délires ou quoi ? Ce genre de bouteille est réservé aux clients !

— Allez ! Ce sera mon cadeau de Noël, implora-t-il.

Après une résistance purement formelle, Jonathan accepta d'ouvrir le grand cru. À tout prendre, mieux valait que Marcus boive quelques verres au restaurant. Il pourrait au moins garder l'œil sur lui. Dans le cas contraire, le Canadien risquait d'entamer une tournée des bars et, lorsqu'il était sous l'emprise de l'alcool, les catastrophes avaient vite fait de s'enchaîner. À plusieurs reprises, certains de ses compagnons de beuverie avaient profité de sa gentillesse et de sa crédulité pour le plumer au poker et lui faire signer des reconnaissances de dette fantaisistes que Jonathan avait eu ensuite toutes les peines du monde à récupérer.

— Admire la couleur de ce nectar ! s'extasia Marcus en versant le vin dans une carafe pour le faire décanter.

Enfant illégitime du père de Francesca et d'une chanteuse de *country* québécoise, Marcus n'avait pas touché un centime lors du décès de son géniteur, un riche homme d'affaires new-yorkais. Sa mère était morte depuis peu et il n'entretenait que des relations très lointaines avec sa demi-sœur. Fauché comme les blés, il vivait dans une bulle d'insouciance, indifférent à son apparence physique, ignorant le B.A.-BA de la bienséance et des règles de vie en société. Il dormait douze heures par jour, donnait ponctuellement un coup de main au restaurant, mais les contraintes de l'existence et les horaires de travail semblaient ne pas avoir de prise sur lui. Gentiment foldingue, aussi simplet qu'attachant, il avait quelque chose de pathétique et de désarmant, même si les conséquences de son irresponsabilité étaient épuisantes à gérer au quotidien.

Tout le temps qu'avait duré son mariage, Jonathan n'avait vu en Marcus qu'un crétin avec qui il n'avait rien à partager. Pourtant, lorsque Francesca l’avait quitté, son beau-frère avait été le seul à le soutenir. À l’époque, malgré Charly, Jonathan s’était laissé glisser dans le trou noir de la dépression. Désœuvré et désemparé, il avait sombré dans son chagrin, fréquentant d’un peu trop près messieurs Jack Daniel et Johnnie Walker.

Heureusement, par un étrange miracle, Marcus avait mis sa flemmardise entre parenthèses et, pour la première fois de sa vie, avait pris les choses en main. Il avait repéré un restaurant italien fatigué qui venait de changer de propriétaire et s’était démené pour convaincre les repreneurs de transformer l’endroit en bistrot français et d’en confier les fourneaux à son beau-frère. Cette initiative avait permis à Jonathan de reprendre pied. À peine avait-il senti son ami sauvé que Marcus était retombé dans sa flémingite aiguë.

— À la tienne ! lança-t-il en tendant à Jonathan un verre de vin.

— Donc, c’est Noël avant l’heure, conclut le Français en allumant le poste de radio Art déco qu’il avait récupéré dans un marché aux puces de Pasadena.

Il régla l’appareil sur une station rock qui diffusait une version *live* de *Light My Fire*.

— Ah ! c’est bon ça ! s’extasia Marcus en se calant au fond de la banquette, sans que l’on sache s’il parlait du cabernet ou de la musique des Doors.

Jonathan essaya à son tour de se détendre. Il déboutonna le col de sa chemise et tomba la veste, mais la vue du téléphone de Madeline posé sur la table le contraria. *Cette histoire de portable va me faire perdre des réservations !* soupira-t-il. Parmi ses clients réguliers, certains avaient en effet son numéro personnel : un privilège qui leur permettait d'obtenir une table même les soirs de rush.

Tandis que Marcus se saisissait de l'appareil, Jonathan regarda son fils qui s'endormait doucement sur la banquette. Il aurait aimé prendre une dizaine de jours de vacances pour mieux s'occuper de Charly, mais il ne pouvait pas se le permettre. Il était tout juste sorti du gouffre financier qui l'avait presque englouti quelques années plus tôt, et cette débâcle avait eu le mérite de le vacciner contre les crédits, les découverts, les impayés et autres pénalités de retard.

Lessivé, il ferma les yeux et Francesca lui apparut, telle qu'il l'avait croisée à l'aéroport. Deux ans après, la douleur était toujours aussi vive. Presque insoutenable. Il ouvrit les yeux et prit une gorgée de vin pour chasser son image. Il n'avait pas la vie qu'il avait espérée, mais c'était la sienne.

— Eh ! pas mal la nana ! s'exclama Marcus tandis que ses doigts graisseux glissaient sur l'écran tactile pour faire défiler les photos que contenait le cellulaire.

Intrigué, Jonathan passa une tête par-dessus l'écran.

— Fais voir.

Parmi les clichés de la jeune femme, certains étaient gentiment érotiques. Des poses suggestives immortalisées en noir et blanc : dentelles fines, jarretelles en satin, main relevée cachant pudiquement un sein ou effleurant le galbe d'une hanche. Rien de bien méchant à l'heure où certains mettaient en ligne leur *sex-tape* sur le web…

— Je peux voir, papa ? demanda Charly en sortant de son sommeil.

— Non, non. Rendors-toi. Ce n'est pas pour les enfants.

Surprenant tout de même qu'avec son air pincé de pimbêche bon chic, bon genre, la peste de l'aéroport avait fait elle aussi sa petite séance de poses coquines.

Plus étonné qu'émoustillé, Jonathan zooma sur le visage du modèle. En apparence, elle s'amusait, se prêtant au jeu de bonne grâce, mais derrière le sourire de façade on devinait une certaine gêne. Sans doute ce genre de clichés était-il plutôt le trip de son mec qui s'était pris l'espace d'un instant pour Helmut Newton. Qui était derrière l'appareil ? Son mari ? Son amant ? Jonathan se souvenait d'avoir aperçu un homme à l'aéroport, mais il était incapable de se rappeler sa tête.

— Bon allez, ça suffit ! trancha-t-il en reposant le téléphone sous le regard déçu de Marcus.

Se sentant soudain voyeur, il se demanda de quel droit il fouillait dans la vie privée de cette femme.

— Comme si elle allait se gêner pour faire pareil ! lui fit remarquer le Canadien.

— Je m'en contrefous : il n'y a aucun risque qu'elle trouve ce genre de photos dans mon téléphone ! s'exclama-t-il en se servant un verre de screaming eagle. Si tu crois que je me suis déjà amusé à prendre Popaul en photo…

Le cabernet avait des connotations exquises de fruits rouges et de pain d'épice. Tout en dégustant le breuvage, Jonathan recensa mentalement ce que contenait son téléphone portable. À vrai dire, il ne se souvenait pas de tout.

En tout cas, rien d'intime ni de compromettant, se rassura-t-il.

Ce en quoi il se trompait totalement.

★

Paris
7 h 30

Le capot nervuré d'une Jaguar XF dernier modèle filait dans le bleu froid et métallique du périphérique parisien. Habillé de matériaux nobles – cuir blanc, loupe de noyer, aluminium brossé – l'habitacle respirait le luxe et le confort protecteur. Sur le siège arrière, des bagages en toile Monogram cohabitaient avec un sac de golf et un numéro du *Fig Mag*.

— Tu es certaine de vouloir ouvrir ta boutique aujourd'hui ? demanda à nouveau Raphaël.

— Chéri ! s'écria Madeline. On en a déjà parlé plusieurs fois.

— On pourrait prolonger nos vacances…, insista-t-il. Je pousse jusqu'à Deauville, on passe la nuit au *Normandy* et on déjeune demain avec mes parents.

— Tentant, mais… non. En plus, tu as rendez-vous avec un client pour une visite de chantier.

— C'est toi qui décides, capitula l'architecte en tournant boulevard Jourdan.

Denfert-Rochereau, Montparnasse, Raspail : la voiture traversa une bonne partie du XIVe arrondissement avant de s'arrêter au 13, rue Campagne-Première devant une porte vert sombre.

— Je passe te chercher ce soir à la boutique ?

— Non, je viens te rejoindre en moto.

— Tu vas te geler !

— Peut-être, mais j'adore ma Triumph ! répondit-elle en l'embrassant.

Leur étreinte se prolongea jusqu'à ce que le klaxon d'un chauffeur de taxi pressé les sorte brutalement de leur cocon.

Madeline claqua la portière de la berline avant d'adresser un baiser d'adieu à son amoureux. Elle composa le code pour ouvrir la porte du porche qui donnait sur une cour arborée. Là, en rez-de-jardin, se trouvait l'appartement qu'elle louait depuis qu'elle habitait Paris.

— Brrr ! Il fait – 15 °C là-dedans ! grelotta-t-elle en entrant dans le petit duplex, typique des ateliers d'artiste qui s'étaient construits dans le quartier à la fin du XIXe siècle.

Elle alluma le chauffe-eau en grattant une allumette et mit sa bouilloire en marche pour se préparer un thé.

L'atelier de peintre d'origine avait depuis longtemps fait place à un joli deux pièces disposant d'un salon, d'une petite cuisine et d'une chambre en mezzanine. Mais la hauteur de plafond, les larges verrières qui perçaient le mur principal et le parquet en bois peint rappelaient la vocation artistique initiale et contribuaient au charme et au cachet du lieu.

Madeline alluma TSF Jazz, vérifia que les radiateurs étaient poussés à fond et sirota son thé, se dandinant au rythme de la trompette de Louis Armstrong en attendant que l'appartement se réchauffe.

Elle prit une douche éclair, sortit de la salle de bains en frissonnant et attrapa dans son placard un tee-shirt Thermolactyl, un jean et un gros pull en shetland. Prête à partir, elle croqua dans un Kinder Bueno tout en enfilant un blouson de cuir et noua autour de son cou son écharpe la plus chaude.

Il était à peine plus de 8 heures lorsqu'elle enfourcha la selle de sa moto jaune flamme. Son magasin était tout près, mais elle voulait éviter d'avoir à repasser par l'atelier lorsqu'elle rejoindrait Raphaël. Cheveux au vent, elle parcourut la petite centaine de mètres de cette rue qu'elle adorait. Ici, Rimbaud et Verlaine avaient composé des vers, Aragon et Elsa s'étaient aimés et Godard avait immortalisé la fin de son premier film : cette scène si triste dans laquelle Jean-Paul Belmondo, « à bout de souffle », s'écroule, une balle dans le dos, sous les yeux de sa fiancée américaine.

Madeline tourna boulevard Raspail et prit la rue Delambre jusqu'au *Jardin Extraordinaire*, la boutique qui faisait sa fierté et qu'elle avait ouverte deux ans auparavant.

Elle remonta le rideau de fer avec appréhension. Jamais elle ne s'était absentée si longtemps. Durant ses vacances à New York, elle avait confié les rênes du magasin à Takumi, son apprenti japonais qui terminait sa formation à l'école des fleuristes de Paris.

Lorsqu'elle pénétra dans le local, elle poussa un soupir de soulagement. Takumi avait suivi ses conseils à la lettre. Le jeune Asiatique s'était approvisionné la veille à Rungis et la pièce débordait de fleurs fraîches : orchidées, tulipes blanches, lys, poinsettias, hellébores, renoncules, mimosa, jonquilles, violettes, amaryllis. Le grand arbre de Noël qu'ils avaient décoré ensemble brillait de tous ses feux et des gerbes de gui et de houx pendaient au plafond.

Rassurée, elle quitta son blouson pour enfiler son tablier, rassembla ses outils de travail – sécateur, arrosoir, binette – et s'attela avec bonheur aux tâches les plus urgentes, nettoyant les feuilles d'un ficus, rempotant une orchidée, taillant un bonzaï.

Madeline avait conçu son atelier floral comme un lieu magique et poétique, une bulle propice à la rêverie, un havre de paix sécurisant loin du tumulte et de la violence de la ville. Quelle que soit la tristesse d'une journée, elle voulait que ses clients mettent leurs soucis entre parenthèses dès qu'ils franchissaient le seuil de sa boutique. Au moment de Noël, l'atmosphère de son *Jardin Extraordinaire* était particulièrement enchanteresse, renvoyant aux parfums de l'enfance et aux traditions d'antan.

Une fois les « premiers soins » terminés, la jeune femme sortit les sapins pour les installer contre la devanture et ouvrit sa boutique à 9 heures tapantes.

Elle sourit en voyant entrer son premier client – dans la profession, un vieil adage disait que si c'était un homme, la journée serait faste –, puis se rembrunit devant sa demande : il voulait faire livrer un bouquet à sa femme sans laisser de carte de visite. C'était le nouveau stratagème à la mode chez les maris jaloux : envoyer des fleurs de façon anonyme pour guetter la réaction de leur épouse. Si, une fois rentrée à la maison, celle-ci ne leur parlait pas du bouquet, ils en concluaient qu'elle avait un amant… L'homme régla sa commande et quitta le magasin en se désintéressant de la composition du bouquet. Madeline commençait donc seule la confection florale – que Takumi irait livrer à partir de 10 heures dans une banque de la rue Boulard – lorsque le riff de *Jumpin'Jack Flash* retentit dans la boutique. La fleuriste fronça les sourcils. Le célèbre morceau des Rolling Stones provenait de la poche de son sac à dos dans laquelle se trouvait le téléphone de ce Jonathan machin-chose. Elle hésita à décrocher, mais le temps qu'elle se décide, la sonnerie s'était interrompue. Le silence se fit pendant une minute, jusqu'à ce qu'un son bref et sourd indique que le correspondant avait laissé un message.

Madeline haussa les épaules. Elle n'allait quand même pas encore écouter un appel qui ne lui était pas destiné… Elle avait autre chose à faire ! Et puis, elle s'en fichait bien de ce Jonathan machin-truc si goujat et si désagréable. Et puis…

Mue par une irrépressible curiosité, elle appuya sur l'écran tactile et colla le téléphone contre son oreille. Une voix grave et hésitante s'éleva dans l'appareil : une Américaine, avec un léger accent italien, qui peinait à réprimer des sanglots.

Jonathan, c'est moi, c'est Francesca. Rappelle-moi s'il te plaît. Il faut qu'on se parle, il faut que... Je sais que je t'ai trahi, je sais que tu ne comprends pas pourquoi j'ai tout gâché. Reviens, s'il te plaît, fais-le pour Charly et fais-le pour nous. Je t'aime... Tu n'oublieras pas, mais tu me pardonneras. Nous n'avons qu'une vie, Jonathan, et nous sommes faits pour la passer ensemble et avoir d'autres enfants. Reprenons nos projets, continuons comme avant. Sans toi, ce n'est pas la vie...

La voix de l'Italienne s'étrangla dans une tristesse infinie et le message s'arrêta.

Pendant plusieurs secondes, Madeline resta immobile, ébranlée par ce qu'elle venait d'entendre et saisie par la culpabilité. Ses bras étaient parcourus par la chair de poule. Elle frissonna puis posa sur le comptoir le téléphone encore chargé de larmes en se demandant ce qu'elle était supposée faire.

3

En secret

Tout le monde a des secrets. Il s'agit simplement de découvrir lesquels.

Stieg LARSSON

Jonathan débraya et passa la troisième. La boîte de vitesses émit un bruit de ferraille strident comme si la voiture allait lâcher sur place. Il avait exigé le volant de la 4L : même si la maison était proche, il était impensable de laisser Marcus conduire. Affalé sur le siège passager, son ami cuvait son vin en égrenant des couplets paillards du répertoire de Georges Brassens :

♪ ♪ ♪ ♪ *Quand je pense à Fernande,*
je bande, je bande... ♪ ♪ ♪ ♪

— Un ton plus bas ! ordonna Jonathan en jetant un coup d'œil dans le rétroviseur, s'assurant ainsi que son fils était encore au pays des rêves.

— Pardon, s'excusa Marcus en se redressant pour ouvrir la vitre de sa portière.

Le Canadien sortit la tête à travers la fenêtre, offrant son visage à tous les vents, comme si l'air de la nuit allait l'aider à se dégriser.

Ce type est complètement givré…, pensa Jonathan en ralentissant encore jusqu'à atteindre la vitesse d'un escargot asthmatique.

La petite voiture s'engagea sur la partie ouest de Filbert Street, l'une des rues les plus pentues de San Francisco. À l'amorce de l'ascension, la guimbarde toussota, menaça de caler, mais reprit finalement son souffle pour atteindre péniblement le sommet de la colline, illuminé par la lumière blanche de la Coit Tower, la tour qui dominait la ville. Jonathan exécuta une manœuvre périlleuse pour se garer en épi, tournant ses roues vers l'intérieur du trottoir. Soulagé d'être arrivé à bon port, il prit son fils dans ses bras et s'engagea dans un passage au milieu des eucalyptus, des palmiers et des bougainvilliers.

Marcus le suivait en titubant. Il avait repris ses chansons grivoises qu'il beuglait à tue-tête.

— On essaie de dormir ! se plaignit un voisin.

Jonathan attrapa son ami par l'épaule pour l'inciter à presser le pas.

— Tu es mon seul vrai copain, mon seul vrai poteau…, marmonna l'ivrogne en s'agrippant à son cou.

Jonathan eut du mal à le remettre debout, et c'est à petits pas que les « deux hommes et demi » descendirent la volée de marches en bois qui dévalait le flanc de Telegraph Hill. L'escalier serpentait au milieu d'une végétation presque tropicale pour desservir de petites maisons colorées. Épargnées par les ravages du tremblement de terre de 1906, ces habitations en planchettes, construites à l'origine pour les marins et les dockers, étaient aujourd'hui prisées par une clientèle d'artistes et d'intellectuels fortunés.

Ils arrivèrent enfin devant le portail d'un jardin sauvage et luxuriant où les mauvaises herbes avaient définitivement gagné leur combat face aux fuchsias et aux rhododendrons.

— Bon, tout le monde dans sa chambre ! lança Jonathan avec l'autorité d'un chef de famille.

Il déshabilla Charly, le coucha et l'embrassa après l'avoir bordé. Puis il fit de même avec Marcus, le baiser en moins. Il ne fallait pas exagérer tout de même…

*

Enfin au calme, Jonathan passa dans la cuisine, se servit un verre d'eau et sortit sur la terrasse avec son ordinateur portable sous le bras. Marqué par le décalage horaire, il écrasa un bâillement en se frottant les paupières et se laissa tomber sur une chaise en teck.

— Alors mon gars, t'as pas sommeil ?

Jonathan leva la tête vers la voix qui l'interpellait : celle de Boris, le perroquet tropical de la maison.

Je l'avais oublié celui-là !

L'animal appartenait à l'ancien propriétaire du lieu, un original qui avait fait figurer sur son testament l'obligation, pour tout acheteur de sa villa, de s'occuper *ad vitam aeternam* de son volatile préféré. Boris avait plus de soixante ans. Pendant des décennies, son maître lui avait consacré une heure de logopédie quotidienne, lui apprenant un bon millier de mots et plusieurs centaines d'expressions qu'il ressortait avec un à-propos surprenant.

Flegmatique, il s'était bien intégré à son nouveau foyer et faisait la joie de Charly. Surtout, il s'entendait à merveille avec Marcus qui lui avait appris toute la collection de jurons du capitaine Haddock. Mais l'animal était un sacré loustic et Jonathan n'appréciait que modérément son sale caractère et sa langue bien pendue.

— T'as pas sommeeeiiil ? répéta l'oiseau.

— Si, figure-toi, mais je suis trop fatigué pour dormir.

— Moule à gaufres ! l'insulta Boris.

Jonathan s'approcha du volatile qui, avec son gros bec crochu et ses pattes aux ongles puissants, trônait avec majesté sur son perchoir. Malgré son grand âge, son plumage mi-doré, mi-turquoise avait gardé son lustre, et le duvet noir qui zébrait le contour de ses yeux lui donnait un air fier et arrogant.

L'animal secoua sa longue queue, déploya ses ailes tout en réclamant :

— J'veux des pommes, des prunes, des bananes…

Jonathan examina la volière.

— Tu n'as pas mangé tes concombres et tes endives.

— Dégueu les endives ! J'veux des pignons, des noix et des cacahuuuèèètes.

— C'est ça, et moi, je veux Miss Univers dans mon lit.

Jonathan secoua la tête et ouvrit son ordinateur. Il récupéra son courrier électronique, répondit à deux fournisseurs, valida quelques réservations et alluma une cigarette en regardant les milliers de lumières qui brillaient sur l'océan. D'ici, la vue sur la baie était magnifique. Les gratte-ciel du quartier des affaires se découpaient devant l'immense silhouette du Bay Bridge qui filait vers Oakland. Ce moment de quiétude fut troublé par une sonnerie de téléphone inhabituelle : un morceau de violon, le début d'un *Caprice* de Paganini d'après ses lointaines connaissances musicales.

Le téléphone de Madeline Greene.

S'il voulait dormir, il avait intérêt à ne pas oublier de l'éteindre, car avec le décalage horaire, les coups de fil risquaient de se multiplier. Il décida néanmoins de prendre ce dernier appel.

— Oui ?

— C'est toi, ma belle ?

— Euh…

— Pas trop épuisée ? Tu as fait bon voyage, j'espère.

— Excellent. C'est gentil de vous en soucier.

— Mais vous n'êtes pas Madeline ?

— Bien vu !

— C'est toi, Raphaël ?

— Non, moi c'est Jonathan, de San Francisco.

— Juliane Wood, enchantée. Peut-on savoir pourquoi vous répondez au téléphone de ma meilleure amie ?

— Parce que nous avons échangé nos portables par inadvertance.

— À San Francisco ?

— À New York, à l'aéroport. Enfin bref, c'est trop long à expliquer.

— Ah ? C'est drôle…

— Oui, surtout quand ça arrive aux autres. Donc vous…

— Et comment est-ce arrivé ?

— Bon, écoutez, il est tard et ce n'est pas très intéressant.

— Ah si ! Au contraire, racontez-moi !

— Vous appelez d'Europe ?

— J'appelle de Londres. Je demanderai à Madeline de me raconter. Quel est votre numéro ?

— Pardon ?

— Votre numéro de téléphone.

— Pour que j'appelle Madeline…

— Mais je ne vais pas vous donner mon numéro, je ne vous connais pas !

— Mais puisque c'est Madeline qui a votre téléphone !

— Oh, zut ! Vous avez bien un autre moyen de la joindre ! Vous n'avez qu'à appeler Raphaël, tiens !

Quelle commère ! pensa-t-il en s'empressant de mettre fin à la conversation.

— Allô, allô, répéta Juliane au bout du fil.

Oh, le goujat ! s'énerva-t-elle en comprenant qu'il lui avait raccroché au nez.

★

Jonathan était résolu à éteindre l'appareil lorsqu'une pointe de curiosité l'incita à regarder à nouveau les photos stockées dans le téléphone. Au-delà des deux ou trois poses sensuelles, l'essentiel des fichiers était constitué de clichés touristiques, véritable album de souvenirs des escapades romantiques du couple. Madeline et Raphaël affichaient ainsi leur amour sur la place Navone à Rome, dans une gondole à Venise, devant les édifices de Gaudi à Barcelone, accrochés aux tramways lisboètes ou chaussés de skis dans les Alpes. Autant de lieux que Jonathan lui-même avait visités avec Francesca du temps de leur amour. Mais le bonheur des autres lui étant encore douloureux, il ne fit que survoler cette galerie.

Il continua néanmoins son exploration du téléphone, parcourant la bibliothèque musicale de Madeline avec intérêt. Alors qu'il s'attendait au pire – des compils de variétoche, de pop et de R'n'B' –, il fronça les yeux en découvrant… toute la musique qu'il aimait : Tom Waits, Lou Reed, David Bowie, Bob Dylan, Neil Young…

Des morceaux mélancoliques et bohèmes qui chantaient la *loose*, le blues des matins blêmes et les destins brisés.

C'était surprenant. Certes l'habit ne faisait pas le moine, mais il avait du mal à imaginer la jeune femme sophistiquée, manucurée et Louis Vuittonisée de l'aéroport s'enfoncer dans ces mondes tourmentés.

Poussant plus loin ses investigations, il consulta les titres de films que Madeline avait téléchargés. Nouvelle surprise : pas de comédies romantiques, d'épisodes de *Sex and the City* ou de *Desperate Housewives*, mais des longs métrages moins lisses et plus controversés : *Le Dernier Tango à Paris, Crash, La Pianiste, Macadam Cowboy* et *Leaving Las Vegas*.

Jonathan bloqua sur le dernier titre : cette histoire d'amour impossible entre un alcoolique suicidaire et une prostituée paumée était son film préféré. Lorsqu'il l'avait découvert, il était au sommet de sa réussite professionnelle et familiale. Pourtant, la longue dérive éthylique de Nicolas Cage, noyant dans l'alcool l'échec de sa vie, lui avait paru presque familière. C'était le genre de film qui ravivait vos blessures, réveillait vos vieux démons et vos instincts d'autodestruction. Le genre d'histoire qui vous renvoyait à vos peurs les plus secrètes, à votre solitude, et vous rappelait que personne n'est à l'abri d'une descente aux enfers. Selon votre état d'esprit du moment, l'œuvre pouvait vous donner la nausée ou vous faire voir plus clair en vous. En tout cas, elle touchait juste.

Décidément, Madeline Greene avait des goûts inattendus.

De plus en plus perplexe, il se laissa aller à parcourir ses mails et ses SMS. À part ses messages professionnels, l'essentiel de sa correspondance se composait d'échanges avec Raphaël – son compagnon, visiblement très amoureux et attentionné – ainsi qu'avec sa meilleure copine – la fameuse Juliane, grande gueule, pipelette et cancanière, mais amie fidèle et pleine d'humour. Des dizaines de mails d'un entrepreneur parisien laissaient deviner l'imminence d'un déménagement dans une maison de Saint-Germain-en-Laye que Madeline et Raphaël avaient agencée avec le soin et la ferveur que l'on met dans un premier nid d'amour. Visiblement, le couple était sur son nuage, sauf que…

… en continuant ce qu'il fallait bien qualifier de « fouille », Jonathan tomba sur l'agenda électronique de Madeline et repéra des rendez-vous réguliers avec un certain Esteban. Il se figura immédiatement un play-boy argentin amant de la jeune Anglaise. Deux fois par semaine, le lundi et le jeudi entre 18 et 19 heures, Madeline allait rejoindre son Casanova sud-américain ! Le gentil Raphaël était-il au courant des incartades de sa jolie fiancée ? Non, bien sûr. Jonathan avait lui aussi subi la même déveine et n'avait rien vu arriver lorsqu'il avait découvert la tromperie de Francesca, alors qu'il pensait son couple à l'abri des tornades.

Toutes les mêmes…, pensa-t-il, complètement désabusé.

Sur les photos, Raphaël lui avait semblé un peu fade avec son pull sur les épaules et sa chemise bleue de gendre idéal. Mais face au torpilleur de bonheur conjugal qu'était sans doute Esteban, Jonathan ne pouvait s'empêcher de ressentir pour lui l'empathie et la solidarité propres aux maris trompés.

★

Parmi les autres rendez-vous, le terme « gynéco » revenait régulièrement : le docteur Sylvie Andrieu, que Madeline consultait apparemment depuis six mois pour un problème d'infertilité. Du moins, c'est ce que laissaient supposer les courriers électroniques envoyés par un laboratoire d'analyses médicales dont Madeline avait fait des sauvegardes.

Devant l'écran de son portable, Jonathan se sentait un peu voyeur et mal à l'aise, mais quelque chose chez cette femme commençait à le captiver.

Ces dernières semaines, Madeline avait passé les

examens les plus courants pour détecter une stérilité éventuelle : courbes de température, prélèvements, échographies et radios. Jonathan était ici en terrain connu : Francesca et lui avaient connu des problèmes similaires et s'étaient soumis au même parcours avant de concevoir Charly.

Il prit le temps de lire les résultats avec attention. Pour ce qu'il en comprenait, ils étaient plutôt bons. Madeline avait des cycles réguliers, des dosages hormonaux rassurants et une ovulation qui n'avait pas besoin d'être stimulée. Même son cher et tendre s'était prêté à l'analyse de sa semence et Raphaël avait dû constater avec soulagement que ses spermatozoïdes étaient suffisamment nombreux et mobiles pour lui permettre de procréer.

Il ne manquait qu'un seul examen, dit « test de Hühner », pour compléter le tableau. En examinant les notes contenues dans l'agenda électronique, Jonathan constata que, depuis trois mois, la date avait été chaque fois reportée.

Étrange…

Il se souvenait très bien de son état d'esprit à l'époque, lorsqu'il avait lui-même effectué cet examen avec Francesca. Certes, le test, destiné à vérifier la compatibilité du couple, avait des contraintes – l'analyse devait être effectuée dans les deux jours précédant la date d'ovulation et moins de douze heures après un rapport sexuel non protégé –, mais une fois que vous aviez pris la décision de vous livrer à cette batterie d'analyses, vous n'aviez qu'une seule envie : les terminer au plus vite pour être rassurée.

Pourquoi Madeline a-t-elle repoussé trois fois la date du test ?

Il se creusa la tête tout en sachant qu'il ne trouverait pas de réponse à la question. Après tout, les rendez-vous manqués venaient peut-être de la gynéco ou de Raphaël.

— Va te coucher, Coco ! l'interpella Boris.

Pour une fois, le volatile avait raison. À quoi jouait-il, debout à 2 heures du matin, à scruter désespérément l'écran de téléphone d'une femme qu'il n'avait croisée que deux minutes dans sa vie ?

⋆

Jonathan se leva de sa chaise, bien décidé à aller dormir, mais le téléphone continuait d'exercer son pouvoir d'attraction. Incapable de le poser, il le connecta sur le réseau wi-fi de la maison avant de consulter une nouvelle fois la collection de photos. Il fit défiler les poses de Madeline jusqu'à retrouver celle qu'il cherchait. Il en lança l'impression en rejoignant le salon.

L'imprimante crépita avant de cracher un portrait en plan américain représentant la jeune femme devant le Grand Canal à Venise. Jonathan se saisit de l'image et plongea son regard dans celui de Madeline.

Il y avait un mystère dans ce visage. Derrière la lumière et le sourire, il sentait une fêlure, quelque chose d'irrémédiablement cassé, comme si le cliché portait un message subliminal qu'il ne parvenait pas à décoder.

Jonathan regagna la terrasse. Hypnotisé par ce téléphone, il recensait à présent les différentes applications téléchargées par Madeline – journaux d'information, plan du métro parisien, météo…

— Quel est ton secret, Madeline Greene ? chuchota-t-il en effleurant l'écran.

— Madeline Greeeeeeene, répéta le perroquet en hurlant.

La lumière s'alluma dans la maison d'en face.

— On voudrait dormir ! se lamenta un voisin.

Jonathan ouvrait la bouche pour gronder Boris lorsqu'un programme attira son attention : un « calendrier féminin » dans lequel Madeline consignait une bonne partie de sa vie intime. Organisée comme un agenda, l'application gardait en mémoire les dates des règles, précisait les jours d'ovulation, les dates de fertilité et calculait la moyenne des cycles menstruels. Un « journal » suivait l'évolution du poids, de la température et des humeurs tandis que de discrètes icônes en forme de cœur permettaient à l'utilisatrice de repérer les jours où elle avait eu un rapport sexuel.

C'est en regardant la disposition des cœurs sur le calendrier que l'évidence sauta aux yeux de Jonathan : Madeline prétendait vouloir un enfant, mais prenait garde à ne faire l'amour qu'en dehors de ses périodes de fertilité…

4

Décalage horaire

Le cœur de la femme est un labyrinthe de subtilités qui défie l'esprit grossier du mâle à l'affût. Si vous voulez vraiment posséder une femme, il faut d'abord penser comme elle et la première chose à faire est de conquérir son âme.

Carlos RUIZ ZAFÓN

Pendant ce temps, à Paris…

— Takumi, il faut que tu me rendes un service.

La pendule murale du magasin venait de sonner 11 heures. Perchée sur un escabeau, le chignon retenu par un pique-fleur, les mains écorchées, Madeline terminait de suspendre un énorme bouquet de houx.

— Bien sûr, madame, répondit le jeune apprenti.

— Arrête de m'appeler « madame » ! s'exaspéra-t-elle en descendant quelques marches.

— D'accord, Madeline, se reprit l'Asiatique en s'empourprant.

Appeler sa patronne par son prénom créait une intimité qui le mettait mal à l'aise.

— Je voudrais que tu ailles poster un colis pour moi, expliqua-t-elle en lui tendant une petite enveloppe à bulles dans laquelle elle avait glissé le téléphone de Jonathan.

— Bien sûr, mada… euh, Madeline.

— C'est une adresse aux États-Unis, précisa-t-elle en lui donnant un billet de 20 euros.

Takumi examina l'adresse :

Jonathan LEMPEREUR
French Touch
1606 Stockton Street
San Francisco, CA 94133
USA

— Jonathan Lempereur… Comme le chef ? demanda-t-il en enfourchant le vélo électrique qui lui servait à faire ses livraisons.

— Tu le connais ? s'étonna la fleuriste sortie avec lui sur le trottoir.

— Tout le monde le connaît, répliqua-t-il sans se rendre compte de sa maladresse.

— Ça veut dire que je suis la reine des connes ? le reprit Madeline.

— Non, euh… pas du tout, je…, bredouilla-t-il.

À présent, Takumi était écarlate. De petites gouttes de sueur perlaient sur son front et ses yeux ne quittaient pas le sol.

— Bon, tu te feras hara-kiri un autre jour, le chambra-t-elle. En attendant, explique-moi qui est ce type.

Le Japonais avala sa salive.

— Il y a quelques années, Jonathan Lempereur tenait le meilleur restaurant de New York. Mes parents m'y avaient invité pour fêter mon diplôme universitaire. C'était un endroit mythique : un an de liste d'attente et des saveurs originales qu'on ne trouvait nulle part ailleurs.

— Je ne pense pas qu'il s'agisse du même type, dit-elle en désignant l'enveloppe. L'adresse qu'il m'a fournie est bien celle d'un restaurant, mais plus celle d'une gargote que d'un cinq-étoiles.

Takumi rangea le paquet dans son sac à dos et donna un coup de pédale sans chercher à en savoir davantage.

— À tout à l'heure.

Madeline lui fit un petit signe de la main en rentrant dans la boutique.

Les paroles de son apprenti avaient excité sa

curiosité, mais elle essaya de reprendre son travail comme si de rien n'était. Depuis l'ouverture, la boutique n'avait pas désempli. Au même titre que la Saint-Valentin, Noël réveillait les émotions : l'amour, la haine, la solitude, la mélancolie. Rien que ce matin, elle avait vu défiler dans son magasin une brochette de personnages plus originaux les uns que les autres : un vieux séducteur avait envoyé douze bouquets à douze conquêtes dans douze villes différentes ; une femme entre deux âges s'était expédié des orchidées à elle-même pour faire bonne figure devant ses collègues de bureau ; une jeune Américaine avait débarqué en pleurs pour faire parvenir à son amant parisien un assemblage fané lui signifiant leur rupture. Quant au boulanger du quartier, il avait commandé comme cadeau à sa belle-mère adorée un énorme cactus mexicain aux épines longues et acérées…

Madeline tenait de son père sa passion pour l'art floral. Guidée par son enthousiasme, elle s'était d'abord formée en autodidacte avant de suivre les cours de la Piverdière, la prestigieuse école de fleuristes d'Angers. Elle était fière de pratiquer une activité marquant chacun des grands événements de la vie. Naissance, baptême, premier rendez-vous, mariage, réconciliation, promotion professionnelle, départ en retraite, enterrement : les fleurs accompagnaient les gens du berceau à la tombe.

La jeune femme s'attela à une nouvelle composition, mais l'abandonna au bout de cinq minutes. Elle n'arrivait pas à se sortir de la tête l'histoire que lui avait racontée Takumi.

Elle passa derrière son comptoir et lança le navigateur de l'ordinateur du magasin. En tapant « Jonathan Lempereur » sur Google, on obtenait plus de six cent mille résultats ! Elle se connecta à Wikipédia. L'encyclopédie en ligne contenait une longue contribution sur le chef agrémentée d'une photo qui était, sans aucun doute possible, celle de l'homme qu'elle avait croisé la veille à l'aéroport, même si sur le cliché Jonathan faisait plus jeune et plus sexy. Perplexe, Madeline chaussa ses minces lunettes de vue et, tout en mâchonnant un crayon à papier, s'attela à la lecture de son écran :

Jonathan Lempereur, né le 4 septembre 1970, est un chef cuisinier et homme d'affaires français ayant fait l'essentiel de sa carrière aux États-Unis.

Apprentissage

D'origine gasconne, il est issu d'une famille de modestes restaurateurs et commence à travailler très jeune dans l'établissement de son père, *La Chevalière*, place de la Libération à Auch. Dès seize ans, il entre en apprentissage et multiplie les expériences : commis de cuisine chez Ducasse, Robuchon et Lenôtre, avant de devenir le second du célèbre chef provençal Jacques Laroux dans les murs de La Bastide à Saint-Paul-de-Vence.

Révélation
Le suicide brutal de son mentor propulse Lempereur à la tête de La Bastide. Contre toute attente, il parvient à conserver le rang de l'établissement, devenant, à vingt-cinq ans, le plus jeune chef français à la tête d'un trois-étoiles au Guide Michelin.
Le prestigieux *Hôtel du Cap-d'Antibes* fait alors appel à ses services pour relancer son restaurant, *La Trattoria*. Moins d'un an après son ouverture, l'établissement du palace obtient lui aussi trois étoiles, faisant de Jonathan Lempereur l'un des quatre seuls chefs à cumuler six étoiles dans le célèbre guide.

Consécration
En 2001, il rencontre Francesca, la fille de l'homme d'affaires américain Frank DeLillo, venue passer à l'*Hôtel du Cap* sa lune de miel avec le banquier Mark Chadwick. L'héritière et le jeune chef ont un coup de foudre et Francesca engage une procédure de divorce moins d'une semaine après son mariage, se brouillant ainsi avec sa famille pendant que l'hôtel azuréen licencie son chef pour préserver sa réputation.

Le nouveau couple part s'installer à New York et se marie. Avec l'aide de son épouse, Jonathan Lempereur ouvre son propre restaurant, *L'Imperator*, qu'il installe au sommet du Rockefeller Center.
Pour Lempereur, c'est le début d'une période particulièrement créative. Expérimentant de nouvelles technologies tout en conservant les saveurs de la cuisine méditerranéenne, il devient l'un des apôtres de la « cuisine moléculaire ». Son succès est immédiat. En quelques mois, il devient le chouchou des stars, des hommes politiques et des critiques gastronomiques. À tout juste trente-cinq ans, il est élu meilleur cuisinier du monde par un jury international de quatre cents chroniqueurs qui louent sa « cuisine flamboyante » et sa capacité à offrir à ses convives « un voyage gustatif extraordinaire ». À cette époque, son restaurant reçoit chaque année des dizaines de milliers de demandes venues des quatre coins du monde et il faut souvent attendre plus d'un an pour obtenir une réservation.

L'icône médiatique

Parallèlement à sa carrière de chef, Jonathan Lempereur devient célèbre pour ses nombreuses prestations télévisées, notamment *An Hour with Jonathan* sur BBC America puis *Chefs Secrets* sur Fox qui réunissent chaque

semaine des millions de téléspectateurs et se déclinent en livres et en DVD.
En 2006, soutenu par Hillary Clinton, sénatrice de New York, Lempereur entame une croisade contre les menus des cantines de Big Apple. Ses rencontres avec les élèves, les parents et les enseignants finissent par aboutir à l'adoption dans les établissements de menus plus équilibrés. Avec son sourire charmeur, son blouson de cuir et son irrésistible accent français, le jeune chef s'impose comme une icône de la cuisine moderne et intègre la liste de *Time Magazine* des personnalités les plus influentes. L'hebdomadaire lui donnant même à cette occasion le surnom de « Tom Cruise des fourneaux ».

— Vous vendez vos décorations ?
— Pardon ?
Madeline leva la tête de son écran. Absorbée par la vie de Lempereur, elle ne s'était pas rendu compte qu'une cliente venait d'entrer dans le magasin.
— Vos décorations, vous les vendez ? répéta la femme en désignant les étagères pastel en bois cérusé qui accueillaient des accessoires : thermomètres centenaires, vieux coucous, cages à oiseaux, miroirs piqués, lampes-tempête et bougies parfumées.
— Euh… non, désolée, elles font partie du

magasin, mentit Madeline, pressée de la voir déguerpir pour mieux replonger dans la biographie de Jonathan.

L'homme d'affaires : la construction du groupe Imperator

S'appuyant sur cette nouvelle notoriété, Lempereur crée avec sa femme le groupe Imperator chargé de décliner sa marque sous forme de produits dérivés. Le couple ouvre alors établissement sur établissement : bistrots, brasseries, bars à vin, hôtels de luxe... Leur empire de restauration s'étend aux quatre coins du monde, de Las Vegas à Miami en passant par Pékin, Londres et Dubaï. En 2008, le groupe Imperator compte plus de deux mille salariés dans plus de quinze pays et génère un chiffre d'affaires de plusieurs dizaines de millions de dollars.

Difficultés financières et retrait du monde de la gastronomie

Alors que les clients continuent d'affluer dans son restaurant new-yorkais, le chef français est la cible d'attaques de plus en plus violentes. Les mêmes critiques qui quelques années plus tôt louaient sa créativité et son talent lui reprochent à présent de se disperser et d'être devenu « une simple machine à fric ».

Pourtant, les multiples activités de son conglomérat sont loin d'atteindre leur seuil de rentabilité. Le groupe Imperator croule sous les dettes et se retrouve au bord de la faillite en décembre 2009. Quelques semaines plus tard, après la séparation d'avec sa femme, Jonathan Lempereur jette l'éponge, se déclarant « fatigué par les critiques », « à bout d'inspiration » et « désabusé par le monde de la gastronomie ». À l'âge de trente-neuf ans, contraint de céder la licence d'exploitation de son nom, Lempereur se retire définitivement des affaires après avoir marqué la cuisine contemporaine de son empreinte.

La lecture de la fin de la notice apprit à Madeline que le chef avait publié un livre en 2005, *Confessions d'un cuisinier amoureux*. Une nouvelle recherche suivie de deux ou trois clics l'emmena sur le site de la brasserie *French Touch* que tenait actuellement Jonathan à San Francisco. Le site n'était visiblement pas à jour. On y trouvait quelques exemples de menus à 24 dollars : soupe à l'oignon, boudin noir aux pommes, tarte aux figues. Rien de bien folichon pour quelqu'un qui, quelques années auparavant, était à la tête de la meilleure table du monde.

Comment en est-il arrivé là ? se demanda-t-elle en déambulant au milieu des sapins et des orchidées. Elle gagna le fond du magasin, aménagé comme un jardin, et, les yeux dans le vide, s'assit sur la balançoire suspendue à une énorme branche scellée au plafond.

La sonnerie du téléphone de la boutique la tira de sa réflexion.

Elle se leva d'un bond de la planchette et décrocha le combiné. C'était Takumi.

— Tu es toujours à la poste ?

— Non mada…, euh Madeline. À cause de la grève, tous les bureaux sont fermés.

— Bon, avant de rentrer, fais un détour par une librairie et achète-moi un livre. Tu as de quoi noter ? Voici la référence : *Confessions d'un cuisinier amoureux* de…

5

You've got mail

Le désir de connaître totalement quelqu'un est une façon de se l'approprier, de l'exploiter. C'est un souhait honteux auquel il faut renoncer.

Joyce Carol OATES

San Francisco, milieu de la nuit

Jonathan tira d'un coup sec sur la chaînette qui commandait le néon suspendu au-dessus du miroir de la salle de bains. Impossible de fermer l'œil. La faute à la nervosité et à des brûlures d'estomac qui ne cessaient de le torturer depuis qu'il avait bu ce fichu vin. Entouré d'un halo de lumière pâle, il fouilla dans l'armoire à pharmacie à la recherche d'un anxiolytique et d'un médicament antigastrique. Ayant mis la main sur ces deux comprimés, il passa dans la cuisine pour les avaler avec une gorgée d'eau minérale.

La maison était silencieuse. Marcus, Charly et même Boris avaient depuis longtemps rejoint les bras de Morphée. La fenêtre à guillotine était restée entrouverte, mais il ne faisait pas froid pour autant. Un vent chaud se leva, faisant tinter doucement le carillon en bambou tandis qu'un éclair de lune traversait la vitre pour illuminer l'écran du téléphone qu'il avait mis en charge sur le bar. Jonathan ne put s'en empêcher : d'une pression sur l'unique bouton, il activa l'appareil qui devint instantanément lumineux et cristallin. La petite pastille rouge indiquant que Madeline avait reçu du courrier s'était allumée. Une sorte de sixième sens mâtiné de curiosité le poussa à appuyer sur l'icône pour lire le message. Il avait été envoyé dix minutes auparavant et, si étrange que ça puisse paraître, il lui était adressé…

★

Cher Jonathan (épargnons-nous d'emblée les M. Lempereur et Mlle Greene, voulez-vous ? Après tout, j'imagine que si vous avez le toupet de lire mon courrier, vous avez dû également jeter un coup d'oeil à mes photos et vous rincer l'oeil avec les deux

ou trois clichés « artistiques » de mon album. Vous êtes donc un pervers et c'est votre problème, mais évitez autant que se peut de les mettre sur Facebook, parce que je ne suis pas certaine que mon futur mari apprécierait…). Cher Jonathan (bis), je profite donc de ma pause-déjeuner (eh oui, il est déjà plus de midi à Paris) pour vous écrire tout en dégustant un sandwich aux rillettes du Mans confectionné avec soins par *Pierre & Paul*, membres éminents de la *Confrérie des Chevaliers des rillettes sarthoises* et artisans boulangers dont la boutique fait face à la mienne. Je suis installée au soleil, à leur comptoir de dégustation. J'ai donc de la charcuterie plein la bouche, des miettes de pain partout sur mon pull et des taches de gras souillent l'écran de votre beau téléphone : pas très glamour je vous l'accorde, mais tellement délicieux. Enfin, ce n'est pas vous que je vais convaincre de la nécessité de savoir apprécier les plaisirs de la bonne chère…
Cher Jonathan donc, je vous laisse ce petit message pour vous annoncer deux

nouvelles : une bonne et une mauvaise. Commençons par la mauvaise : comme vous le savez peut-être, en ce début de vacances scolaires, une grève paralyse ce magnifique pays qu'est la France. Aéroports, autoroutes, transports en commun, service postal : tout est bloqué. Takumi, mon jeune apprenti, vient de trouver porte close au bureau de poste du boulevard Montparnasse et je suis donc dans l'impossibilité de vous renvoyer pour l'instant votre téléphone.
Bien à vous,
Madeline.

La réaction de Jonathan ne se fit pas attendre. Douze minutes plus tard, sa réponse fusa :

Vous vous fichez de moi ? Qu'est-ce que c'est que cette histoire de grève ?

Si elle ne lui renvoyait pas son portable, il était hors de question qu'il lui renvoie le sien !

Et Madeline d'en remettre une couche trente secondes plus tard :

Encore debout à cette heure, Jonathan ? Vous ne dormez donc jamais ? Ce manque de sommeil ne serait-il pas responsable du mélange d'irritabilité et de mauvaise humeur qui semble vous caractériser ?

Jonathan poussa un long soupir et envoya un nouveau message à la jeune femme :

Au fait, vous m'aviez promis une bonne nouvelle pour compenser la mauvaise…

Juchée sur son tabouret, Madeline avala la dernière bouchée de son sandwich avant de répondre du tac au tac :

C'est exact, voici la bonne nouvelle : malgré le froid et les grèves, il fait très beau à Paris.

À peine avait-elle envoyé son mail qu'elle guettait déjà une réponse qui ne tarda pas à arriver.

Bon, cette fois au moins, il n'y a plus de doute : vous vous foutez de moi.

Elle ne put réprimer un sourire malgré son inquiétude. En l'empêchant de renvoyer son téléphone à son propriétaire, cette grève des services publics la mettait dans l'embarras. Elle lui faisait supporter le poids d'une responsabilité dont elle ne voulait pas. Devait-elle avertir Jonathan du message laissé par son ex-femme qui l'avait appelé de New York pour le supplier de revenir vivre avec elle ? Involontairement, Madeline détenait une information capitale pour le devenir d'un couple et cela ne lui plaisait pas.

La jeune femme commanda un deuxième verre de vin qu'elle but en regardant le mouvement des passants et des véhicules à travers la vitre. Proche de nombreuses grandes enseignes, la rue Delambre était animée en ce dernier week-end de courses de Noël. Sur les trottoirs éclaboussés de soleil, les manteaux cintrés des Parisiennes, les grosses doudounes des ados, les écharpes colorées, les bonnets des enfants, les talons qui claquaient et la buée qui sortait de toutes les bouches se mélangeaient dans un mouvement enivrant de couleurs et de visages.

Madeline termina son verre de vin, et c'est un peu pompette qu'elle prit la plume – façon de parler – pour rédiger un dernier message :

Cher Jonathan,

Il est 13 heures. Ma pause-déjeuner arrive à son terme et c'est tant mieux, car si je reste une minute de plus dans cet établissement, je sens que je vais craquer sur leur tarte Tatin aux reinettes avec boule de glace et tout le toutim. Une véritable « tuerie », comme on dit chez vous, mais une tentation qui, à moins de une semaine du réveillon, ne serait vraiment pas raisonnable, vous en conviendrez.

Ce fut un plaisir de converser même brièvement avec vous et ce, malgré votre méchante humeur et ce côté grognon, bourru et boudeur qui, je l'ai bien compris, constituent une sorte de « marque de fabrique » que d'aucunes doivent certainement trouver attachante. Avant de vous quitter, permettez-moi néanmoins d'assouvir ma curiosité en vous posant trois questions :

1) Pourquoi le prétendu « meilleur chef du monde » sert-il aujourd'hui des steaks-frites dans un simple bistrot de quartier ?

2) Pourquoi êtes-vous encore debout à 4 heures du matin ?

3) Aimez-vous encore votre ex-femme ?

*

À peine Madeline eut-elle appuyé sur la touche ENVOYER qu'elle comprit qu'elle avait fait une connerie. Mais trop tard…

Elle sortit de chez *Pierre & Paul* et traversa la rue, étourdie par le vin.

— Hé ! regarde où tu vas, ANDOUILLE ! lui lança un bobo qui, la mèche dans les yeux, manqua de la renverser avec son Vélib.

Pour éviter le vélo, Madeline recula brusquement d'un pas, mais fut « cueillie » par le coup de klaxon d'un 4×4 qui tentait de doubler la bicyclette par la droite. Elle prit peur et esquiva de justesse le tout-terrain pour gagner le trottoir d'en face, cassant au passage le talon d'une de ses bottines.

Et merde ! souffla-t-elle en ouvrant la porte de sa boutique pour se réfugier dans son *Jardin Extraordinaire*. Elle adorait Paris, elle détestait les Parisiens…

— Tout va bien, madame ? lui demanda Takumi, voyant qu'elle était sous le choc.

— T'es long à la détente, toi ! lui reprocha-t-elle pour garder sa contenance.

— Pardon, se reprit l'Asiatique. Tout va bien, *Madeline ?*

— Oui, c'est juste ce fichu talon qui…

Elle laissa sa phrase en suspens et se passa un peu d'eau sur le visage avant d'enlever ses chaussures et son blouson sous le regard de merlan frit de son employé.

— Inutile de me détailler avec cet air concupiscent, je n'irai pas plus loin dans le strip-tease.

Lorsqu'elle vit Takumi rougir comme une pivoine, Madeline regretta son emportement et ne voulut pas laisser la gêne s'installer entre eux.

— Tu peux aller déjeuner. Prends ton temps, je m'occupe de tout.

Restée seule dans la boutique, la jeune femme activa avec fébrilité le téléphone de Jonathan. Il venait de lui répondre :

Chère Madeline,

Si cela peut satisfaire votre curiosité, voici la réponse à vos questions :
1) L'eussé-je été un jour, cela fait longtemps que je ne suis plus le « meilleur chef du monde ». Disons qu'à la manière d'un écrivain, j'ai perdu mon inspiration et la passion nécessaire pour réaliser des créations innovantes. Cela dit, si vous passez par San Francisco avec votre Raphaël, ne vous privez pas de venir déguster le « steak-frites » de notre restaurant. Notre *prime rib* y est merveilleusement

tendre et savoureux, quant à nos frites, ce sont en réalité des pommes de terre sautées à l'ail, au basilic et au persil. Des « belles de Fontenay », cultivées en petite quantité par un producteur local et que tous nos clients trouvent particulièrement fondantes et dorées à point.
2) C'est vrai qu'il est 4 heures du matin et que je suis encore debout. La raison ? Deux questions qui me trottent dans la tête et m'empêchent de trouver le sommeil.
3) Allez vous faire foutre.

★

Rue d'Odessa, Takumi entra dans le petit restaurant où il avait ses habitudes. Il salua le patron et s'installa un peu en retrait dans la deuxième salle, moins bruyante et moins fréquentée. Il commanda un mille-feuille de tomates au chèvre frais : une spécialité que lui avait fait découvrir Madeline. En attendant son entrée, il sortit de son sac un dictionnaire de poche pour y chercher le sens du mot « concupiscent », qu'il découvrit avec embarras. Comme pris en faute, il eut soudain l'impression irrationnelle que tous les clients lui lançaient des regards accusateurs. Madeline prenait un malin plaisir à le provoquer et à le bousculer dans ses certitudes et ses repères. Il regrettait qu'elle ne le prenne pas au sérieux et qu'elle le considère davantage comme un adolescent que comme un homme. Cette femme le fascinait à la manière d'une fleur mystérieuse. Le plus souvent, elle était « grand soleil », blonde comme un tournesol, répandant autour d'elle sa lumière, sa confiance et son enthousiasme. Mais, à certains moments, elle pouvait être secrète et sombre, à l'image de l'orchidée noire : une fleur rare recherchée par les collectionneurs qui s'épanouissait en plein hiver sur les palmiers de Madagascar.

★

Le client entra au mauvais moment. Pour le servir, Madeline interrompit la rédaction de son mail et dissimula le téléphone dans la petite poche de son tablier. C'était un adolescent, entre quinze et dix-sept ans, au look de *baby rockeur* comme on en croisait à la sortie des lycées des beaux quartiers : Converse, jean slim, chemise blanche, veste cintrée de marque, coupe de cheveux savamment décoiffée.

— Je peux vous aider ?

— Je… euh… oui, je voudrais acheter des fleurs, expliqua-t-il en posant le *flight case* de sa guitare sur une chaise.

— Ça tombe bien. Vous m'auriez demandé des croissants, j'aurais eu plus de mal.

— Hein ?

— Rien, laissez tomber. Plutôt un bouquet rond ou de grandes fleurs ?

— Ben, j'en sais rien en fait.

— Plutôt pastel ou coloré ?

— Hein ? répéta fado comme si on lui parlait hébreu.

Assurément pas le plus dégourdi de sa génération, pensa-t-elle en essayant de garder son calme et son sourire.

— Bon, vous avez une idée du budget que vous aimeriez consacrer à votre achat ?

— Ch'ais pas. On peut avoir quelque chose avec 300 euros ?

Cette fois, elle ne put retenir un soupir : elle détestait les gens qui n'avaient aucune conscience de la valeur de l'argent. En une fraction de seconde, quelques souvenirs de son enfance remontèrent à la surface : les années de chômage de son père, les sacrifices de sa famille pour lui permettre de faire des études… Comment un tel fossé pouvait-il exister entre ce gamin né une cuillère d'argent dans la bouche et la gosse qu'elle avait été ?

— Bon, écoute p'tit gars, t'as pas besoin de 300 euros pour acheter un bouquet. En tout cas, pas dans ma boutique, compris ?

— Ouais, répondit-il mollement.

— Alors ces fleurs, c'est pour qui ?

— Pour une femme.

Madeline leva les yeux au ciel.

— Pour ta mère ou pour ta petite copine ?

— En fait, pour une amie de ma mère, répondit-il, un poil plus gêné.

— Bon, et quel message tu veux faire passer en offrant ce bouquet ?

— Un message ?

— Tu lui offres ces fleurs dans quel but ? La remercier pour t'avoir offert un pull à ton anniversaire ou pour lui dire autre chose ?

— Euh… plutôt la deuxième solution.

— Putain, c'est l'amour qui te rend con ou t'es toujours comme ça ? demanda-t-elle en secouant la tête.

L'ado ne crut pas utile de répondre. Madeline s'éloigna du comptoir et entreprit une composition.

— Tu t'appelles comment ?

— Jeremy.

— Et l'amie de ta mère, elle a quel âge ?

— Euh… plus vieille que vous en tout cas.

— Et j'ai quel âge à ton avis ?

Là encore, il choisit de ne pas répondre, preuve qu'il n'était peut-être pas si crétin qu'il en avait l'air.

— Bon, tu ne les mérites pas, mais voilà ce qu'il y a de mieux, expliqua-t-elle en lui tendant un bouquet. Ce sont mes fleurs préférées : des violettes de Toulouse, à la fois simple, chic et élégant.

— C'est très joli, admit-il, mais dans le langage des fleurs, ça signifie quoi ?

Madeline haussa les épaules.

— Laisse tomber le langage des fleurs. Offre ce que tu trouves beau, c'est tout.

— Mais quand même, insista Jeremy.

Madeline fit semblant de réfléchir.

— Dans ce que tu appelles le « langage des fleurs », la violette représente la modestie et la timidité, mais elle symbolise aussi un amour secret, donc, si tu as peur que cela paraisse ambigu, je peux te faire un bouquet de roses à la place.

— Non, les violettes me conviennent très bien, répondit-il en arborant un large sourire.

Il régla sa commande et, au moment de quitter la boutique, remercia Madeline de ses conseils.

Enfin seule, elle récupéra son téléphone et s'empressa de terminer son message :

Mille fois pardon Jonathan pour cette incursion dans votre vie privée de manière si peu subtile. La faute à un verre de trop qui m'a fait écrire plus vite que mon ombre (un blanc moelleux de Vouvray aux arômes de miel, de rose et d'abricot. Vous connaissez sûrement et si c'est le cas, vous me pardonnerez ; -)
Je pense que la grève de la poste ne va pas s'éterniser, mais pour ne prendre aucun risque je vais faire appel à un transporteur privé. J'ai contacté un coursier qui viendra chercher votre téléphone en fin d'après-midi. Même en comptant le week-end et les fêtes, on m'a assuré que vous recevriez votre paquet avant mercredi. Permettez-moi de vous souhaiter de joyeuses fêtes ainsi qu'à votre fils.
Madeline.

PS : Je suis curieuse, pardon. Vous m'écrivez dans votre dernier message que, si vous êtes encore debout au milieu de la nuit, c'est parce que deux questions vous trottent dans la tête et vous empêchent de trouver le sommeil. Est-ce indiscret de vous demander lesquelles ?

★

Chère Madeline,

Vous voulez connaître les deux énigmes qui m'empêchent de dormir. Les voici :

1 - Je me demande qui est ESTEBAN.

2 - Je me demande pourquoi vous faites croire à votre entourage que vous cherchez à avoir un enfant alors que vous prenez toutes les précautions pour justement NE PAS en avoir…

★

Submergée par la panique, Madeline éteignit le téléphone et s'en éloigna comme pour fuir un danger.

Il savait ! Ce type avait fouillé dans son portable et il avait deviné pour Esteban et pour l'enfant !

Une goutte de sueur glissa le long de son échine. Elle entendait son cœur cogner dans sa poitrine. Ses mains tremblaient et elle se sentait flageoler sur ses jambes.

Comment était-ce possible ? Son agenda et ses mails, bien sûr…

Un grand vide inattendu se creusa dans son ventre et elle dut lutter pour ne pas perdre pied.

Il fallait qu'elle se calme : avec ces seuls éléments, Jonathan Lempereur ne pouvait pas l'atteindre. Tant qu'il ne mettait pas la main sur autre chose, ce n'était pas une vraie menace.

Mais il y avait dans les entrailles de son téléphone un document sur lequel il ne devait *surtout* pas tomber. Quelque chose que Madeline n'avait pas le droit de posséder. Quelque chose qui avait déjà détruit sa vie et l'avait conduite aux portes de la folie et de la mort.

En théorie, son secret était bien protégé. Lempereur était un sale fouineur, pas un as de l'informatique, ni un maître chanteur. Il avait joué avec elle, s'amusant à ses dépens, mais si elle ne le relançait pas, il allait se lasser.

Du moins, c'est ce qu'elle espérait.

6

Le fil

Car (ils) étaient unis par un fil [...] qui ne pouvait exister qu'entre deux individus de leur espèce, deux individus qui avaient reconnu leur solitude dans celle de l'autre.

Paolo GIORDANO

San Francisco
9 h 30 du matin

Marcus émergea du sommeil difficilement.

Comme un somnambule, il avança jusqu'à la salle de bains, entra dans la douche sans enlever ni son caleçon ni sa chemise et resta immobile sous le jet jusqu'à ce que la chaudière se vide. L'eau glacée lui fit ouvrir un œil et, après s'être rapidement séché, il se traîna jusqu'à sa chambre pour constater que son tiroir à sous-vêtements était vide. Tous ses caleçons et tous ses tee-shirts s'entassaient dans la corbeille en osier. Le Canadien leva un sourcil interrogateur. Jonathan qui l'avait maintes fois menacé de ne plus laver ses vêtements avait mis son avertissement à exécution !

— Jon' ! se plaignit-il avant de réaliser qu'on était samedi et qu'à cette heure le restaurateur avait sûrement déjà quitté la maison pour sa visite hebdomadaire au marché fermier de l'Embarcadero.

Encore ensuqué, il plongea la main dans la montagne de linge sale et enfila les premiers vêtements « réutilisables » qui lui tombèrent sous la main.

Puis Marcus se traîna dans la cuisine et trouva en tâtonnant la Thermos de *pu-erh* que Jonathan préparait chaque matin. Il se laissa tomber sur une chaise et but à même le goulot une longue rasade de thé noir. Comme si le breuvage dérouillait ses neurones, il eut une illumination soudaine et se déshabilla *illico presto* pour laver ses sous-vêtements dans l'évier avec du liquide vaisselle. Après les avoir essorés, il ouvrit la porte du micro-ondes et régla la durée sur huit minutes.

Content de lui, c'est dans le plus simple appareil qu'il sortit sur la terrasse.

— Salut boit-sans-soif ! l'accueillit Boris.

— Bonjour ectoplasme à plumes, répliqua Marcus en gratouillant son plumage.

Signe ultime de leur complicité, l'oiseau sautilla, inclina la tête et ouvrit son bec, lui offrant une bouchée prédigérée de fruits mélangés.

Marcus remercia son ami puis s'étira longuement au soleil, bâillant à s'en décrocher la mâchoire.

— Secoue-toi les côtelettes ! Secoue-toi les côtelettes ! hurla le perroquet.

Stimulé par ses exhortations, Marcus effectua alors ce qu'il considérait comme sa tâche la plus importante de la journée : il vérifia le système de pompe à eau qui irriguait la dizaine de plants de cannabis cachés derrière les rosiers du jardin. Jonathan n'approuvait pas du tout sa petite culture, mais il fermait les yeux. Après tout, la Californie était le premier producteur occidental de chanvre indien et San Francisco symbolisait à lui seul la tolérance et la contre-culture.

Marcus resta encore un moment sur la terrasse à profiter de la chaleur. Ayant passé la majeure partie de sa vie dans le froid de Montréal, il goûtait particulièrement la douceur du climat californien.

Sur la petite colline de Telegraph Hill, on avait du mal à croire que Noël approchait : les trompettes dorées du jasmin commençaient à éclore ; les palmiers, les prunus et les lauriers-roses resplendissaient au soleil ; les maisons de bois ployaient sous le lierre, ensevelies au milieu d'une jungle luxuriante où piaillaient passereaux guillerets et oiseaux-mouches colorés.

Malgré l'heure relativement matinale, quelques promeneurs descendaient déjà les marches fleuries de l'escalier Filbert. En dépit de la végétation abondante, la maison n'était pas complètement préservée des regards. Certains passants étaient amusés, d'autres choqués, mais aucun ne restait de marbre devant cet hurluberlu à poil qui tenait une conversation graveleuse avec un perroquet.

Marcus ne s'en affecta pas jusqu'à ce qu'un touriste dégaine son appareil photo pour immortaliser la scène.

— Peut même plus être tranquille chez soi ! maugréa le Canadien en battant en retraite dans la cuisine, juste au moment où la minuterie du micro-ondes signalait la fin de la « cuisson ».

Curieux du résultat, il ouvrit le four pour récupérer ses vêtements. Ils étaient non seulement secs, mais aussi tout chauds et doux !

En plus, ils sentent la brioche, se félicita-t-il en humant le petit tas de linge.

Devant le miroir, il les enfila, satisfait, ajustant son caleçon, lissant le tee-shirt dont il aimait particulièrement le flocage :

OUT OF BEER
(life is crap)[1]

Son ventre gargouilla. Affamé, il ouvrit le réfrigérateur et farfouilla parmi les aliments avant de tenter un mélange hasardeux. Sur une tranche de pain de mie, il tartina une belle couche de beurre de cacahuètes qu'il recouvrit de sardines à l'huile sur lesquelles il disposa des rondelles de banane.

Exquis ! pensa-t-il en poussant un soupir d'aise.

Il n'avait dégusté que quelques bouchées de son sandwich lorsqu'il les aperçut.

Les photos de Madeline.

Plus d'une cinquantaine de portraits punaisés sur le tableau de liège, plaqués par des aimants contre les portes des placards métalliques ou même directement scotchés au mur.

Visiblement, son colocataire avait passé une bonne partie de la nuit à imprimer ces clichés. La jeune femme y apparaissait sous toutes ses coutures : seule, en couple, de face, de profil… Jonathan avait même agrandi certains tirages, scrutant ses yeux et son visage.

Perplexe, Marcus arrêta sa mastication et s'approcha des photos. Sans en donner l'impression, le Canadien exerçait une vigilance constante sur

1. *Plus de bière (vie de merde).*

Jonathan. Pourquoi s'était-il prêté à cette mise en scène ? Quel mystère cherchait-il à percer derrière le regard de Madeline Greene ?

Sous le vernis, il connaissait la fragilité de son ami et savait que son « rétablissement » était encore précaire.

Chaque homme a dans le cœur un vide, une entaille, un sentiment d'abandon et de solitude.

Marcus savait que l'entaille dans le cœur de Jonathan était profonde.

Et qu'un tel comportement n'augurait rien de bon.

⋆

Pendant ce temps, à quelques kilomètres…

— Papa, j'peux goûter le jerky ? demanda Charly. C'est la viande des cow-boys !

Son fils sur les épaules, Jonathan parcourait depuis une heure les étals du marché paysan agglutinés sur l'esplanade de l'ancien débarcadère. Pour le restaurateur, c'était un rituel immuable : chaque samedi, il venait se ravitailler et trouver l'inspiration pour composer son menu de la semaine.

Le Farmers' Market était une véritable institution à San Francisco. Autour du Ferry Building se réunissaient une centaine de fermiers, de pêcheurs et de maraîchers qui vendaient des produits locaux issus de la culture biologique. C'était là que l'on trouvait les plus beaux légumes, les fruits les plus juteux, les poissons les plus frais, les viandes les plus tendres. Jonathan aimait cet endroit qui attirait une foule bigarrée : des touristes, des chefs, de simples gourmets à la recherche de produits de qualité.

— S'te plaît papa, y a du jerky là-bas ! J'en ai jamais mangé !

Jonathan « libéra » son fils qui se précipita vers le stand. Enthousiaste, Charly avala un bout de viande de bœuf séchée avant de réprimer une grimace.

Jonathan lui fit un clin d'œil malicieux.

Au milieu de ce festival de saveurs, il se sentait chez lui. Basilic, huile d'olive, noix, chèvres frais, avocats, courgettes, tomates, aubergines, herbes aromatiques, potirons, salades : il inspectait, humait, goûtait, choisissait. « Le mauvais cuisinier est celui qui cherche à masquer le goût originel de l'ingrédient au lieu de le révéler. » Jacques Laroux, le chef qui l'avait formé, lui avait transmis son savoir-faire et sa rigueur dans la sélection des produits, le respect des saisons et la quête des meilleurs fournisseurs.

Ici, dans le jardin potager des États-Unis, ce n'était pas bien difficile. Depuis longtemps déjà, la nourriture bio n'était plus l'apanage des hippies. C'était désormais un mode de vie à San Francisco comme dans toute la Californie.

En gardant un œil sur Charly, Jonathan compléta ses achats par cinq belles volailles, dix tronçons de turbot et une caisse de coquilles Saint-Jacques. Il négocia une dizaine de homards et cinq kilos de langoustines.

À chaque commande, il fournissait au responsable de stand le numéro de la place où était garée sa camionnette pour que les employés du marché puissent acheminer la livraison.

— Hé, Jonathan, goûte-moi ça ! lui lança un écailler de Point Reyes en lui tendant une huître.

C'était une plaisanterie entre eux, car le Français, n'appréciant pas la coutume locale qui voulait que l'on passe l'huître sous l'eau avant de la servir, ne mettait jamais ce type de coquillages au menu de son restaurant.

Jonathan remercia et avala malgré tout le mollusque avec un trait de citron et un morceau de pain.

Il profita de cette pause pour sortir de son blouson le téléphone de Madeline. Il consulta l'écran et marqua une légère déception en constatant que la fleuriste n'avait pas donné suite à son message. Peut-être devait-il lui renvoyer un SMS pour s'excuser ? Peut-être était-il allé trop loin ? Mais cette femme l'intriguait tant… Cette nuit, juste après avoir imprimé les photos, il avait fait une étrange découverte en examinant la répartition de la capacité du téléphone :

Capacité du disque : 32 Go
Espace disponible : 1,03 Go %
% utilisé : 96,8 %
% disponible : 3,2

Cette information l'avait surpris. Comment la mémoire de l'appareil pouvait-elle être déjà saturée ? À première vue, le téléphone contenait cinq films, une quinzaine d'applications, cinquante photos, quelque deux cents chansons et… c'était tout. Insuffisant pour remplir un smartphone, pas la peine d'être un expert en informatique pour le savoir. Conclusion ? Le disque dur devait contenir d'autres données.

Accoudé au parapet qui dominait la baie, Jonathan alluma une cigarette, regardant Charly accroupi près des clapiers à lapins. Sans doute n'était-il pas très légal de fumer ici, mais, à court de sommeil, il avait besoin de sa dose de nicotine. Il inspira une bouffée en répondant d'un signe de tête au salut d'un confrère. Jonathan n'avait jamais été tant apprécié par ses pairs que depuis qu'il ne leur faisait plus d'ombre ! Lorsqu'ils le croisaient, la plupart des producteurs et des restaurateurs le saluaient avec un mélange étrange de respect et de compassion. Ici, la plupart des gens savaient qui il était : Jonathan Lempereur, *l'ex-chef le plus créatif de sa génération, l'ex-Mozart de la cuisine*, l'ex *patron de la meilleure table du monde.*

L'ex, l'ex, l'ex…

Aujourd'hui, il n'était plus rien, ou presque. Juridiquement, il n'avait même pas le droit d'ouvrir un restaurant. Lorsqu'il avait été obligé de vendre la licence d'exploitation de son nom, il s'était en effet engagé à se tenir éloigné des fourneaux. *French Touch* ne lui appartenait pas et son nom n'était jamais mis en avant, ni sur le site Internet du restaurant ni sur ses cartes de visite.

Dans un article, une journaliste du *Chronical* avait levé le lièvre, mais elle avait reconnu que le modeste troquet dans lequel il officiait aujourd'hui n'avait rien du lustre de *L'Imperator*. Jonathan avait d'ailleurs profité du papier pour mettre les choses au point : oui, son nouveau restaurant ne servirait que des plats simples à des prix abordables ; non, plus jamais il ne créerait la moindre recette et son inspiration n'était pas revenue ; non, plus jamais il ne briguerait la moindre récompense culinaire. Au moins, les choses étaient claires et l'article avait eu le mérite de rassurer les chefs qui s'inquiétaient du possible retour de Lempereur derrière les fourneaux.

— Papa, j'peux goûter des petits pois au wasabi ? implora Charly en observant avec curiosité le stand d'un vieil Asiatique qui proposait aussi des langues de canard et de la soupe de tortue.

— Non, mon bonhomme. Tu n'aimeras pas : c'est très épicé !

— S'te plaît ! Ça a l'air si bon !

Jonathan haussa les épaules. Pourquoi, dès le plus jeune âge, la nature humaine nous portait-elle à ignorer les conseils avisés ?

— Fais comme tu veux.

Il tira une nouvelle bouffée sur sa cigarette et plissa les yeux à cause du soleil. À rollers, à pied ou à vélo, de nombreux promeneurs profitaient du beau temps pour flâner le long du front de mer. Au loin, l'océan étincelait et dans le ciel d'un bleu intense patrouillaient des mouettes opportunistes prêtes à fondre sur toute nourriture accessible.

Échaudé par le jerky, Charly aurait dû se méfier davantage, mais la belle couleur verte des pois soufflés inspirait la confiance. C'est donc sans appréhension qu'il engloutit une petite poignée de pois moutardés et…

— Beurk ! Ça pique ! hurla-t-il en recrachant dare-dare ce qu'il venait d'ingurgiter.

Sous l'œil amusé du vieux Japonais, l'enfant se tourna vers son père.

— Tu aurais pu me prévenir ! lui reprocha-t-il pour masquer sa vexation.

— Allez viens, je t'emmène prendre un chocolat, proposa Jonathan en écrasant sa clope et en hissant Charly sur ses épaules.

*

Pendant ce temps, à Paris…

Il était un peu plus de 19 heures lorsqu'un coursier poussa la porte du *Jardin Extraordinaire*. Malgré l'heure avancée, le magasin était encore animé et Madeline tentait de se démultiplier pour satisfaire ses clients.

En enlevant son casque, le coursier eut l'impression d'être projeté dans une autre dimension. Avec ses fleurs aux couleurs d'automne, ses parfums mêlés, sa balançoire et son vieil arrosoir métallique, l'atelier floral lui rappelait étrangement le jardin de la maison de campagne de sa grand-mère dans laquelle il avait passé la plupart de ses vacances d'enfant. Surpris par la douceur inattendue de cet îlot de nature, il eut l'impression de respirer vraiment pour la première fois depuis longtemps.

— Je peux vous aider ? demanda Takumi.

— Federal Express, répondit-il en émergeant brusquement de sa rêverie. On m'a demandé de venir enlever un paquet.

— C'est exact, voici l'enveloppe.

Le coursier prit la pochette cartonnée que lui tendait l'Asiatique.

— Merci, bonne soirée.

Il sortit dans la rue et enfourcha son deux-roues. Il embraya, appuya sur le démarreur et accéléra pour rejoindre le boulevard. Il avait déjà parcouru une dizaine de mètres lorsqu'il aperçut dans son rétroviseur une femme qui l'interpellait. Il freina et s'arrêta sur le trottoir.

— Je suis Madeline Greene, expliqua-t-elle en le rejoignant. C'est moi qui ai rempli le formulaire sur Internet pour demander l'expédition en express de ce paquet, mais…

— Vous désirez annuler votre commande ?

— Et récupérer mon paquet, s'il vous plaît.

Sans faire de difficultés, le jeune homme rendit l'enveloppe à Madeline. Manifestement, il était fréquent que des expéditeurs changent d'avis au dernier moment.

Elle signa une décharge puis lui tendit un billet de 20 euros pour le dédommagement.

Madeline regagna sa boutique en serrant le téléphone contre sa poitrine, se demandant si elle avait pris la bonne décision. En choisissant de ne pas renvoyer son téléphone à Jonathan, elle avait conscience de prendre le risque de le provoquer. Si elle n'entendait plus parler de lui dans les prochains jours, elle aurait tout le temps de lui restituer son appareil, mais au cas où les choses tourneraient mal, elle voulait conserver la possibilité d'avoir un contact direct avec lui.

En espérant que cela n'arriverait jamais.

★

San Francisco

Jonathan continua son marché sous les arcades du Ferry Building. Plus que centenaire, la gare maritime se dressait fièrement le long de l'Embarcadero. Elle avait connu son heure de gloire dans les années 1920 lorsqu'elle était le terminal de voyageurs le plus important au monde. Aujourd'hui, son bâtiment principal avait été transformé en élégante galerie marchande où les fromageries artisanales, boulangeries, *delicatessen*, traiteurs italiens et épiceries chic se succédaient le long d'une promenade prisée des gourmands.

Le restaurateur termina ses emplettes avec un assortiment de fruits d'hiver, raisins, kiwis, citrons, grenades, oranges, avant de tenir sa promesse et d'offrir à son fils une bonne tasse de chocolat dans l'un des cafés qui ouvraient sur les quais.

C'est avec soulagement que Charly chassa le goût de moutarde qui lui brûlait la bouche avec la saveur plus douce du cacao. Jonathan se contenta d'une théière de *pu-erh*. Son esprit était ailleurs. En prenant une première gorgée de thé, il vérifia l'écran du portable. Toujours aucune nouvelle de Madeline.

Une voix intérieure lui souffla d'arrêter là. À quoi jouait-il ? Que cherchait-il à prouver ? Qu'est-ce que ses investigations pouvaient lui apporter à part des ennuis ?

Mais il décida d'ignorer ces avertissements. La nuit dernière, il avait ouvert méthodiquement toutes les applications et une seule lui paraissait suspecte : un espace de stockage qui permettait de lire des fichiers de gros volume – PDF, images, vidéos – après les avoir transférés de son ordinateur vers son téléphone. Si Madeline camouflait des documents dans son appareil – et c'était ce que l'analyse de la mémoire du téléphone laissait supposer –, c'était là qu'ils se trouvaient.

Sauf que l'application était protégée par un mot de passe !

ENTER PASSWORD

Jonathan regarda le curseur clignoter, l'invitant à entrer le code secret. Au petit bonheur la chance, il essaya successivement

MADELINE, GREENE puis PASSWORD.

Mais il ne fallait pas rêver.

Alors que sa troisième tentative venait d'échouer, il regarda sa montre et s'affola d'avoir pris tant de retard. Le week-end, il embauchait un commis pour l'aider au restaurant, mais le jeune cuisinier n'avait pas les clés et il ne fallait pas compter sur ce tire-au-flanc de Marcus pour être à l'heure.

— Allez matelot, levons l'ancre ! ordonna-t-il en incitant Charly à enfiler sa veste.

— Oh papa, on peut aller dire bonjour aux lions de mer avant ?

Le bambin adorait que son père l'emmène voir ces étranges animaux marins qui, depuis le tremblement de terre de 1989, avaient fait du Pier 39 leur domicile fixe.

— Non, chéri, je dois aller travailler, lui répondit Jonathan avec une pointe de culpabilité. On ira les voir demain à Bodega Bay, en même temps qu'on ira pêcher en bateau, OK ?

— OK ! s'écria Charly en sautant de sa chaise.

Avec une serviette, Jonathan essuya les moustaches que le chocolat avait dessinées sous le nez de son fils.

Ils venaient d'arriver sur le parking lorsque le téléphone portable vibra dans sa poche. Jonathan sortit l'appareil pour constater que le prénom ESTEBAN s'affichait à l'écran.

*

Un instant, il hésita à décrocher lui-même, mais déjà le responsable des livraisons l'accaparait pour l'aider à charger ses marchandises. Charly se fit un plaisir de mettre la main à la pâte et les trois hommes empilèrent rapidement toutes les cagettes dans le mini-break Austin, un authentique *countryman* des années 1960 avec des appliques en bois à l'emblème du restaurant.

— Boucle ta ceinture, demanda Jonathan à son fils avant de mettre le contact.

Tout en prenant la direction du quartier italien, il clipsa le téléphone dans le réceptacle collé au pare-brise et…

Bingo ! Esteban avait laissé un message ! Il enclencha le haut-parleur pour l'écouter, mais alors qu'il s'attendait à une voix d'homme, c'est une voix féminine et mélodieuse qui énonça :

« Bonjour, mademoiselle Greene, ici le cabinet du docteur Esteban, je vous appelle pour savoir s'il est possible de décaler d'une heure votre rendez-vous de lundi. Je vous remercie de bien vouloir nous rappeler. Très bon week-end. »

Jonathan marqua un mouvement de surprise. Ainsi, Esteban n'était pas le prénom d'un amant sud-américain, mais le nom d'un médecin ! Piqué par la curiosité, il lança l'application *PagesJaunes* présente sur l'appareil avant que son fils le rappelle à l'ordre :

— Regarde la route, papa !

Il acquiesça :

— OK bonhomme, tu vas m'aider.

Ravi d'être mis à contribution, Charly pianota sur l'écran tactile pour entrer des données dans l'annuaire en ligne. À l'initiative de son père, il tapa DOCTEUR ESTEBAN, puis PARIS, avant de lancer la recherche. En quelques secondes, le programme afficha un résultat :

Laurence Esteban
Médecine psychiatrique
66 bis, rue Las Cases 75007 Paris

Ainsi, Jonathan avait fait fausse route sur l'adultère de Madeline, mais il avait deviné son mal-être. Sur ses photos, la jeune femme affichait peut-être toutes les apparences du bonheur, mais quelqu'un qui voyait un psy deux fois par semaine était rarement un modèle de sérénité…

7

Lempereur déchu

Nous avions besoin d'oubli, tous les deux, de gîte d'étape, avant d'aller porter plus loin nos bagages de néant. [...] Deux êtres en déroute qui s'épaulent de leur solitude.

Romain GARY

Paris, VIIIe arrondissement

1 heure du matin

Un appartement d'un petit immeuble du Faubourg-du-Roule

Un mélange de pluie et de neige tombait sur les toits de la capitale.

À la lumière d'une veilleuse, bien au chaud sous sa couette, Madeline terminait les dernières pages des *Confessions d'un cuisinier amoureux*, le livre de Jonathan Lempereur que Takumi lui avait acheté le matin même.

Couché à ses côtés, Raphaël dormait depuis deux heures. Lorsqu'il l'avait rejointe au lit, il avait bien espéré que sa future épouse écourte sa lecture devant la perspective d'un « câlin », mais Madeline était scotchée par l'ouvrage et, à trop attendre, Raphaël avait fini par s'endormir.

Madeline adorait lire dans le silence de la nuit. Même si l'appartement de Raphaël était situé près des Champs-Élysées, c'était un havre de paix, préservé des sirènes de police et autres cris de fêtards. Elle avait dévoré la prose de Jonathan avec un mélange de fascination et de répulsion. Le livre datait de 2005. Lempereur vivait alors son âge d'or, comme en témoignait la quatrième de couverture qui recensait les critiques enthousiastes et unanimes dont il bénéficiait à l'époque : *« magicien des saveurs », « Mozart de la gastronomie », « chef le plus doué du monde »*.

Au cours de ces entretiens, Lempereur martelait son credo : la création culinaire est un art à part entière, au même titre que la peinture ou la littérature. Pour lui, la gastronomie ne s'arrêtait pas à la satisfaction des papilles, mais intégrait une dimension artistique. Plus que cuisinier, il se définissait comme créateur, comparant son travail à celui de l'écrivain devant sa page blanche, et affirmait ainsi pratiquer *« une cuisine d'auteur »*.

« Au-delà du simple travail artisanal, je veux

que ma cuisine raconte des histoires et provoque des émotions », déclarait-il.

Dans cette optique, il remontait aux sources de sa création pour identifier les racines de son art. Comment se formaient ses intuitions ? Par quel processus combinait-il tel goût avec tel autre pour obtenir une saveur inconnue ? Quel rôle jouaient la texture du plat ainsi que son aspect esthétique ?

« Je suis curieux de tout, avouait-il. *J'alimente ma créativité en visitant des musées, des expositions de peinture, en écoutant de la musique, en voyant des films et en contemplant des paysages, mais ma première source d'inspiration, c'est ma femme, Francesca. Je ferme mon restaurant pendant trois mois pour me réfugier dans mon atelier de Californie. J'ai besoin de ce laps de temps pour me régénérer et mettre au point les nouvelles recettes que je proposerai à* L'Imperator *l'année suivante. »*

Madeline avait été surprise par le nombre de chapitres consacrés aux fleurs. Jonathan s'en servait abondamment dans sa cuisine, articulant une partie de ses recettes autour de leurs saveurs : boutons de capucine confits, bouchées croustillantes de foie gras à la confiture de rose, cuisses de grenouilles caramélisées à la violette, sorbet au mimosa et meringues au lilas, bonbons glacés au coquelicot de Nemours…

Madeline sentit son ventre qui gargouillait. Toute cette lecture lui avait donné faim ! Sans faire de bruit, elle se glissa hors du lit et s'entortilla dans une couverture avant de rejoindre la cuisine américaine qui donnait sur les toits. Elle mit la théière sur le feu et ouvrit le frigo à la recherche de quelque chose à grignoter.

Hum, pas grand-chose…

Fouillant dans les placards, elle dégota tout de même un paquet entamé de Granola. En attendant que l'eau frémisse, elle croqua dans un biscuit et parcourut les annexes des *Confessions d'un cuisinier amoureux* où étaient notamment imprimées certaines des recettes qui avaient fait la réputation du restaurant new-yorkais de Lempereur. Du temps où Jonathan était aux fourneaux, *L'Imperator* proposait chaque soir un voyage gustatif organisé autour d'une vingtaine de plats à savourer en portions réduites, selon un ordre précis digne d'un scénario de film, ménageant surprises et rebondissements. En consultant le menu, Madeline ne put s'empêcher de saliver.

Acte 1

Gratin de queues d'écrevisses au caviar
Croquant de bacon et de parmesan
Œufs brouillés aux oursins et à la nougatine
Beignets de fleurs d'acacia à la guimauve

Févettes sautées à l'ail
dans leur chapelure de pain d'épice
Véritable pissaladière nissarde

Acte 2

Saint-Jacques poêlées aux macarons
et leur risotto aux amandes
Risotto aux truffes et son émulsion au chocolat blanc
Jarret de veau du Pays basque confit au jasmin
Duo de carré et noisettes d'agneau
de lait au miel et au thym

Acte 3

Glace au *marshmallow* grillé au feu de bois
Ananas aux pétales de magnolia
Fraises à la fleur de capucine dorées à la feuille d'or
Meringue au lilas sur sa mousse de lait à l'huile
d'olive et au miel
Tuile de banane au cacao et son riz
au lait à la fleur de sureau
Cuillère caramélisée de mousse de coco
Bonbon glacé à la barbe à papa

Sa tasse de thé à la main, Madeline s'installa devant l'écran de son ordinateur portable. À travers la vitre, elle regarda les flocons moutonneux qui se désagrégeaient en tombant sur les toits. Un peu malgré elle, la jeune femme éprouvait une fascination de plus en plus forte pour Lempereur et pour le mystère qui entourait son brusque retrait de la scène gastronomique. Pourquoi un homme encore jeune, en pleine gloire et au sommet de son art, choisit-il du jour au lendemain de saborder sa carrière ?

Sur Google, elle tapa « Jonathan Lempereur » suivi de la requête « fermeture de son restaurant » puis lança la recherche…

⋆

Pendant ce temps, à San Francisco…

Quatre heures de l'après-midi. Jonathan envoya le dernier dessert du jour – une simple tarte aux abricots et au romarin – avant de dénouer son tablier et de se laver les mains.

Service terminé ! pensa-t-il en quittant sa cuisine. En salle, il salua un client et passa derrière le comptoir pour préparer deux espressos – un pour son commis, l'autre pour lui. Il attrapa les tasses, vérifia leur température pour être certain que la déperdition de chaleur soit minime et que l'arôme du café soit préservé. À North Beach, le quartier italien de la ville, on ne plaisantait pas avec ça ! Pas question de louper un *ristretto* ou d'utiliser l'une de ces machines à capsules qui, de Shanghai à New York, uniformisaient le goût du café sur toute la planète.

Sa tasse à la main, il sortit sur la terrasse et s'assura que Charly ne s'ennuyait pas trop. Sur sa tablette tactile, le gamin était plongé dans l'univers des dinosaures et ne prêta pas attention à son père lorsqu'il s'assit près de lui, sous l'un des braseros.

Il alluma discrètement une cigarette tout en regardant les passants et les enfants qui traversaient Washington Square. Il aimait cet endroit et son atmosphère particulière. Bien que la majorité de ses habitants soient aujourd'hui d'origine asiatique, le quartier était très attaché à son héritage italo-américain, comme en témoignaient les glaciers ambulants, les lampadaires ceinturés du drapeau « vert, blanc, rouge » et les nombreux restaurants familiaux où l'on dégustait pâtes au *pesto, panna cotta* et *tiramisu*. Le lieu était mythique : Kerouac y avait vécu, Marilyn Monroe s'était mariée en son église et Francis Coppola, le réalisateur du *Parrain*, y avait toujours un restaurant et ses bureaux.

Jonathan sortit de sa poche le téléphone de Madeline. Toujours pas de message. Il lança l'application mystérieuse, bien décidé cette fois à contourner la barrière du mot de passe.

ENTER PASSWORD

Bon, il fallait procéder par ordre. On nous serinait constamment que la clé qui protégeait nos comptes était aussi importante que le code secret de notre carte bancaire. Soit. On nous rebattait les oreilles avec des conseils pour choisir un mot de passe vraiment sécurisé : éviter les mots trop courts, ne pas utiliser d'informations connues de nos proches, choisir une alternance de lettres, de chiffres et de caractères spéciaux. On nous assurait que, dans cette optique, une formule comme *« ! Efv(abu#$vh % rgiubfv°oalkùs,dCX »* serait un très bon mot de passe quasiment impossible à pirater.

Sauf qu'il était aussi impossible à retenir…

Jonathan avala d'un trait son *ristretto*. Il était convaincu qu'il fallait chercher quelque chose de simple. Dans nos vies modernes, on devait jongler avec toutes sortes de codes cartes de crédit, réseaux sociaux, comptes mails, administration… Pour accéder à n'importe quel service, on avait besoin d'un mot de passe. C'était trop pour notre mémoire. Alors, pour se simplifier la vie, la majorité des gens avaient tendance à choisir des codes courts et familiers, facilement mémorisables. Au mépris de toutes les règles de sécurité, leur choix se portait sur leur date de naissance, le prénom de leur femme ou de leurs enfants, le nom de leur animal, un numéro de téléphone ou une suite de chiffres consécutifs ou de lettres adjacentes.

Méthodiquement, Jonathan essaya « 123456 », « abcde », « raphael », « greene » ainsi que le numéro de portable de Madeline.

Échec.

En fouillant dans l'historique des mails de la jeune femme, il trouva un message particulièrement intéressant : le dossier de demande d'immatriculation envoyé par Madeline au concessionnaire qui lui avait vendu sa moto. Il contenait entre autres choses la photocopie de sa carte d'identité. Connaissant ainsi sa date de naissance, Jonathan entra « 21031978 », « 21 mars 1978 », « 21 mars 78 » puis en anglais « 03211978 », « march211978 », « 03/21/78 ».

Nouvel échec.

— Réfléchis ! se lança-t-il tout haut.

Comme l'adresse mail de Madeline était maddy greene78@hotmail.com, il tenta « maddygreene » puis « maddygreene78 ».

Échec.

Jonathan sentit la colère et la frustration monter en lui. Il crispa son poing et soupira. C'était rageant de se trouver aux portes du secret et d'être incapable d'y accéder !

*

Madeline chaussa de fines lunettes de vue pour lire plus confortablement les résultats de la recherche qui s'affichaient sur son écran.

Lempereur abdique, Lempereur destitué, La chute de Lempereur : les journaux français avaient rivalisé de jeux de mots pour annoncer la « retraite » de Jonathan. Elle cliqua sur le lien qui renvoyait à l'article du site Internet de *Libération*.

CULTURE 30/12/2009

LEMPEREUR DÉCHU

Le prodige de la cuisine avant-gardiste a tenu une conférence de presse surprise, hier soir à Manhattan, pour annoncer la fermeture de son restaurant ainsi que la vente de toutes ses activités.

La mine défaite et mangée par la barbe, les yeux cernés, la silhouette trop ronde : c'est en petite forme que le pape de la gastronomie new-yorkaise, le chef français Jonathan Lempereur, a annoncé jeudi la fermeture immédiate de son restaurant, *L'Imperator* (trois étoiles au Michelin), ainsi que la vente de toutes les activités du groupe qu'il avait fondé avec sa femme, Francesca DeLillo. Une décision lourde de conséquences pour les deux mille salariés de l'entreprise.

Un chef à part

Situé dans la mythique *Rainbow Room*, *L'Imperator* a été classé à plusieurs reprises « meilleure table du monde » par la revue britannique *Restaurant Magazine*. Visionnaire et inventif pour certains, imposteur et charlatan pour d'autres, Lempereur divise la planète gastronomique depuis près de dix ans.

Lassitude

Pour justifier sa décision subite, le chef s'est dit « *fatigué, démotivé et usé* », exprimant ainsi son épuisement d'être toujours sur la brèche et de devoir travailler 18 heures par jour, 360 jours par an.

« J'arrête tout. Définitivement », a précisé Lempereur, excluant catégoriquement de reprendre la tête d'un grand restaurant. « Je n'éprouve plus aucun plaisir à exercer mon art et je ne pense pas que ce plaisir puisse revenir un jour », a-t-il expliqué, se disant également lassé par les critiques qui ne comprennent plus son travail.

Des problèmes de couple

Davantage que les critiques, il semble que ce soient ses problèmes conjugaux qui aient précipité son choix de se retirer du monde de la gastronomie. « *J'étais très lié à ma femme, Francesca, et il ne fait aucun doute que notre récente séparation a joué sur ma décision* », a reconnu Lempereur, éludant néanmoins toutes les questions sur sa vie privée.

Des problèmes financiers

« *Mais des paramètres financiers sont aussi en cause qui rendaient sans doute à terme mon retrait inéluctable* », a-t-il précisé. Depuis plusieurs années, le groupe Imperator était en effet lourdement endetté, englué dans un modèle économique peu performant et des investissements hasardeux. C'est donc le couteau sous la gorge que Lempereur s'est vu contraint de céder la licence d'exploitation de son nom au complexe hôtelier de luxe Win Entertainment, qui devrait reprendre la totalité des activités du groupe.

Un avenir incertain

À même pas quarante ans, que va faire Lempereur à présent ? Se reposer ? Se ressourcer ? Se lancer dans un autre pari ?

Le chef est resté flou sur son avenir. Pressé de mettre un terme à son intervention, c'est un homme seul, le regard perdu, qui a quitté sa conférence de presse. Un homme fatigué, mais peut-être aussi secrètement soulagé de ne plus avoir à jouer à « l'Empereur ».

Madeline cliqua sur un autre lien : un article du site du *New York Times* qui donnait un nouvel éclairage sur l'épisode.

LE SYNDROME DE VATEL

Par Ted Booker
Publié le 30 déc. 2009

Leader emblématique de la cuisine d'avant-garde, Jonathan Lempereur a-t-il succombé au *syndrome de Vatel*[1] ?

Le chef new-yorkais est en effet loin d'être le premier virtuose des fourneaux à se retirer subitement de la scène après une déconvenue. De Bernard Loiseau[2] à Jacques Laroux, de nombreux grands chefs

1. Le maître d'hôtel du prince de Condé, passé à la postérité pour s'être suicidé en 1671 pendant une réception donnée par son maître parce que la pêche du jour avait du retard et qu'il craignait de manquer de victuailles.

2. L'un des grands chefs cuisiniers français de la seconde moitié du XXe siècle. Extrêmement médiatisé durant les années 1990,

```
ont éprouvé avant lui l'angoisse perma-
nente du déclin.
Jonathan Lempereur a réussi miraculeu-
sement à conjuguer création, reconnais-
sance critique et rentabilité pendant une
dizaine d'années. C'est cet équilibre pré-
caire qui vient de se rompre ce soir.
```

Suivait une compilation de témoignages qui donnait à l'article des airs de nécrologie, tous les intervenants parlant de Lempereur comme s'il était… mort.

Michael Bloomberg, le maire de New York, louait le formidable talent d'un grand chef qui était devenu au fil des années New-Yorkais d'adoption. Hillary Clinton rappelait le *« soutien actif de Jonathan Lempereur aux actions menées au sein des écoles pour favoriser l'éducation au goût des enfants ». Frédéric Mitterrand, le ministre français de la Culture, saluait en lui « un génie de la création culinaire qui a su contribuer au rayonnement international de la gastronomie française ».*

À côté de ces réactions consensuelles, une intervention détonnait clairement : celle du chef écossais Alec Baxter, que Jonathan avait détrôné du titre de meilleur cuisinier de la planète. Baxter tenait sa vengeance et ne cachait pas sa satisfaction :

---

il se suicide sans laisser d'explications en février 2003 à l'âge de cinquante-deux ans.

« Lempereur n'aura été qu'une étoile filante dans le monde de la cuisine. Un météore créé par les médias et qui s'est finalement laissé dévorer par le système qui l'avait propulsé en haut de l'affiche. Qui se souviendra de son nom dans dix ans ? »

Mais le témoignage le plus fort, le plus personnel et le plus poignant revenait à Claire Lisieux, l'un des deux sous-chefs de *L'Imperator*. *« Je travaille avec Jonathan Lempereur depuis dix ans*, expliquait la jeune femme. *C'est lui qui m'a tout appris. Il m'a repérée alors que j'étais serveuse dans un café de Madison où il venait chaque matin prendre son petit déjeuner. Je n'avais pas de permis de travail valide et il m'a aidée à régulariser ma situation tout en m'embauchant dans son restaurant. C'était un homme d'une grande volonté, exigeant, mais généreux avec son personnel. »*

— Toi, ma vieille, tu devais être secrètement amoureuse de lui… marmonna Madeline avant de reprendre la lecture de son article.

« Jonathan est un mélange de force et de fragilité, continuait Claire. *Un être au caractère excessif traversé de contradictions, adorant et abhorrant les médias et la notoriété. Ces derniers temps, je l'ai senti très déprimé. Hyperactif sous tension permanente, il poursuivait une quête inlassable de la*

perfection qui était devenue une sorte d'esclavage. Il était exténué, travaillant sans relâche du matin au soir. Il ne prenait quasiment jamais de vacances. Tant que sa femme le soutenait, il était à l'abri d'un coup de folie, mais lorsqu'elle l'a quitté tout ça est devenu trop lourd à porter. Car tout le monde se trompe sur Jonathan Lempereur : sa soif de reconnaissance, son ambition, ses concessions au star system ne sont pas les signes d'une mégalomanie excessive. Je crois seulement qu'il faisait ça pour Francesca. Pour lui plaire, pour qu'elle l'aime. À partir du moment où ils se sont séparés, je pense tout simplement que plus rien ne l'intéressait, que plus rien n'avait de sens... »

— Qu'est-ce que tu fais debout ?

Madeline sursauta et se retourna comme prise en faute. En robe de chambre, tout ensommeillé, Raphaël la regardait d'un drôle d'air.

— Rien, rien, assura-t-elle en refermant précipitamment l'écran de son ordinateur. Je… je faisais mes comptes : les cotisations, l'Urssaf, les charges… Enfin, tu sais ce que c'est.

— Mais il est 2 heures du matin !

— Je n'arrivais pas à dormir, chéri, expliqua-t-elle en enlevant ses lunettes.

Elle but une gorgée de thé devenu froid, mit

son nez dans la boîte de biscuits, mais constata qu'elle était vide.

Raphaël se pencha vers elle pour lui déposer un baiser sur les lèvres. Il passa une main sous sa nuisette et caressa son ventre. Puis sa bouche abandonna celle de Madeline pour glisser dans son cou. Lentement, il fit tomber une bretelle du déshabillé de soie puis la deuxi…

Son élan amoureux fut brusquement interrompu par le riff de *Jumpin' Jack Flash*. Raphaël tressaillit sous l'effet de la surprise et marqua un mouvement de recul.

Madeline regarda le téléphone de Jonathan qui vibrait à côté de son ordinateur. La photo d'une femme brune, à l'allure grave, aux yeux sombres et profonds, s'était affichée sur l'écran. Elle était surmontée d'un prénom :

FRANCESCA

Sans prendre le temps de réfléchir, Madeline décrocha…

★

— P'pa, j'ai un peu froid.

Jonathan leva la tête de son écran. Depuis une

heure, il était plongé dans les méandres tortueux de sa réflexion, essayant sans succès de pirater le code de Madeline. Il avait parcouru une bonne partie des mails de la jeune femme, collectant patiemment des bribes d'informations et tentant, à chaque nouvel indice, de trouver un mot de passe correspondant.

— Va chercher un pull, chéri, dit-il en lui tendant une serviette en papier pour essuyer son nez qui coulait comme une fontaine.

Le soleil avait disparu pour laisser la place à un brouillard blanc et dense qui recouvrait les rues et le parc sur lequel donnait la terrasse. Ce n'était pas pour rien que San Francisco était surnommé *Fog City*. C'était même l'un des aspects un peu mystérieux et déconcertants de la cité : la vitesse avec laquelle une brume épaisse pouvait en quelques minutes envelopper la ville et son célèbre Golden Gate.

Quand Charly revint, enfoui dans un épais col roulé, Jonathan regarda sa montre.

— Alessandra ne va plus tarder. Ça te fait plaisir d'aller voir *Wicked* avec elle ?

Le gamin fit « oui » de la tête avant de s'écrier :

— La voilà !

Et de sauter de joie en apercevant sa nounou.

L'étudiante était la fille de Sandro Sandrini, le patron de l'un des restaurants italiens les plus anciens du quartier. Elle suivait un cursus à

Berkeley et, à chaque séjour de Charly en Californie, Jonathan faisait appel à ses services.

Il saluait la jeune fille lorsque le portable vibra dans sa main. Il regarda ce qu'affichait l'écran et reconnut les chiffres familiers du numéro de son ex-femme !

— Allô ?

D'une voix neutre, Francesca lui expliqua qu'en cherchant à le joindre elle était tombée sur une Parisienne qui lui avait expliqué l'échange des appareils. Elle voulait juste s'assurer que tout allait bien et parler à Charly.

— C'est ta mère, dit Jonathan en tendant le combiné à son fils.

8

Ceux qu'on aime

Parfois, c'est ça aussi, l'amour : laisser partir ceux qu'on aime.

Joseph O'CONNOR

Comté de Sonoma
Californie
Dimanche matin

— Tu n'aimes plus maman, n'est-ce pas ? demanda Charly.

Le break Austin longeait la côte découpée du Pacifique. Jonathan et son fils s'étaient levés à l'aube. Ils avaient quitté San Francisco par la *Highway 1*, traversant successivement la plage de sable noir de Muir Beach et le village bohème de Bolinas dont les habitants détruisaient, depuis des décennies, tous les panneaux d'indication afin de se protéger du tourisme de masse.

— Alors, tu l'aimes encore maman ? reformula le gamin.

— Pourquoi me poses-tu cette question ? demanda Jonathan en baissant le son de la radio.

— Parce que je sais que tu lui manques et qu'elle voudrait qu'on vive encore tous les trois.

Jonathan secoua la tête. Il s'était toujours refusé à laisser croire à son fils que la séparation d'avec sa mère pouvait être provisoire. D'expérience, il savait qu'un enfant gardait souvent le secret espoir que ses parents se retrouvent un jour et il ne voulait pas que Charly entretienne cette illusion.

— Oublie cette idée, chéri. Ça n'arrivera pas.

— Tu ne m'as pas répondu, remarqua le gamin. Tu l'aimes encore un peu, non ?

— Écoute, Charly, je sais que c'est difficile pour toi et que tu souffres de cette situation. Mes parents se sont séparés lorsque j'avais ton âge. Comme toi, j'étais très triste et je leur ai reproché de ne pas avoir fait d'efforts pour se rabibocher. J'admets volontiers que nous étions tous les trois plus heureux lorsque ta maman et moi nous nous aimions. Malheureusement, les histoires d'amour ne sont pas éternelles. C'est comme ça. Il est important que tu comprennes que cette époque est derrière nous et qu'elle ne reviendra pas.

— Hum…

— Maman et moi, on s'est beaucoup aimés et tu es le fruit de cet amour. Rien que pour ça, jamais je ne regretterai cette période.

— Hum…

Devant son fils, Jonathan ne critiquait jamais Francesca dans son rôle de mère. D'ailleurs, s'il pouvait lui reprocher d'avoir été une épouse infidèle, elle était pour Charly une formidable maman.

— Contrairement aux liens de couple, les liens entre les parents et les enfants durent toute la vie, poursuivit-il, appliquant à la lettre les conseils des psys qu'il avait lus. Tu n'as pas à choisir entre nous : ta mère sera toujours ta mère et je serai toujours ton père. Nous sommes tous les deux responsables de ton éducation et nous t'accompagnerons dans les moments heureux de ta vie comme dans les coups durs.

— Hum…

Jonathan regarda le paysage à travers le pare-brise. Sinueuse et sauvage, la route serpentait le long de l'océan. Avec ses falaises déchiquetées et battues par le vent, l'endroit faisait davantage penser à la Bretagne et à l'Irlande qu'à la Californie.

Il se sentait coupable de ne pas savoir parler à son fils avec des mots plus justes. Pour Charly, la séparation de ses parents avait été brutale et inattendue. Jusqu'à présent, Jonathan avait pris soin de ne jamais entrer avec lui dans les détails de sa relation avec sa mère, mais était-ce la bonne solution ? Oui, sans doute : comment expliquer à un enfant la complexité des relations conjugales et les ravages de la trahison ? Malgré tout, il se risqua à une précision :

— Je ne renie rien du passé, mais un jour, j'ai compris que ta maman n'était plus la femme que je croyais connaître. Pendant les dernières années de notre mariage, j'avais été amoureux d'une illusion. Tu comprends ?

— Hum…

— Arrête avec tes « hum » ! Tu comprends ou pas ?

— Je sais pas trop, répondit l'enfant en faisant une drôle de moue.

Et merde, pourquoi je lui ai dit ça ?…, se désola Jonathan.

Ils dépassèrent un troupeau de vaches puis arrivèrent à leur destination : le petit village de pêcheurs de Bodega Bay. Située à soixante kilomètres au nord-ouest de San Francisco, la localité avait acquis une renommée mondiale depuis qu'Alfred Hitchcock y avait tourné la plupart des scènes des *Oiseaux*.

En cette matinée d'hiver, la ville côtière s'animait doucement. Ils se garèrent sur le parking presque vide. Charly sortit de la voiture et courut sur le ponton pour observer les otaries qui se doraient au soleil en poussant des cris de contentement.

Sur le port, plusieurs stands proposaient des crustacés encore frétillants et, sous les auvents des restaurants, quelques « vieux de la vieille » se balançaient dans des rocking-chairs tout en dégustant, malgré l'heure matinale, des tourteaux géants et des *clam chowders*[1].

Comme il l'avait promis à son fils, Jonathan loua un petit bateau à la coque pointue qui ressemblait à une barquette marseillaise.

— Allez, moussaillon, cap au large !

Le plan d'eau était paisible, parfait pour naviguer.

La coquille de noix s'éloigna de la côte puis se stabilisa à deux miles du port. Charly sortit sa canne à pêche et avec l'aide de son père accrocha un ver à l'hameçon avant de lancer sa ligne.

Jonathan vérifia le portable de Madeline, mais dans cette partie du comté, le réseau était inexistant. Gardant un œil attentif sur son fils, il alluma une cigarette et en savoura la première bouffée en observant la nuée de palmipèdes qui tournaient autour du bateau.

---

1. Soupe aux palourdes, à l'oignon et au bacon servie directement dans une boule de pain évidée.

Décidément, Hitchcock avait été inspiré : l'endroit était envahi d'oiseaux de toutes sortes – mouettes, cormorans, bécassines, goélands – dont les cris se mélangeaient aux cornes de brume des embarcations.

— Dis, pourquoi tu fumes alors que ça fait mourir ? demanda Charly.

Jonathan fit celui qui n'avait pas entendu et demanda à son tour :

— Ça mord ?

Mais l'enfant n'était pas décidé à abandonner sa croisade contre le tabac :

— Moi, je n'ai pas envie que tu meures, dit-il, les yeux humides.

Jonathan poussa un soupir.

Comment lutter contre ça ?

Il capitula, écrasant sa clope après en avoir aspiré une dernière bouffée.

— Content ?

— Content ! répondit le gamin en retrouvant instantanément un visage rieur.

★

Pendant ce temps, à Deauville…

La pendule du salon venait de sonner 19 heures. Un beau feu crépitait dans la cheminée. Raphaël et son père s'affrontaient autour de la table de billard.

Assise sur le canapé en cuir capitonné, Madeline hochait la tête de façon mécanique, écoutant d'une oreille distraite le bavardage d'Isaure – sa future belle-mère – tandis qu'à ses pieds Sultan, le cocker anglais de la famille, bavait affectueusement sur ses chaussures neuves.

Dehors, la pluie cognait contre les vitres depuis le début de l'après-midi.

— Ah ! j'adore ce programme ! s'exclama Isaure, détournant soudain son attention de Madeline pour monter le son du téléviseur qui, en cette période de fin d'année, diffusait un énième bêtisier.

Madeline profita de cette brèche pour s'extirper du canapé.

— Je vais fumer une cigarette.

— Je croyais que tu avais arrêté, protesta Raphaël.

— Ça vous tuera, chérie, renchérit Isaure.

— Sans doute, admit-elle, mais il faut bien mourir de quelque chose, n'est-ce pas ?

Sur ce, elle enfila sa parka et sortit sur la terrasse.

Si la nuit était tombée depuis longtemps, un système sophistiqué de spots lumineux éclairait le petit manoir anglo-normand, mettant en valeur ses colombages et l'eau turquoise de la piscine.

Madeline fit quelques pas le long de la terrasse couverte pour s'accouder à la balustrade. La propriété surplombait le champ de courses, offrant une vue impressionnante sur Deauville.

Elle alluma sa cigarette, tirant une première bouffée. Le vent fouettait son visage. Bercée par le bruit de la mer, elle ferma les yeux, essayant de faire le vide en elle.

Le confort bourgeois et l'inertie de ces week-ends en famille provoquaient chez elle des sentiments contradictoires : apaisement, tranquillité, révolte, envie de fuite.

Peut-être qu'avec l'habitude...

Le fond de l'air était glacial. Elle remonta jusqu'au cou la fermeture Éclair de sa parka, rabattit sa capuche et sortit le téléphone de sa poche.

Depuis ce matin, la plupart de ses pensées convergeaient vers Francesca DeLillo à qui elle avait parlé au téléphone la nuit précédente. Cette femme, son mystère, son histoire exerçaient sur elle une drôle de fascination. Leur conversation avait été brève, mais suffisamment marquante pour l'obséder toute la journée. Lorsque Francesca avait pris conscience de la situation, elle lui avait demandé, un peu confuse, d'effacer le message qu'elle avait laissé sur le répondeur de Jonathan et de ne surtout pas lui en parler. « Un moment de faiblesse », avait-elle confessé. Madeline avait compris.

Elle lança le navigateur du smartphone et tapa

le nom de Francesca dans la section « images » du moteur de recherche. Dans sa jeunesse, tout en poursuivant des études de management, l'héritière avait travaillé comme mannequin pour de grandes marques de mode. Les premières photos dataient des années 1990 et la montraient sur des podiums et dans des publicités. Selon les clichés, elle avait des airs de Demi Moore, Catherine Zeta-Jones ou Monica Bellucci. S'affichèrent ensuite de nombreuses poses avec Jonathan, preuve que, pendant ses années heureuses, le couple n'avait pas hésité à utiliser sa vie privée pour accroître la popularité de son entreprise.

La pluie se fit plus dense. Le tonnerre gronda, la foudre s'abattit près de la maison, mais, plongée dans son cyberespace, Madeline ne s'en aperçut pas.

Ses doigts glissèrent sur l'écran tactile et cliquèrent sur une vignette qui la renvoya au site web du magazine *Vanity Fair*. Quelques années auparavant, le *Paris Match* américain avait consacré six pages au couple sous le titre : « *La cuisine, c'est de l'amour !* » Une longue interview et des photos assez glamour qui n'avaient qu'un lointain rapport avec la gastronomie. Sur l'une d'entre elles, on pouvait voir que le couple s'était fait tatouer une inscription identique sur l'omoplate droite. Madeline zooma pour déchiffrer l' « épigraphe ».

C'était beau… à condition d'être certain de rester ensemble toute la vie. Car aujourd'hui, avec du recul, la photo avait quelque chose de pathétique.

— Chérie, tu vas prendre froid ! lança Raphaël en ouvrant la porte.

— Je rentre, mon cœur ! répondit Madeline sans lever les yeux du téléphone.

En passant d'un cliché à l'autre, une évidence lui sauta aux yeux. Selon qu'elle se trouvait seule ou en présence de Jonathan, l'attitude de Francesca se métamorphosait : le top model félin, sûr de son pouvoir de séduction, se transformait en femme amoureuse aux yeux de Chimène. Même derrière les mises en scène à destination des journalistes, l'amour que se portaient ces deux-là ne faisait aucun doute.

Qu'est-ce qui les a séparés ? se demanda-t-elle en rejoignant le salon.

⋆

— Pourquoi se sont-ils séparés ? demanda Charly en rangeant sa canne à pêche dans le coffre de la voiture.

1. *Tu ne marcheras jamais seul.*

— Qui ?

— Tes parents.

Jonathan fronça les sourcils. Il tourna la clé de contact et d'un geste ordonna au gamin de boucler sa ceinture. Le mini-break quitta Bodega Bay et mit le cap sur San Francisco. Tout en conduisant, Jonathan ouvrit son portefeuille pour y prendre la photo délavée d'un petit restaurant de province.

— Tes grands-parents avaient un restaurant dans le sud-ouest de la France, expliqua-t-il en montrant le cliché au gamin.

— *La Che-va-liè-re*, épela Charly en plissant les yeux pour déchiffrer la pancarte.

Jonathan approuva de la tête.

— Lorsque j'étais encore enfant, pendant quelques mois, mon père a aimé une autre femme : la représentante d'une grande marque de champagne qui fournissait son établissement.

— Ah ?

— Cet amour a duré plus d'un an. Comme dans les petites villes les rumeurs se répandent vite, ils ont pris garde à tenir leur histoire secrète et ils y sont parvenus.

— Pourquoi ton père a-t-il fait ça ?

Jonathan baissa sa visière pour éviter d'être ébloui par le soleil de midi.

— Pourquoi les hommes trompent-ils leur femme ? Pourquoi les femmes trompent-elles leur mari ?

Il laissa la question en suspens quelques secondes, un peu comme s'il réfléchissait à haute voix :

— Il y a des tas de raisons, j'imagine : l'usure du désir, la peur de vieillir, le besoin d'être rassuré sur ses capacités de séduction, l'impression qu'une aventure ne va pas porter à conséquence… Des explications sans doute très valables. Je ne peux pas te dire que j'excuse mon père, mais je ne lui jette pas la pierre non plus.

— Donc ce n'est pas pour ça que tu ne lui parlais plus lorsqu'il est mort ?

— Non, chéri, ce n'est pas pour ça. Mon père avait d'autres défauts, mais malgré son infidélité, je n'ai jamais douté de son amour pour ma mère. Je suis certain que son adultère l'a beaucoup fait souffrir, mais la passion c'est comme la drogue : au début, tu penses la maîtriser, puis un jour, tu dois bien admettre que c'est elle qui te maîtrise…

À la fois surpris et un peu gêné par ces confessions, Charly regarda son père d'un drôle d'air dans le rétroviseur intérieur, mais Jonathan était lancé :

— Finalement, il est parvenu à se « désintoxiquer » de cette femme. Mais six mois après le terme de cette aventure, il n'a rien trouvé de mieux que de confesser son adultère à ma mère.

— Pourquoi ? demanda le gamin en ouvrant de grands yeux.

— Je pense qu'il s'en voulait et qu'il se sentait coupable.

Jonathan mit son clignotant pour se garer devant l'unique poste à essence d'une vieille station-service.

— Et ensuite ? demanda l'enfant en suivant son père.

Jonathan décrocha le pistolet de carburant.

— Il a supplié sa femme de lui pardonner. Comme ils avaient deux enfants, il lui a demandé de préserver leur famille, mais ma mère était dévastée par cette trahison. Son mari avait abîmé leur amour et gâché tout ce qu'ils avaient construit. Alors, elle lui a refusé son pardon et elle l'a quitté.

— D'un seul coup ?

Jonathan paya son plein et regagna la voiture.

— Ta grand-mère était comme ça, expliqua-t-il en repartant.

— C'est-à-dire ?

— C'était une grande amoureuse, une grande idéaliste, exaltée et passionnée. Brutalement, elle a pris conscience que la personne qu'elle aimait le plus au monde était capable de lui mentir et de la blesser. Elle disait souvent qu'au sein d'un couple la confiance était primordiale. Elle disait que sans confiance, l'amour n'était pas réellement de l'amour et, sur ce point, je crois qu'elle avait raison.

Comme Charly avait oublié d'être bête, il ne put s'empêcher de remarquer :

— Ça ressemble à ce que tu as vécu avec maman.

Jonathan acquiesça :

— Oui, pendant des années, avec maman, on n'a fait qu'un. On partageait tout et notre amour nous protégeait de tout. Mais un jour… un jour l'amour s'en va… et il n'y a rien d'autre à dire.

Charly hocha tristement la tête et, puisqu'il n'y avait rien d'autre à dire, resta silencieux jusqu'à la maison.

9

Un secret bien gardé

Il y avait entre eux l'intimité d'un secret bien gardé.

Marguerite YOURCENAR

San Francisco
Dimanche
Début d'après-midi

Charly ouvrit la porte de la maison et déboula dans le salon.

— Regarde, oncle Marcus ! J'ai pêché deux poissons !

Avachi sur le canapé, les pieds en éventail, le Canadien fumait un pétard gros comme un cornet de frites.

— Ça sent bizarre, fit le gamin en se pinçant le nez.

Marcus se leva d'un bond et fit disparaître son joint précipitamment en le plongeant dans le cache-pot qui trônait sur la table basse.

— Hé, hé, salut p'tit gars.

Mais Jonathan le foudroya du regard.

— Combien de fois t'ai-je répété… ? commença-t-il en fulminant.

— C'est bon, y a pas mort d'homme, se défendit mollement le Canadien.

— Avec tes combines, tu risques de me faire retirer la garde de mon fils, alors si, il y a mort d'homme !

Jonathan ouvrit toutes les fenêtres pour aérer tandis que Charly sortait de la glacière un beau sébaste et un petit cardeau encore frétillant.

— Ils sont tout frais ! lança-t-il, très fier de ses deux prises.

— Oui, ce n'est pas comme oncle Marcus…, ajouta perfidement Jonathan pour faire rire son fiston.

C'est vrai que son colocataire avait une conception très personnelle de l' « habit du dimanche » : caleçon fripé, chaussettes dépareillées et tee-shirt orné cette fois d'une feuille de cannabis qui se détachait sur le drapeau jamaïcain.

— Tu veux un fruit ? demanda Jonathan en rangeant dans le réfrigérateur le reste des provisions qu'ils avaient emportées pour la route.

— En fait, je préférerais qu'oncle Marcus me fasse son sandwich trio…

— Mouais, dit-il, dubitatif.

— C'est comme si c'était fait ! lança Marcus en sortant les ingrédients du placard.

Se léchant déjà les babines, Charly grimpa sur l'un des tabourets qui entouraient le bar.

Avec application, Marcus beurra la première tranche de pain de mie qu'il saupoudra de cacao, avant de la recouvrir d'une deuxième tartinée de lait concentré, qu'il surmonta d'un dernier morceau badigeonné de sirop d'érable.

Charly croqua dans le sandwich et s'exclama, la bouche pleine :

— Ché délichieu, merchi !

Très fier du compliment, Marcus se prépara le même en-cas.

— Je t'en fais un, Jon' ?

Jonathan ouvrit la bouche pour refuser – pas question pour lui d'avaler cette mixture hypercalorique – puis se ravisa. Pourquoi tourner le dos à tous les plaisirs et à tous les moments de complicité avec Marcus et son fils ? Après tout, son beau-frère avait bien des défauts, mais il apportait un peu de gaieté et une touche d'originalité à leur foyer. Et surtout, il n'avait pas son pareil pour faire sourire Charly alors que lui-même, emmuré dans sa tristesse, n'était pas le père le plus épanouissant dont un fils pouvait rêver.

— Allez, pourquoi pas après tout ! lança-t-il en les rejoignant à la table.

Il servit à tout le monde une tournée de *pu-erh* avant d'allumer le petit poste de radio qu'il régla sur une fréquence spécialisée dans le rock californien. C'est donc au rythme des tubes des Eagles, de Toto et de Fleetwood Mac qu'ils dégustèrent leur goûter.

— Tu sais quoi ? Je vais inscrire « le fameux sandwich trio d'oncle Marcus » à la carte des desserts du restaurant, plaisanta Jonathan. Je suis certain que ça va marcher !

Alors que Charly rigolait de bon cœur, il leva les yeux et :

— Pourquoi as-tu affiché toutes ces photos ? s'étonna l'enfant en désignant les clichés de Madeline qui tapissaient le mur de la cuisine.

Jonathan se sentit pris en faute. Depuis deux jours, il s'était laissé emporter par la curiosité, mais à présent il avait du mal à comprendre la logique et le sens de son comportement. Pourquoi la vie de cette femme l'avait-elle tant fasciné ? Pourquoi s'était-il cru investi d'une sorte de mission ?

— Tu as raison, on va les décrocher, approuva-t-il, presque soulagé par cette décision rationnelle.

— Je vais t'aider, proposa son beau-frère.

Les deux hommes se levèrent et commencèrent à détacher une à une les photos qui couvraient la pièce.

Madeline à Venise, Madeline à Rome, Madeline à New York...

— Tiens, tu as vu ? C'est Cantona...

— Quoi ?

Marcus lui tendit la photo qu'il venait de retirer. En blouson de cuir et chemisier cintré, Madeline souriait devant un gâteau d'anniversaire piqué de vingt-neuf bougies. L'événement datait de cinq ou six ans. Si elle était sensiblement plus jeune, elle était bien moins élégante et féminine que la femme que Jonathan avait croisée à l'aéroport. À l'époque, elle avait un visage plus rond, un air de garçon manqué et de vilains cernes sous les yeux.

Le portrait avait été pris dans un bureau : on y apercevait des dossiers cartonnés, un ordinateur un peu démodé ainsi que des stylos, des stabilos et une paire de ciseaux rangés dans un mug. Même si le grain n'était pas de bonne qualité, on distinguait, punaisé sur le mur, un poster d'Eric The King[1] drapé dans le maillot des Red Devils.

1. Surnom du footballeur Éric Cantona lorsqu'il jouait dans l'équipe de Manchester United.

— Tu sais où la photo a été prise ? demanda Marcus.

— Non.

— À mon avis, dans un commissariat.

— Pourquoi ?

Il désigna des silhouettes noir et jaune perdues au fond de l'écran.

— Les deux types, là, ce sont des flics.

— N'importe quoi !

— Tu peux agrandir l'image ?

— Écoute, on n'est pas dans *Les Experts*...

— Essaie !

Sans y croire, Jonathan attrapa l'ordinateur portable sur lequel il avait téléchargé toutes les photos de Madeline. Il cliqua sur la vignette correspondante pour l'ouvrir sous Photoshop et utilisa le zoom du logiciel. Bien sûr, le niveau de précision n'était pas excellent, mais on distinguait tout de même davantage de détails.

À dire vrai, il n'était pas impossible que les taches jaune fluo en fond d'écran correspondent aux gilets jaunes à bandes réfléchissantes que portaient certains flics anglais. Mais ce n'était pas probant. En examinant différentes parties du cliché, un autre détail attira son attention : les trois lettres « GMP » qui ornaient le mug de Madeline.

— GMP ? Ça te dit quelque chose ?

Jonathan ouvrit la fenêtre du navigateur et tapa « GMP+Police ». Le premier résultat renvoyait au site de la *Greater Manchester Police* : les forces de police du comté de Manchester.

— Tu as raison, on est bien dans un commissariat.

— Tu en connais beaucoup, toi, des gens qui fêtent leur anniversaire dans un commissariat ?

La question resta en suspens quelques secondes. La réponse s'imposait d'elle-même : dans un passé pas si lointain, la jeune femme avait été flic !

Jonathan comprit qu'il venait de trouver la clé du mystère que cachait Madeline. Mais alors qu'il touchait au but, il fut envahi par le doute. De quel droit fracturait-il ainsi ses secrets ? Il était bien placé pour savoir qu'on ne remuait pas le passé impunément et…

— Regarde ça !

En s'emparant de l'ordinateur, Marcus venait de décider pour lui. Sur le moteur de recherche, il avait tapé : « Madeline+Greene+Police+Manchester ».

Il y avait des centaines de résultats, mais le premier à s'afficher était un article de presse tiré du *Guardian* :

**MADELINE GREENE,
L'ENQUÊTRICE
DE L'AFFAIRE DIXON,
FAIT UNE TENTATIVE DE SUICIDE**

10

La vie des autres

Notre grand tourment dans l'existence vient de ce que nous sommes éternellement seuls, et tous nos efforts, tous nos actes ne tendent qu'à fuir cette solitude.

Guy de MAUPASSANT

Paris
Lundi 19 décembre
4 h 30 du matin

Une neige fine et serrée tombait depuis quelques minutes sur le VIIIe arrondissement. Figé par le froid de la nuit, le quartier du Faubourg-du-Roule était désert.

Un Peugeot Partner blanc mit son clignotant avant de s'arrêter en double file au milieu de la rue de Berri. Emmitouflée dans une parka à grosse capuche, une silhouette féminine sortit d'un immeuble bourgeois et s'engouffra dans la camionnette.

— Pousse le chauffage, ça caille ! se plaignit Madeline en bouclant sa ceinture.

— Il est déjà à fond, répondit Takumi en démarrant. Vous avez passé un bon dimanche ?

La jeune femme éluda la question et enfila ses mitaines en laine, le temps que l'habitacle se réchauffe.

Takumi n'insista pas. La voiture descendit la rue d'Artois et tourna à droite pour rejoindre la rue La Boétie puis les Champs-Élysées.

Madeline desserra son écharpe, extirpa un paquet de cigarettes de sa poche et en alluma une.

— Je croyais que vous aviez arrêté…

— Ça va ! Tu ne vas pas t'y mettre toi aussi ! Tu sais ce que disait Gainsbourg ? « Je bois et je fume : l'alcool conserve les fruits et la fumée les viandes. »

Takumi resta songeur quelques secondes avant de remarquer :

— Premièrement, il avait piqué cette citation à Hemingway…

— … et deuxièmement ?

— Deuxièmement, ils sont morts tous les deux, non ?

— Très bien : si ça te gêne, va travailler ailleurs ou fais-moi-un procès pour tabagisme passif !

— Je disais ça pour votre bien, répliqua calmement Takumi.

— Écoute, lâche-moi les baskets, tu veux ? Et vire-moi cette daube ! ordonna-t-elle en désignant l'autoradio d'où s'échappait une version nipponne de *Que je t'aime*, interprétée par Johnny lui-même.

L'Asiatique éjecta son CD et Madeline fit défiler les fréquences de radio jusqu'à trouver une station classique qui diffusait la *Suite bergamasque*. La musique l'apaisa un peu. Elle se tourna vers la fenêtre et regarda la neige qui commençait à tenir sur les trottoirs.

Au rond-point de la porte Dauphine, Takumi prit la bretelle pour rejoindre le périph. Madeline s'était levée du pied gauche, comme cela lui arrivait parfois, mais son humeur maussade ne durait jamais très longtemps. Il écrasa un bâillement discret. Ces sorties nocturnes à Rungis l'enchantaient. Dommage qu'il faille se lever aux aurores… D'ailleurs, tous les fleuristes ne se donnaient plus cette peine. Une bonne partie de leurs « collègues » se contentaient désormais de faire livrer leurs fleurs directement dans leur magasin après avoir passé commande Internet ! Madeline l'avait convaincu que ce était pas la bonne façon d'exercer son métier et que la première qualité d'un vrai fleuriste résidait justement dans la quête du produit parfait.

À cause de la neige, la route était un peu glissante, mais ça ne gâchait pas à Takumi son plaisir de conduire la nuit dans Paris. La fluidité de la circulation avait quelque chose de grisant et d'irréel. Il continua sur l'A6 comme pour se rendre à Orly et arriva bientôt devant le péage du plus grand marché de produits frais du monde.

★

Rungis fascinait Takumi. Le « ventre de Paris » fournissait la moitié des poissons, des fruits et des légumes consommés dans la capitale. C'était là que s'approvisionnaient les meilleurs restaurateurs et les artisans les plus exigeants. Au printemps précédent, lorsque les parents du jeune Japonais étaient venus en France, c'était la première visite qu'il leur avait organisée, avant même la tour Eiffel ! L'endroit était impressionnant : une véritable ville traversée de milliers de personnes, avec son propre commissariat, sa gare, ses pompiers, ses banques, son coiffeur, sa pharmacie et ses vingt restaurants ! Il aimait cette effervescence, entre 4 et 5 heures du matin, lorsque l'activité battait son plein au milieu du ballet des camions que l'on charge et que l'on décharge dans un univers d'odeurs et de saveurs.

Au péage, Madeline tendit sa carte d'acheteur pour pénétrer dans l'enceinte et la camionnette se gara entre l'avenue des Maraîchers et celle de la Villette, sur l'un des parkings couverts du secteur dédié à l'horticulture.

Ils choisirent un haut chariot à roulettes et pénétrèrent dans l'immense serre de verre et d'acier. Les vingt-deux mille mètres carrés du pavillon Cl étaient entièrement consacrés aux fleurs coupées. Les portes automatiques passées, on se retrouvait plongé dans un autre monde et la grisaille du dehors laissait la place à une symphonie de couleurs et de senteurs.

Requinquée par le spectacle, Madeline se frotta les yeux, s'éveilla pour de bon et arpenta le hall d'un pas décidé. Sur une surface équivalente à plus de trois terrains de football, une cinquantaine de grossistes se côtoyaient dans cet immense hangar dont les passages portaient un nom de fleur : allée des Mimosas, des Iris, des Anémones…

— Salut ma jolie ! l'accueillit Émile, le responsable du stand sur lequel elle achetait une bonne partie de sa production.

Avec son chapeau de paille, son sécateur, sa salopette et ses moustaches en guidon de vélo,

Émile Fauchelevent était une institution. Présent à Rungis depuis l'ouverture du marché en 1969, il en connaissait tous les codes et les rouages.

— Je te prépare un « court sans sucre » ? dit-il en insérant quelques pièces dans la machine à café.

Madeline le remercia d'un geste de la tête.

— Et un thé pour Katsushi ? ajouta-t-il en défiant du regard le protégé de la fleuriste.

— Je m'appelle Takumi, répondit froidement l'Asiatique, et je prendrai plutôt un cappuccino.

Émile ne se dégonfla pas :

— Et un cappuccino pour Tsashimi, un !

Le jeune homme attrapa son gobelet sans rien dire et baissa la tête, déçu de ne pas être respecté par le grossiste.

— Un jour, il faudra que tu te décides à lui mettre ton poing dans la gueule, lui glissa Madeline tandis qu'Émile se dirigeait vers un nouvel arrivant. Ça, je ne peux pas le faire pour toi.

— Mais… c'est un vieil homme.

— Il te dépasse de trois têtes et pèse deux fois ton poids ! Si ça peut te rassurer, mon bizutage a duré six mois. Chaque fois qu'il me voyait, il m'appelait la *Rosbif* ou *l'English*.

— Et ça s'est arrêté comment ?

— Lorsque je lui ai balancé son café bouillant à la gueule. Depuis il me traite comme une princesse.

Takumi se sentait désemparé. Dans le pays où il était né, on cherchait à tout prix à éviter le conflit, l'affrontement ou les attitudes agressives.

— Mais… pourquoi ça se passe comme ça ici ?

— Ça se passe partout comme ça, dit-elle en écrasant son gobelet avant de le jeter dans une corbeille. Et si tu veux mon avis, tu as besoin de te confronter à ce genre de situation pour devenir un homme.

— Mais je suis un homme, Madeline !

— Oui, mais pas celui que tu voudrais être.

Elle le laissa sur cette réflexion pour retrouver Bérangère, l'une des vendeuses de Fauchelevent avec qui elle parcourut les différents stands. Elle acheta deux ballots de feuillage, négocia âprement le prix des tulipes, des pâquerettes et des camélias, mais céda sur trois bottes magnifiques de roses d'Équateur. Elle était à l'aise dans le « marchandage », tenant à payer les fleurs à leur vraie valeur. Takumi s'occupa de charger cette première cargaison et rejoignit sa patronne dans l'enceinte réservée aux plantes.

D'un œil expert, Madeline choisit des bégonias et des myosotis en pot tandis que son apprenti, fêtes de fin d'année obligent, s'emparait des « stars » de Noël que sont le houx, le gui, les poinsettias et les hellébores.

Elle lui laissa aussi les plantes dépolluantes qui connaissaient un succès croissant auprès des entreprises, mais qu'elle-même jugeait ennuyeuses à mourir, pour mieux prendre le temps de choisir les orchidées blanches et pastel sur lesquelles elle avait bâti la réputation de son magasin.

Elle fit ensuite un rapide détour par la serre où étaient entreposés les « gadgets » qui permettaient à ses clients d'offrir des cadeaux amusants et peu onéreux : bougies parfumées, plantes « carnivores », petits cactus en forme de cœur, feuilles de café plantées dans des tasses à expresso…

Aux rayons des décorations, elle craqua sur un ange en fer forgé qui ferait fureur dans sa vitrine. Takumi la suivait et buvait chacune de ses paroles. Malgré sa frêle silhouette, il mettait un point d'honneur à assumer les tâches pénibles, poussant un chariot qui devenait plus lourd à chaque halte, soulevant d'un bras un sac de terreau de dix kilos ou un énorme cache-pot en terre cuite.

Le vent faisait trembler les serres. À travers les vitres on distinguait des flocons lumineux qui voltigeaient dans le ciel avant de recouvrir le bitume de leur écume blanche et glacée.

Pour retarder l'instant de braver la froidure, Madeline s'attarda dans ce cocon rassurant. L'achat de bulbes du printemps – jacinthes, jonquilles, perce-neige – la tira de sa mélancolie. Pour elle qui détestait la période des fêtes, le début de l'hiver était le moment le plus triste de l'année, mais c'était aussi celui où elle avait le plus besoin de voir la vie revenir. Pour elle, c'était la vraie promesse de Noël…

★

6 h 30

Takumi referma le coffre avec précaution. La camionnette était pleine à craquer.

— Allez viens, je te paie un p'tit déj' ! proposa Madeline.

— Enfin une parole gentille !

Ils poussèrent la porte des *Cordeliers*, le bistrot installé au centre du secteur horticole. Autour du comptoir, les nombreux clients discutaient le bout de gras, refaisant le monde devant leur ballon de rouge ou leur petit noir. Certains étaient absorbés dans la lecture du *Parisien*, d'autres remplissaient des grilles de Loto ou de PMU. Beaucoup de conversations tournaient autour des prochaines élections présidentielles : Sarko serait-il réélu ? La gauche avait-elle choisi le meilleur candidat ?

Ils s'assirent à une table, dans un endroit un

peu moins bruyant. Madeline commanda un double expresso et Takumi se laissa tenter par un kebab très gras.

— Ben, t'as l'estomac bien accroché, toi ! Tu me fais la morale à propos de la clope, mais tu devrais surveiller ton cholestérol !

— Je suis ouvert à toutes les cultures, se justifia l'Asiatique en prenant une énorme bouchée de son sandwich.

La jeune femme enleva ses gants et déboutonna sa parka d'où elle sortit le téléphone de Jonathan.

— Vous ne l'avez toujours pas renvoyé, constata le Japonais.

— Tu es observateur, toi.

— Au fond, ça ne m'étonne pas.

— Et ça te pose un problème ? rétorqua-t-elle, sur la défensive.

— Non, j'étais certain que l'histoire de Lempereur vous intéresserait…

Elle se radoucit et sembla hésiter avant de lui tendre une feuille de papier qu'elle avait imprimée pendant la nuit.

— Toi qui as vécu aux Éats-Unis, tu as déjà entendu parler de ça ?

Intrigué, Takumi déplia l'article et en lut la manchette :

JONATHAN LEMPEREUR TRAHI PAR SON MEILLEUR AMI

En quelques jours, le plus célèbre des chefs a perdu sa femme, son restaurant et son meilleur ami. Retour sur une double trahison.

(PEOPLEMag - 3 janvier 2010)

— Je ne savais pas que vous lisiez ce genre de presse, dit-il en chaussant ses lunettes.

— Épargne-moi tes vannes, tu veux bien ?

Les quatre photos qui illustraient l'article ne laissaient aucun doute à l'interprétation. Elles avaient été prises le 28 décembre 2009 à Nassau, aux Bahamas. On y voyait Francesca en compagnie d'un certain George LaTulip. Le couple avait été shooté par un paparazzi dans un petit coin de paradis du nom de Cable Beach. Bien que « volés », les clichés avaient un côté esthétique. En tenue de coton clair, l'ancien mannequin marchait main dans la main avec son amant le long d'une plage de sable blanc aux eaux turquoise et scintillantes. Leur attitude trahissait leurs sentiments : tout en complicité, ils souriaient et flirtaient, comme s'ils étaient seuls au monde. Sur la dernière image, les deux tourtereaux s'embrassaient tendrement à la terrasse d'un café à l'architecture coloniale.

Cette série de poses avait un côté glamour et *vintage* qui rappelait les publicités Calvin Klein des années 1990.

Généralement plus encline à révéler les incartades masculines, la presse à scandale n'avait pas été tendre envers les « frasques de Francesca ». Il faut dire que, dans ce monde hypocrite et manichéen, tous les ingrédients étaient réunis pour donner à cette tromperie des airs de tragédie antique. D'un côté, la femme adultère à la beauté fatale qui partait au bout du monde pour tromper son époux avec son meilleur ami. De l'autre, le mari fidèle resté à New York pour s'occuper de son fils et tenter de sauver son restaurant en péril. *Last but not least*, le rôle de l'amant était tenu avec prestance par ce George LaTulip. L'homme était grand, brun, ténébreux, séducteur. Un « beau mec » qui, malgré son nom ridicule, présentait une ressemblance frappante avec le Richard Gere de la grande époque.

Lorsqu'on lisait l'article un peu plus attentivement, on comprenait que George LaTulip travaillait comme second de Jonathan à *L'Imperator* : c'était son plus proche collaborateur, mais aussi son ami. Avant de rencontrer Jonathan, George courait en effet les castings tout en vendant des hot dogs dans l'un de ces chariots ambulants qui pullulent à Manhattan. Jonathan avait une sorte de don pour repérer le potentiel des gens. Il avait formé George jusqu'à en faire son adjoint, lui apportant la stabilité, l'aisance matérielle et un CV qui lui donnait la certitude de trouver du travail jusqu'à la fin de ses jours. Et pour le remercier, l'autre lui avait piqué sa femme…

— Qu'est-ce que tu en penses ?

— J'en pense que parfois les femmes sont des garces, répondit Takumi.

— Si ça te fait dire de telles conneries, grommela Madeline, je crois que je vais arrêter de t'emmener dans les bistrots, et…

Mais le jeune Japonais ne la laissa pas finir sa phrase :

— Attendez ! Ce nom : George LaTulip, je l'ai déjà entendu quelque part. On ne lui a pas déjà livré des fleurs par hasard ?

— Non, je ne crois pas. Avec un nom pareil, je m'en serais souvenue quand même ! Et puis, ça m'étonnerait qu'il habite à Paris…

Mais Takumi s'accrochait à son idée.

— Vous avez votre ordinateur avec vous ?

Madeline soupira et sortit de son sac le *notebook* sur lequel elle avait téléchargé sa « base clients ».

Takumi posa l'écran devant lui et tapa « LaTulip ». Il ne fallut pas longtemps pour qu'une occurrence s'affiche :

George LaTulip
Café Fanfan, 22 bis, avenue Victor-Hugo
75116 Paris

— C’est moi qui lui ai livré un bouquet de dahlias pourpres, il y a huit mois. Une commande que nous a sous-traitée votre collègue du XVIe, Isidore Brocus. J’ai établi la facture au nom du restaurant, c’est pour ça que son patronyme ne vous disait rien.

— Et toi ? Tu te souviens de lui ?

— Non, je m’étais contenté de laisser les fleurs à un employé.

Madeline n’en croyait pas ses yeux. Non seulement George LaTulip avait repris un restaurant, mais il vivait à Paris. Décidément, le monde était un village…

— Bon allez, on lève l’ancre, ordonna-t-elle. Tu termineras ton kebab dans la voiture, mais gare à toi si je trouve une trace de gras sur mes sièges !

— On rentre à la boutique ?

— Toi, tu rentres à la boutique ; moi, je crois que je vais aller rendre une petite visite à « Fanfan la Tulipe » …

— Mais sous quel prétexte ?

— Si tu crois que j’ai besoin d’un prétexte pour adresser la parole à un homme…

11

L'enquête

Pour l'essentiel, l'homme est ce qu'il cache : un misérable petit tas de secrets.

André MALRAUX

San Francisco

Hypnotisé par l'écran de son ordinateur, Jonathan relisait pour la troisième fois l'article du journal.

MADELINE GREENE, L'ENQUÊTRICE DE L'AFFAIRE DIXON FAIT UNE TENTATIVE DE SUICIDE

guardian.co.uk-8 juillet 2009

Cheatam Bridge – Un mois après la macabre découverte ayant réduit à néant toute chance

de retrouver vivante la jeune Alice Dixon, le lieutenant de police chargé de l'enquête, Madeline Greene, trente et un ans, a tenté cette nuit de mettre fin à ses jours en se pendant à une poutre de son appartement.
La jeune *Chief Inspector* a heureusement entraîné dans sa chute une armoire de verre qui s'est brisée sur le sol, réveillant en sursaut sa voisine de palier, Juliane Wood, qui a été prompte à intervenir. Après avoir reçu les premiers soins, Mlle Greene a été transférée vers l'hôpital de Newton Heath.
D'après les médecins, son état est jugé inquiétant, mais son pronostic vital ne semble pas engagé.

Les séquelles d'une enquête éprouvante
Comment expliquer ce geste malheureux ? Culpabilité ? Suractivité ? Incapacité à tourner la page d'une enquête éprouvante ? C'est en tout cas une explication plausible. Henry Polster, le superintendant de la police de Manchester, vient de révéler que Madeline Greene était en arrêt de travail depuis qu'elle avait appris la mort d'Alice Dixon, quatorze ans, la dernière victime d'Harald Bishop, le tristement célèbre tueur en série arrêté il y a quelques jours par la police du Merseyside. Parmi les collègues de Mlle Greene, la surprise se mêlait à l'émotion. « *Même sous les verrous, le Boucher de Liverpool a failli*

faire une nouvelle victime », a déploré son coéquipier, le détective Jim Flaherty.

Jonathan se gratta la tête : cet ensemble de faits divers avait apparemment tenu en haleine la Grande-Bretagne pendant des mois, mais ils n'avaient pas traversé l'Atlantique.

— Tu as déjà entendu parler de l'« affaire Alice Dixon » ou du « Boucher de Liverpool » ? demanda-t-il, à tout hasard, à son ami.

— Jamais, lui assura le Canadien.

Bien sûr. Pas la peine de rêver : les gens comme Marcus vivaient dans un univers flottant, coupé de l'actualité. Un monde où Bill Clinton était toujours président, le mur de Berlin encore debout et où on jouait toujours au flipper ou à Pacman dans les bars…

L'idée s'imposa comme une évidence. Jonathan alluma le portable de Madeline et lança le logiciel protégé par un mot de passe.

ENTER PASSWORD

Il tapa « ALICE » et l'application se déverrouilla…

★

Le téléphone contenait des centaines de documents relatifs à l' « affaire Dixon » : des notes, des articles, des photos, des vidéos. Au fur et à mesure qu'il les affichait à l'écran, Jonathan les transférait également sur son ordinateur pour les consulter plus tard. Au début, il crut que ces fichiers ne constituaient qu'une sorte de volumineux dossier de presse relatif à l'enlèvement et au meurtre de l'adolescente, mais plus il avançait dans sa découverte, plus il comprenait pourquoi Madeline avait tout fait pour protéger ces données. La jeune flic avait scanné, copié, dupliqué tous les éléments du dossier de sa dernière affaire ! On y trouvait pêle-mêle ses propres notes, des relevés d'empreintes, des auditions de suspects filmés pendant leur garde à vue, des photos et des descriptions précises des pièces à conviction, des dizaines de pages d'enquêtes de voisinage. Autant de documents confidentiels frappés du tampon de la *Greater Manchester Police* et qui n'auraient jamais dû quitter les locaux d'un commissariat ou d'un tribunal…

— Qu'est-ce que c'est, papa ? demanda Charly, inquiet d'apercevoir une série de photos sanglantes défiler sur l'ordinateur de son père.

— Ne regarde pas, chéri, ce n'est pas pour les enfants, répondit Jonathan en tournant le *notebook*.

Il vérifia la vitesse de téléchargement. Malgré le

wi-fi, le débit n'était pas très rapide et il en avait encore pour deux bonnes heures.

— Allez viens ! On va faire un basket avec oncle Marcus, proposa-t-il d'une voix enjouée.

Ils descendirent sur l'un des terrains grillagés qui bordaient le *Levi's Plaza*. La partie fut disputée. Charly se démena et, après avoir marqué une vingtaine de paniers, rentra épuisé à la maison. Il prit sa douche, grignota un bout de son poisson et s'endormit devant un épisode de *Two and a Half Men*.

Jonathan le porta dans sa chambre. Dehors, la nuit était tombée. Marcus avait rallumé son pétard qu'il dégustait sur la terrasse à la manière d'un havane tout en conversant avec Boris.

Jonathan fouilla dans le compartiment à glace du réfrigérateur pour en sortir une bouteille de vodka à la cerise offerte par une cliente russe. Tout en activant l'écran de son ordinateur, il se servit un verre de cette eau-de-vie qui, d'après l'étiquette, avait été distillée sur du charbon de bouleau avant d'être tamisée sur un lit de diamants.

Rien que ça...

Il vérifia que l'ensemble des données avait bien été téléchargé sur son disque dur. Ce n'étaient pas des dizaines, mais des centaines de documents que Madeline avait emportés avec elle. Au total, près d'un millier de pièces qui formaient un puzzle macabre et tragique. Visiblement, la jeune flic s'était accrochée à cette affaire pendant six mois, y travaillant nuit et jour jusqu'à y laisser sa santé et sa raison. Une sale histoire qui avait failli lui prendre la vie…

Jonathan ouvrit les dernières photos téléchargées : elles étaient insoutenables. Il marqua alors une vraie hésitation. Avait-il réellement l'envie et le courage de s'immerger dans une histoire de disparition et de meurtre d'enfant ?

La réponse était non.

⋆

Pourtant, il avala d'un trait le verre de vodka, s'en servit un deuxième et plongea à son tour dans l'enfer.

DEUXIÈME PARTIE

L'AFFAIRE ALICE DIXON

12

Alice

C'est arrivé au cours de cet été vert et fou. Frankie avait douze ans. Elle ne faisait partie d'aucun club, ni de quoi que ce soit au monde. Elle était devenue un être sans attache, qui traînait autour des portes, et elle avait peur.

Carson McCullers

Trois ans plus tôt
8 décembre 2008
Commissariat de Cheatam, nord-est de Manchester

Madeline haussa la voix :

— Il va falloir m'expliquer la chose plus clairement parce que je ne comprends toujours pas. Pourquoi avez-vous attendu HUIT JOURS pour signaler la disparition de votre fille ?

Assise devant elle, le teint pâle et les cheveux collés, Erin Dixon se contorsionnait sur sa chaise. Mal à l'aise, tremblante, elle clignait des paupières et triturait le gobelet en plastique de son café.

— Vous savez comment sont les ados, bordel ! Ils vont, ils viennent. Et puis, je vous l'ai déjà dit : Alice a toujours été indépendante, elle se débrouille toute seule, elle…

— Mais elle n'a que QUATORZE ANS ! la coupa froidement Madeline.

Erin secoua la tête et réclama la permission de sortir pour fumer une cigarette.

— Pas question ! trancha la flic.

Elle plissa les yeux et marqua une pause. La femme qu'elle interrogeait avait trente ans (le même âge qu'elle), mais il lui manquait plusieurs dents et son visage, crûment éclairé par la lumière froide du plafonnier, était ravagé par la fatigue et les hématomes.

Depuis une heure qu'elle se trouvait dans les locaux du commissariat, Erin était passée par tous les stades : les larmes d'abord en signalant la disparition de sa fille, puis l'agressivité et la colère au fur et à mesure que l'interrogatoire se prolongeait et qu'elle se révélait incapable d'aligner deux phrases cohérentes pour expliquer *pourquoi* elle avait mis une semaine à donner l'alerte.

— Et son père, il en pense quoi ?

Erin haussa les épaules.

— Ça fait bien longtemps qu'il a disparu… À vrai dire, je ne suis même pas certaine de son identité. À l'époque, je couchais à droite à gauche sans prendre de précautions…

Brusquement, Madeline s'exaspéra. Elle avait travaillé cinq ans aux stups et elle connaissait ce comportement par cœur : cette fébrilité, ce regard fuyant étaient les signes criants d'un manque de drogue. Les traces autour des lèvres d'Erin étaient les brûlures laissées par une pipe en Pyrex. Mme Dixon était accro au crack. Point barre.

— Bon, on y va, Jim ! décida Madeline en attrapant son blouson et son arme de service.

Pendant qu'elle faisait un détour dans le bureau de son supérieur, son coéquipier escorta Erin jusqu'au parking et lui alluma une cigarette.

Il était déjà 10 heures du matin, mais le ciel chargé de nuages noirs donnait l'impression que le jour ne s'était pas vraiment levé.

*

— On a reçu la réponse du système central des urgences, annonça Jim en raccrochant son portable.

Les hôpitaux n'ont enregistré aucun dossier sous le nom d'Alice Dixon.

— Je l'aurais parié, répondit Madeline en passant une vitesse.

La Ford Focus fit une brusque embardée sur la route mouillée. Gyrophare allumé et sirène hurlante, la voiture fonçait vers les quartiers nord. La main gauche sur le volant, la droite crispée autour d'une radio, l'enquêtrice coordonnait les premières mesures : diffusion de la photo d'Alice à tous les commissariats du pays, communication de sa disparition à la presse et aux rédactions des journaux télévisés, demande urgente pour mobiliser une équipe de la police scientifique…

— Vas-y doucement, tu vas nous foutre en l'air ! se plaignit Jim alors que Madeline mordait dangereusement le bord d'un trottoir.

— Tu trouves qu'on n'a pas assez perdu de temps ?

— Justement, on n'est plus à dix minutes près…

— T'es vraiment trop con !

Les deux flics arrivèrent au carrefour d'un quartier populaire. Avec ses rangées de maisons de brique rouge qui s'étendaient à perte de vue, Cheatam Bridge était l'archétype de l'ancien faubourg industriel sinistré. Ces dernières années, les travaillistes avaient injecté beaucoup d'argent pour rénover les quartiers du nord-est, mais Cheatam Bridge n'avait pas beaucoup profité de cette embellie. De nombreux logements étaient désaffectés, la plupart des jardins laissés à l'abandon, et la crise qui étouffait l'économie anglaise n'allait pas arranger les choses.

Si le secteur n'était pas en bonne place dans les guides touristiques, que dire alors de Farm Hill Road, le pâté de maisons où vivait la mère d'Alice ? C'était une véritable enclave de misère, rongée par la criminalité. Madeline et Jim suivirent Erin Dixon dans une enfilade de bicoques délabrées livrées aux squatters, aux putes et aux vendeurs de crack.

En entrant dans la baraque, Madeline eut un haut-le-cœur. Le salon était glauque et repoussant : matelas à même le sol, fenêtres obstruées par des cartons et des bouts de contre-plaqué, odeur de nourriture avariée… À l'évidence, Erin avait aménagé son appartement en « shootodrome » pour extorquer un peu d'argent aux *junkies* qui utilisaient les lieux. Même si elle avait dû se douter que la police mettrait le nez dans sa maison, elle ne s'était pas donné la peine de maquiller ses activités : une pipe artisanale fabriquée avec une canette traînait encore sur le rebord de la fenêtre à côté de bouteilles de bière vides et d'un cendrier où traînait un pétard aux trois quarts consommé.

Madeline et Jim échangèrent un regard inquiet : vu le nombre de tarés qui devaient fréquenter l'endroit, l'enquête n'allait pas être simple. Ils montèrent à l'étage, poussèrent la porte de la chambre d'Alice et…

★

L'endroit détonnait avec le reste de la maison. La pièce était sobre et bien rangée avec un bureau, des étagères et des livres. Grâce à un diffuseur de parfum, une odeur agréable d'iris et de vanille flottait dans l'air.

Un autre monde…

Madeline leva les yeux et regarda attentivement les murs de la chambrette décorés avec les tickets et les programmes des spectacles auxquels Alice avait assisté : des opéras – *Carmen* et *Don Giovanni* au Lowry Theatre –, une pièce – *La Ménagerie de verre* au Playhouse –, un ballet – *Roméo et Juliette* dans les locaux du BBC Philharmonic Orchestra.

— C'est une extraterrestre cette fille ou quoi ? demanda Jim.

— Oui, grommela Erin. Elle a… Elle a toujours été comme ça : toujours fourrée dans ses livres, sa peinture et sa musique… J'me demande bien de qui elle tient ça.

Pas de toi en tout cas, pensa Madeline.

La flic était hypnotisée par ce qu'elle découvrait. De part et d'autre du bureau, deux reproductions de tableau se faisaient face : un *Autoportrait* de Picasso datant de la période bleue et le fameux *Verrou* de Jean-Honoré Fragonard.

Jim regardait les titres des livres sur les étagères : des romans classiques, des pièces de théâtre.

— Tu connais beaucoup d'adolescentes de Cheatam Bridge qui lisent *Les Frères Karamazov* et *Les Liaisons dangereuses* ? demanda-t-il en feuilletant les deux bouquins.

— J'en connaissais au moins une, répondit Madeline, l'air absente.

— Qui ?

— Moi…

Elle chassa le souvenir de son esprit. Les blessures de son enfance étaient encore vives et ce n'était pas vraiment le jour pour s'apitoyer sur son sort.

Elle enfila une paire de gants en latex puis ouvrit tous les tiroirs et fouilla la pièce de fond en comble.

Dans les placards, Madeline trouva une dizaine de paquets de biscuits au cacao fourrés à la vanille – des Oreo – ainsi que des petites bouteilles en plastique Nesquik de lait à la fraise.

— Elle ne se nourrit presque que de biscuits qu'elle trempe dans du lait, expliqua sa mère.

Alice était « partie » sans rien emporter : son violon était posé sur son lit, son ordinateur – un vieux Mac coquillage obsolète – trônait sur son bureau, quant à son journal intime, il gisait au pied de son lit. Madeline l'ouvrit avec curiosité et découvrit dans son rabat un billet de 50 livres sterling plié en quatre.

Une lueur malsaine brilla dans le regard d'Erin. Visiblement, elle se reprochait de ne pas avoir eu la présence d'esprit de fouiller la chambre avant les flics.

Mauvais présage, se dit Madeline. *Si la gamine avait fugué, elle n'aurait pas laissé une somme pareille derrière elle.*

L'équipe qu'elle avait réclamée venait d'arriver. Elle demanda à la police scientifique de passer la maison au peigne fin. Avec leurs pinces, leurs scalpels et leurs tamponnoirs, les techniciens prélevèrent quantité d'échantillons qu'ils plaçaient au fur et à mesure dans des tubes hermétiques. Alors que ses hommes embarquaient les principales pièces à conviction, Madeline ouvrit un classeur dans lequel l'adolescente gardait certains de ses devoirs scolaires : ses notes étaient excellentes et les appréciations de ses profs élogieuses.

Alice s'était construit une citadelle de culture pour échapper à son quotidien sordide. L'éducation et la connaissance comme boucliers pour se protéger de la violence, de la peur et de la médiocrité…

*

Cinq voitures de police stationnaient à présent dans Farm Hill Road. Madeline échangea quelques mots avec le responsable de l'unité scientifique qui lui assura avoir retrouvé suffisamment de cheveux sur la brosse d'Alice pour avoir des prélèvements ADN de bonne qualité.

Puis la flic s'appuya contre le capot de la voiture et alluma une cigarette en regardant fixement la photo d'Alice. C'était une jolie fille, grande et mince, qui faisait plus que son âge. Son visage diaphane, souligné par de discrètes taches de rousseur, trahissait des origines irlandaises. Elle avait des yeux en amande vert-de-gris qui rappelaient les portraits de Modigliani et dans lesquels on pouvait déjà lire une grande lassitude, ainsi qu'une volonté manifeste de cacher sa beauté, consciente que, dans l'environnement où elle évoluait, celle-ci lui apporterait plus d'emmerdes que de gratifications.

Qu'espérer de l'avenir lorsque les conditions de départ dans la vie sont si difficiles ? Comment pouvait-on grandir dans ces bas-fonds sans devenir soi-même un peu dingue, au milieu des drogués et des décérébrés ?

Peut-être as-tu fugué finalement ? demanda mentalement Madeline à Alice. *Peut-être as-tu quitté ce quartier pourri où on ne croise que des épaves ? Peut-être as-tu voulu fuir cette mère débile qui n'est même pas capable de te dire qui est ton père ?*

Mais Madeline ne croyait pas à ce scénario. Alice semblait être une fille intelligente et organisée. Se tirer de la cité ? D'accord. Mais pour aller où ? Avec qui ? Et y faire quoi ?

★

Elle se servit de son mégot pour s'allumer une nouvelle clope.

La chambre d'Alice avait ravivé les souvenirs de sa propre histoire. Comme 99 % des gosses élevés dans le quartier, Madeline avait eu une enfance chaotique entre une mère dépressive et un père porté sur la bouteille. Adolescente, elle s'était juré de fuir ce désastre humain, d'aller tenter sa chance ailleurs. Son grand rêve était de vivre un jour à Paris ! Elle était bonne élève et elle avait réussi ses examens de droit, puis la réalité du quartier l'avait rattrapée et elle était entrée dans la police, gravissant rapidement les échelons, mais restant scotchée dans la grisaille et la tristesse de Cheatam Bridge.

Elle ne se plaignait pas de son sort, au contraire. Son travail lui plaisait parce qu'il avait un sens : mettre hors d'état de nuire des criminels, permettre à des familles de faire leur deuil en retrouvant les assassins de leurs proches, sauver des vies, parfois. Bien sûr, ce n'était pas facile tous les jours. Ici comme partout ailleurs, un malaise profond régnait chez les flics. Non seulement ils ne se sentaient plus respectés, mais leur statut leur attirait des insultes et des menaces. C'était une réalité générale, mais on la ressentait encore plus dans un quartier comme Cheatam Bridge. Les collègues affectés ici cachaient leur métier à leurs voisins et demandaient à leurs gosses de faire de même à l'école. Les gens aimaient bien les flics dans les séries télé, mais crachaient sur ceux qui travaillaient dans leur quartier… Il fallait donc gérer un stress quotidien, endurer l'hostilité de la population, le désintérêt de sa hiérarchie. Accepter de voir sa voiture caillassée et s'arranger d'un matériel d'un autre âge : de nombreuses bagnoles n'avaient même pas de radio, certains ordinateurs tournaient encore sous Pentium II…

Par moments, c'était dur. Vous vous mettiez à ressentir intérieurement, personnellement, l'absurdité des accidents mortels, la souffrance des femmes battues, l'horreur des enfants abusés, la douleur des familles des victimes.

À force de broyer du noir et de vivre sous tension, certains finissaient par craquer. L'année dernière, un flic de son unité avait pété un câble et descendu, sans raison apparente, un petit caïd au moment de l'interpellation ; il y a six mois, une jeune stagiaire s'était suicidée dans le commissariat avec son arme de service.

À l'inverse de beaucoup de ses collègues, Madeline n'était ni désenchantée ni dépressive. Elle était volontairement restée dans ce quartier « difficile » pour grimper plus vite les échelons. Pas plus les vieux briscards que les jeunes recrues ne s'éternisaient ici. Ça ouvrait des perspectives de carrière… Avec les années, elle avait donc gagné une position particulière ainsi qu'une certaine autonomie qui lui permettaient d'enquêter sur les cas les plus « intéressants », qui étaient aussi les plus sombres et les plus sanglants.

— Elle ne s'est pas tirée volontairement, n'est-ce pas ? demanda Jim en la rejoignant.

— Non, si c'était une fugue, on l'aurait déjà localisée et elle n'aurait pas fait une croix sur ses 50 livres.

— Avec ce qu'Erin doit avoir sur son compte en banque, je crois qu'on peut aussi éliminer la piste de la rançon.

— C'est sûr, approuva-t-elle, mais on va quand même enquêter sur la bande de camés qui l'entoure : avec ces types-là, il peut s'agir d'une vengeance ou d'un racket.

— On va la retrouver, affirma Jim comme pour s'en persuader lui-même.

On n'était pas aux États-Unis, ni dans un polar : dans l'Angleterre d'aujourd'hui, les affaires de disparition de mineur non résolues étaient rares.

Deux ans plus tôt, Madeline et Jim avaient supervisé l'enquête sur la disparition d'un gamin enlevé alors qu'il jouait dans le jardin de ses parents. L'alerte avait été immédiate : on avait pu déployer des moyens de recherche considérables dans un temps très court. Le ravisseur avait été arrêté quelques heures plus tard grâce au signalement de sa voiture, puis était passé aux aveux. Avant la nuit, on avait découvert le garçonnet, ligoté dans une cabane mais vivant et en bonne santé.

En se remémorant cet épisode qui montrait l'importance de la réactivité, Madeline laissa exploser sa colère :

— Putain, quelle conne ! ragea-t-elle en donnant un coup de poing sur le capot de la Focus. Attendre huit jours pour signaler la disparition de sa fille ! Je vais la mettre en taule, moi !

Dans n'importe quelle disparition, les quarante-huit

premières heures étaient déterminantes. Si, passé cette limite, on n'avait pas retrouvé la personne, il y avait de fortes chances pour qu'on ne la retrouve jamais.

— Calme-toi ! demanda Jim en s'éloignant. J'ai récupéré le numéro de portable de la gamine. On va voir si on peut tracer ses appels.

À nouveau, Madeline regarda la photo et sa gorge se serra. Elle voyait en Alice une petite sœur, une fille même… Comme Erin, elle aurait pu se faire engrosser par un connard du quartier à dix-sept ans, en rentrant de boîte un samedi soir, sur la banquette arrière d'une Rover 200.

Où es-tu ? lui murmura-t-elle.

Chose qui lui arrivait rarement, elle se sentit habitée par une certitude inébranlable : Alice était vivante. Mais même dans ce cas, Madeline ne se faisait aucune illusion. L'adolescente n'était pas dans un endroit confortable. Plutôt dans la cave sombre et humide d'un tordu ou entre les griffes d'une mafia spécialisée dans la traite des jeunes femmes et le proxénétisme.

En tout cas, une chose était certaine.

Elle devait avoir peur.

Horriblement peur.

13

Jours de faillite

Everybody counts or nobody counts.

Michael CONNELLY

La dernière « personne » à avoir aperçu Alice Dixon vivante était… une caméra de surveillance. Sur la vidéo, prise au croisement de Pickle Cross, on distinguait la silhouette frêle de la jeune fille descendant du bus, son sac à dos sur l'épaule. On la voyait clairement tourner au coin de la rue pour prendre la contre-allée qui menait à son collège. Un itinéraire de moins de huit cents mètres. Et puis… plus rien. Des jours de silence, d'indifférence et de mystère. Personne n'avait rien vu, ni rien entendu. À croire qu'Alice s'était volatilisée.

★

Comme toutes les grandes villes d'Angleterre, Manchester était truffée de milliers de caméras. Depuis dix ans, une politique de vidéosurveillance de grande ampleur avait tapissé chaque recoin de la cité. Un citoyen pouvait ainsi être filmé jusqu'à trois cents fois par jour. Un moyen imparable pour lutter contre la délinquance. Du moins, dans le discours des politiciens, car, dans la réalité, c'était une autre histoire : faute de fonds suffisants, le matériel était souvent défectueux. Le matin de la disparition d'Alice, tous les appareils qui balayaient le secteur du collège étaient détériorés ou déréglés, leurs images brouillées ou inutilisables…

★

Dans les jours qui suivirent, Madeline mobilisa cent cinquante policiers pour fouiller les appartements, les caves et les jardins dans un rayon de trois kilomètres autour de l'école. On recueillit le témoignage de centaines de personnes, on mit en garde à vue les pédophiles connus et on remonta la piste d'une camionnette blanche suspecte que plusieurs élèves avaient repérée.

★

Persuadée qu'elle portait une lourde responsabilité dans la disparition d'Alice, Madeline plaça Erin Dixon en garde à vue, l'interrogeant pendant plus de vingt heures. Pour la policière, Erin était une vampire, totalement asservie au crack, capable de tout pour une dose, y compris de vendre sa fille à un réseau de proxénètes. Mais son audition n'apporta pas grand-chose. Sur le conseil de son avocat, Erin réclama de passer au détecteur de mensonges – une vaste fumisterie – et passa le test avec succès. Elle ressortit libre de son interrogatoire et se paya le luxe, devant les caméras, de lancer avec des trémolos dans la voix un appel à d'éventuels ravisseurs.

★

Le service informatique du commissariat pirata facilement le mot de passe de l'ordinateur d'Alice : HEATHCLIFF, comme le héros des *Hauts de Hurlevent*, son roman préféré. Malheureusement, ni l'analyse du disque dur ni celle de la boîte mail ne débouchèrent sur la moindre piste sérieuse.

★

En parcourant le journal intime d'Alice, Madeline découvrit que l'adolescente avait l'habitude d'enchaîner les petits boulots en mentant sur son âge. C'était comme ça qu'elle trouvait de l'argent pour se payer ses livres et ses sorties culturelles. Ces derniers mois, elle avait travaillé au *Soul Café*, un bar d'Oxford Road dans le quartier universitaire. Arrêté et inculpé pour avoir embauché une mineure, le patron fut mis hors de cause concernant l'enlèvement.

★

Le 15 décembre, des plongeurs draguèrent sur plus de deux kilomètres la rive ouest de l'Irk. D'autres, l'étang de Rockwel situé à quatre cents mètres de l'école. Ils remontèrent plusieurs carcasses de voitures, des Caddie, une Mobylette, deux réfrigérateurs et plusieurs barrières de sécurité. Mais aucun corps.

★

Jim éplucha tous les appels reçus et passés sur le portable de la jeune fille. Tous ses contacts furent interrogés. Leurs auditions ne donnèrent aucun résultat.

★

Noël passa sans que l'enquête progresse d'un pouce.

Madeline renonça à ses vacances. Elle commença à prendre des médicaments pour trouver le sommeil et pouvoir dormir quelques heures.

Ce n'était pourtant pas une débutante. Ça faisait des années qu'elle travaillait dans ce quartier sinistre. Des années que la violence et l'horreur faisaient partie de son quotidien. Des années qu'elle se coltinait des scènes de crime, des autopsies et des gardes à vue d'individus de la pire espèce. Elle avait traqué des tueurs, arrêté des violeurs et des dealers, confondu des pédophiles, démantelé des réseaux de narcotrafiquants. S'il fallait compter, elle avait œuvré sur des dizaines et des dizaines d'homicides. Trois ans plus tôt, elle était même passée près de la mort, lors d'une fusillade entre deux gangs : une balle de .357 Magnum l'avait effleurée, déchirant un peu la peau de son crâne et lui laissant une cicatrice qu'elle peinait à camoufler par ses mèches de cheveux.

Sa vie, c'était l'enquête.

Même si l'enquête impliquait l'obsession, la solitude et la mise en danger permanente.

Même si l'enquête vous transformait en fantôme pour vos amis, votre famille et vos collègues.

Mais dans le cas présent n'était-ce pas justement le prix à payer : devenir soi-même un fantôme pour retrouver un autre fantôme ?…

*

En janvier, Jim et son équipe examinèrent les appels téléphoniques passés à proximité de la borne relais la plus proche de l'école dans les heures qui avaient précédé et suivi la disparition d'Alice. Le nom de leurs auteurs fut croisé avec les fichiers de la police. Plus de deux cents étaient connus, le plus souvent pour des délits mineurs. Tous furent auditionnés, leur emploi du temps fut vérifié, leur logement perquisitionné. Parmi eux se trouvait un homme de cinquante ans, Fletcher Walsh, condamné pour viol vingt ans plus tôt et propriétaire d'un break blanc…

*

En apparence, l'alibi de Fletcher Walsh tenait la route mais, en fouillant son garage, la brigade cynophile trouva des traces de sang à l'arrière de son véhicule. Les prélèvements furent envoyés au service médico-légal de Birmingham et la police surveilla Walsh vingt-quatre heures sur vingt-quatre dans l'attente des résultats.

★

Le 13 février, le porte-parole de la *Greater Manchester Police* annonça que les analyses des traces de sang trouvées dans le break de Fletcher Walsh ne permettaient pas d'affirmer avec certitude qu'elles appartenaient à Alice Dixon.

★

Puis l'intérêt médiatique retomba. Les effectifs policiers affectés à l'enquête furent déployés ailleurs. L'enquête piétina.

★

Toutes les nuits, Madeline continuait à rêver d'Alice et à être hantée par son regard. Chaque matin, elle se levait en espérant trouver un nouvel indice ou un début de piste que l'on aurait négligé.

Ses collègues et ses supérieurs l'avaient toujours considérée comme un flic solide, mais cette fois, elle perdait pied. Elle s'était construite sur des fondations incertaines, faites d'un blindage protecteur qui n'excluait pas une réelle compassion. Elle n'était même jamais meilleure que lorsque la peine des victimes devenait sa propre peine. Une proximité dangereuse, mais qui la rendait efficace.

C'était ce qui s'était passé avec Alice. Dès le premier jour, sa disparition l'avait dévastée. Cette gamine lui rappelait trop l'adolescente qu'elle avait été. Une identification troublante, un lien confus, un attachement viscéral. Un sentiment qu'elle savait ravageur, mais contre lequel elle n'essaya même pas de lutter.

Ce n'était pas seulement une affaire personnelle, c'était plus que ça. La certitude qu'elle était au fond l'unique personne à se soucier *vraiment* du sort de la jeune fille. La sensation d'avoir remplacé sa mère et de porter sur ses épaules la responsabilité de sa disparition.

Cette nuit-là, elle se fit une promesse : si elle n'était pas capable de retrouver Alice vivante, jamais elle ne ferait d'enfant…

★

L'impuissance la submergeait. Parfois, c'était encore pire que si on lui avait annoncé sa mort, car elle n'arrêtait pas d'imaginer ce qu'Alice devait éprouver. Des images lugubres et oppressantes envahissaient son esprit.

Pour se raccrocher à quelque chose, elle alla jusqu'à consulter un médium. En palpant un habit ayant appartenu à Alice, le charlatan assura que la jeune fille était morte et donna l'adresse du chantier où reposait le corps. Madeline mobilisa une équipe pour le fouiller de fond en comble. En pure perte.

⋆

En apprenant ce dérapage, son chef lui conseilla de prendre quelques jours de repos. « Il faut voir la réalité en face : Alice Dixon a disparu depuis trois mois.

C'est tragique, mais, à ce stade, vous savez très bien que les chances de la retrouver sont quasi inexistantes. Il y a d'autres enquêtes et d'autres dossiers sur lesquels on a besoin de vous… »

⋆

Mais Madeline se sentait incapable de travailler sur « d'autres enquêtes et d'autres dossiers ». Elle était prête à tout pour conserver un fragile espoir de retrouver Alice.

*

Alors, elle se résolut à rendre visite au diable en personne.

14

L'ennemi intime

On a toujours le choix. On est même la somme de ses choix.

Joseph O'Connor

Madeline gara sa voiture banalisée devant le *Black Swan*, le pub irlandais appartenant à la famille Doyle depuis plusieurs générations.

Cheatam Bridge était une petite enclave de moins de dix mille habitants à trois kilomètres au nord-est du centre de Manchester. Autrefois à majorité irlandaise, l'ancien quartier industriel avait vécu les migrations successives d'Indiens, d'Antillais, de Pakistanais, d'Africains et plus récemment d'Européens de l'Est. Cette mixité ethnique générait un étonnant brassage des cultures, mais était aussi à la base d'une guerre des gangs meurtrière et sans répit. L'action de la police y était difficile et le niveau de criminalité affolant.

À peine entrée dans le pub, Madeline fut interpellée par une voix ironique :

— Salut Maddie ! Tu sais que tu as toujours le plus beau p'tit cul de toute la police de Manchester !

Elle se retourna pour apercevoir au fond de l'établissement Danny Doyle, accoudé au bar devant une pinte de bière brune qu'il leva dans sa direction. Il était entouré de ses gardes du corps qui riaient grassement à sa blague.

— Bonjour Daniel, dit-elle en s'avançant. Ça faisait longtemps.

Danny « Dub[1] » Doyle était le chef d'un des clans les plus puissants de la pègre de Manchester. Le parrain d'une dynastie familiale criminelle qui régnait depuis cinquante ans sur le royaume pourri de Cheatam Bridge. À trente-quatre ans, il avait fait plusieurs séjours en prison et son casier judiciaire était long comme le bras : tortures, trafic de drogue, braquages, blanchiment d'argent, proxénétisme, agressions de policiers…

Danny était surtout un homme violent, capable de crucifier sur une table de billard le chef d'un gang rival. Avec son frère et sa bande, « Dub » avait

---

1. Dub : variante de Dubh, prénom irlandais signifiant *sombre*.

descendu une vingtaine de personnes, le plus souvent au cours de séances de torture d'une cruauté extrême.

— Je t'offre une bière ? proposa-t-il.

— Je préférerais un verre de bordeaux, répondit Madeline. Ta Guinness dégueulasse me fait gerber.

Un murmure de surprise parcourut la garde rapprochée de Doyle. Personne ne se permettait de lui parler sur ce ton et encore moins une femme. Madeline toisa avec mépris l'aréopage de caïds. C'était un mélange de gorilles et de petits mecs qui avaient trop regardé *Scarface* et *Le Parrain*. Ils cherchaient à en singer les poses et les répliques, mais avec leur dégaine de beaufs et leur accent à couper au couteau, ils n'auraient jamais la moitié de la classe des Corleone.

Sans élever la voix, Danny Doyle demanda au barman s'il y avait du bordeaux dans la cave.

— Du bordeaux ? Non. À moins que… Peut-être dans les cartons que Liam a piqués chez le Russe…

— Va vérifier, ordonna Doyle.

Madeline le regarda dans les yeux.

— Il fait sombre ici. Sortons sur la terrasse pour une fois qu'il fait beau.

— Je te suis.

Doyle était un être complexe et torturé. Il partageait le *leadership* de son clan avec son frère jumeau, Jonny, sorti du ventre de leur mère cinq minutes après lui, mais qui n'avait jamais accepté son statut de cadet. Sujet à des crises de violence imprévisibles, Jonny souffrait de schizophrénie paranoïde et avait été brièvement interné à plusieurs reprises, son cas relevant davantage de l'asile psychiatrique que de la prison. Des deux, c'était Jonny la brute sanguinaire et Madeline avait toujours pensé que c'était en partie pour maintenir sa domination sur son frère que Danny s'était laissé entraîner dans cette spirale de violence.

Alors qu'ils arrivaient dans le patio, un rouquin s'avança avec l'intention de fouiller la jeune flic, mais Madeline l'en dissuada :

— Toi, tu me touches et je te découpe en deux.

Danny eut un léger sourire et leva la main pour calmer ses troupes et les congédier. Il demanda lui-même à Madeline de lui remettre son arme et s'assura qu'elle n'en planquait pas une autre dans son dos ou le long de sa cheville.

— N'en profite pas pour me peloter !

— J'assure mes arrières : tout le monde sait bien que si les flics décident de me descendre un jour, c'est à toi qu'ils demanderont de faire le sale boulot…

Sous une tonnelle de lierre au charme bucolique,

ils s'assirent l'un en face de l'autre à une table en fer émaillé.

— On se croirait en Provence ou en Italie, lança Doyle pour désamorcer l'incongruité de la situation.

Madeline frissonna. Pas facile d'être assise face au diable.

Sauf qu'avant d'être le diable Danny Doyle avait été son camarade d'école primaire et plus tard, au lycée, le premier garçon qu'elle avait laissé l'embrasser…

— Je t'écoute, fit Danny en croisant les mains.

De taille moyenne, les cheveux bruns, le visage lisse et carré, Doyle s'employait à ressembler à « monsieur tout-le-monde ». Madeline savait qu'il admirait le côté caméléon du personnage joué par Kevin Spacey dans *Usual Suspects*. Entièrement vêtu de noir, il portait sans ostentation un costard Ermenegildo Zegna qui devait coûter plus de 1 000 livres. À la différence de ses sbires, Doyle échappait à la caricature. Il avait même le charme des hommes qui ont renoncé à séduire.

— Je viens te voir à propos d'Alice Dixon, Daniel.

— La gamine qui a disparu ?

— Oui. C'est moi qui mène l'enquête depuis trois mois. Tu aurais des infos ?

Doyle secoua la tête.

— Non, pourquoi ?

— Tu me jures que ce n'est pas toi qui es derrière tout ça ?

— Pour quelle raison aurais-je enlevé cette fille ?

— Pour la faire travailler, pour l'exploiter…

— Elle a quatorze ans !

Madeline sortit de son portefeuille la photo d'Alice.

— Elle en fait au moins seize. Et puis, elle est mignonne, non ? dit-elle en lui mettant le cliché sous le nez. Ne me dis pas que tu ne te la taperais pas !

Doyle ne supporta pas cette provocation. D'un geste rapide, il saisit Madeline par les cheveux, approcha son visage à quelques centimètres du sien et la regarda droit dans les yeux.

— À quoi tu joues, Maddie ? J'ai tous les défauts de la terre, j'ai du sang plein les mains et ma place est déjà réservée en enfer, mais je n'ai JAMAIS touché à une enfant.

— Alors, aide-moi ! cria-t-elle en se dégageant de son emprise.

Doyle laissa retomber la tension avant de demander avec agacement :

— Qu'est-ce que tu veux que je fasse ?

— Tu connais tout le monde dans le quartier et la moitié des gens te doivent quelque chose. Tu règles les problèmes de voisinage, tu protèges les commerçants, tu organises même des distributions de cadeaux de Noël aux familles les plus misérables…

— C'est mon côté Robin des Bois, ironisa Doyle.

— Tu cherches surtout à ce qu'une foule de gens te soient redevables.

— C'est la base du business…

— Eh bien, je veux que tu utilises ton réseau pour me trouver des informations sur l'enlèvement d'Alice.

— Quelles informations ?

— Des témoignages que les gens n'auraient pas voulu fournir à la police.

Doyle soupira et réfléchit quelques secondes.

— Maddie… Ça fait plus de trois mois que cette gosse a disparu. Tu as bien conscience qu'on ne la retrouvera ja…

— Je ne suis pas venue pour entendre ces conneries, l'arrêta-t-elle avant de poursuivre sa requête. Tu comptes parmi tes relations certains politicards et plusieurs hommes d'affaires. Des types qui, eux aussi, te sont redevables de ne pas avoir envoyé à leur femme ou à la presse des photos compromettantes sur lesquelles on les voit partouzer avec des call-girls. Enfin, tu connais mieux les détails que moi puisque ces filles, c'est toi qui les payais…

Un rictus nerveux crispa les lèvres de Doyle.

— Comment es-tu au courant ?

— Je suis flic, Daniel. Tu sais très bien que ton téléphone est sur écoute depuis des mois.

— Des téléphones, j'en ai une dizaine, se défendit-il en haussant les épaules.

— Peu importe. Je veux que tu te serves de ces « cols blancs » pour remobiliser l'opinion publique.

Le barman leur apporta la bouteille de bordeaux qu'il avait fini par dégoter.

— Est-ce que ça convient à mademoiselle ? demanda-t-il.

— Un haut-brion 1989 ! dit-elle en regardant l'étiquette. On ne va pas ouvrir ça. C'est un cru classé !

D'un signe de tête, Doyle ordonna au contraire au barman de leur en servir deux verres.

— Il appartenait à un fils de pute de Ruskoff qui repose maintenant six pieds sous terre ! Alors, ça me fait foutrement plaisir de le boire à sa santé !

Pour ne pas le contrarier, Madeline trempa ses lèvres dans le nectar tout en guettant la réponse de Doyle.

— Si je t'aide à retrouver cette fille, je gagne quoi en échange ?

— Une satisfaction personnelle, l'indulgence de Dieu pour certains de tes actes, une sorte de rachat…

Il rigola doucement.

— Et plus sérieusement ?

Pour se donner du courage, Madeline prit une longue gorgée de vin. Elle s'était préparée à ce marchandage. Doyle ne donnait rien pour rien et c'était pour ça qu'elle n'était venue le voir qu'en dernier recours.

— À la GMP, un indic nous rencarde sur tes projets depuis plusieurs semaines..., commença-t-elle.

Doyle secoua la tête.

— Tu prétends qu'il y a une taupe dans mon équipe ? Tu bluffes.

— Il nous a prévenus pour le braquage du fourgon de la Butterfly Bank que tu as mis sur pied, celui de vendredi prochain...

Doyle resta impassible.

— Si je t'aide, tu me refiles son nom ?

Madeline se renfonça dans son siège.

— Pas question, je t'en ai déjà trop dit. Démerde-toi pour débusquer ta balance par tes propres moyens.

— Tu veux bien compromettre ta réputation en venant me demander de l'aide, mais tu n'es pas prête à te salir les mains jusqu'au bout, c'est ça ?

— Daniel, s'il te plaît... Si je te donne le nom de ce mec, il sera mort avant ce soir.

— Ça ne fait aucun doute, répondit-il en la regardant avec une affection mâtinée de reproche.

Ils étaient unis par un lien étrange. À part elle, personne ne l'avait jamais appelé « Daniel » et il était à peu près certain qu'elle n'autorisait pas grand monde à l'appeler « Maddie ».

— Sur ce coup-là, il n'y a pas de demi-mesure, Maddie. Soit tu plonges pour aider ta gamine, soit tu refuses de te mouiller. À toi de voir.

— Tu ne me laisses pas le choix.

— *« On a toujours le choix. On est même la somme de ses choix. »* C'est dans quel livre déjà ? Un des romans que tu m'avais envoyés lors de mon premier séjour en prison.

Devant ses hommes, Daniel jouait l'inculte, mais c'était loin d'être le cas. Contrairement à son frère, il s'intéressait à l'art et, avant d'être incarcéré, il avait commencé des études d'économie et de gestion, d'abord à Londres puis à l'université de Californie.

Madeline tira un papier plié en quatre de la poche de son jean et le tendit à Doyle.

— OK, voilà le nom de notre indic, dit-elle.

Elle se leva pour quitter le pub.

— Reste encore cinq minutes, demanda-t-il en la retenant par la main.

Mais elle se libéra de son emprise. Alors, pour la

garder encore quelques instants, il sortit un briquet de sa poche et enflamma le papier sans en avoir lu le contenu.

— C'est bon, tu as gagné.

Elle accepta de se rasseoir et il lui resservit un verre de vin.

— Pourquoi n'as-tu pas quitté ce *Fucking Manchester* ? demanda-t-il en allumant une cigarette. Tu disais tout le temps que tu voulais vivre à Paris…

— Et toi, pourquoi tu ne t'installes pas aux États-Unis ? Ces agences immobilières et ces restaurants que tu achètes à Los Angeles, ils te servent à quoi ? À blanchir de l'argent ?

Il éluda la question en se souvenant :

— Tu voulais ouvrir une boutique de fleurs…

— Et toi tu disais que tu voulais écrire des pièces de théâtre !

Doyle sourit à ce rappel. Le club de théâtre du collège. En 1988. Il avait quatorze ans.

— Moi, le livre de ma vie était déjà écrit avant ma naissance ! Quand tu es né à Cheatam Bridge et que tu t'appelles Danny Doyle, tu ne peux pas échapper à ton destin.

— Je croyais que l'on avait toujours le choix, répondit-elle malicieusement.

Une lumière s'éclaira dans le regard de Doyle, suivie d'un sourire franc qui transforma instantanément son visage, lui donnant une expression très attachante. Il était difficile d'imaginer que c'était le même homme qui, un mois plus tôt, avait tranché à la machette les deux pieds et les deux mains d'un Ukrainien qui avait cherché à le doubler. Elle savait que le bien et le mal coexistaient en chaque individu. Que certains, par choix ou par contrainte, exploraient ce qu'il y avait de pire en eux. À cet instant, elle se demanda quel genre d'homme serait devenu Daniel s'il avait parié sur la face lumineuse de sa personnalité au lieu d'emprunter le chemin tortueux d'une fuite en avant à l'issue forcément funeste.

Il y eut donc ces deux ou trois secondes pendant lesquelles le temps se figea. Ces deux ou trois secondes de grâce où ils avaient tous les deux quinze ans. Où ils se souriaient. Où Daniel n'avait jamais tué personne. Où elle n'était pas flic. Où Alice n'avait pas disparu. Ces deux ou trois secondes où la vie était encore pleine de promesses.

*

Deux ou trois secondes…

*

Puis un des gars débarqua sur la terrasse et le charme malsain se rompit.

— Il faut qu'on y aille, patron, sinon on va louper le Jamaïcain.

— Je te rejoins dans la voiture.

Daniel termina son verre de vin et se leva.

— Tu peux compter sur moi pour t'aider, Maddie, mais c'est peut-être la dernière fois qu'on se voit.

— Pourquoi ?

— Parce que je vais mourir dans pas longtemps.

Elle haussa les épaules.

— Tu dis ça depuis des années.

Doyle se frotta les paupières avec lassitude.

— Cette fois, tout le monde veut ma peau : les Russes, les Albanais, les flics, l'OFAC[1], la nouvelle génération montante du quartier qui ne respecte plus rien…

— Tu as toujours su que ça finirait comme ça, non ?

— Tôt ou tard, dit-il en lui rendant son arme.

Puis il la regarda une dernière fois et des paroles qu'il n'avait pas préparées sortirent toutes seules de sa bouche :

---

1. *Office of Foreign Assets Control* : une branche du Département du Trésor américain luttant notamment contre le blanchiment d'argent.

— Notre baiser… j'y repense souvent.

Elle baissa les yeux.

— C'était il y a bien longtemps, Daniel.

— C'est vrai, mais je voulais que tu saches que ce souvenir m'accompagne toujours et que je ne le regrette pas.

À son tour, elle le regarda. C'était dur à entendre, c'était dur à admettre. Ça avait quelque chose de flippant aussi, mais le monde n'était pas blanc ou noir et l'honnêteté la poussa à reconnaître :

— Moi non plus, Daniel, je ne le regrette pas.

15

The girl who wasn't there

Elle ne savait pas que l'Enfer, c'est l'absence.

Paul VERLAINE

La semaine qui suivit la rencontre de Madeline et de Danny, de nouveaux témoins se présentèrent « spontanément » au bureau de police, permettant de réactiver la piste de la camionnette blanche. Au moins trois personnes affirmèrent avoir aperçu une jeune fille blonde d'une quinzaine d'années dans un véhicule utilitaire semblable à celui qu'utilisent les plombiers ou les électriciens.

Leurs témoignages permirent d'établir le portrait-robot d'un homme de « type albanais », de trente à quarante ans, que le procureur du Crown Prosecution Service accepta de faire circuler de façon massive.

★

En sous-main, Doyle lança un site Internet, www.alicedixon.com, support d'une association chargée de collecter des dons pour financer des centaines de panneaux d'affichage dans les gares, les arrêts de bus et les galeries marchandes à travers toute l'Angleterre.

★

Le 21 mars, à Twickenham, lors du Tournoi des Six Nations, on distribua 82 000 avis de recherche aux spectateurs du match de rugby Angleterre-Écosse.

Rebelote le 7 avril, lors du quart de finale de la Ligue des Champions opposant Manchester United au FC Porto : le portrait d'Alice fut projeté pendant une minute sur les écrans géants d'Old Trafford devant soixante-dix mille personnes et plusieurs centaines de millions de téléspectateurs.

★

À partir de là, les témoignages se firent vraiment conséquents.

Le commissariat reçut son lot d'appels de détraqués et d'affabulateurs, mais les nouvelles pistes se multiplièrent : un médecin affirmait avoir croisé Alice le jour de sa disparition dans l'Eurostar pour Bruxelles. Une prostituée disait avoir « travaillé » avec elle dans le quartier De Wallen, la zone rouge d'Amsterdam, célèbre pour ses *sex-shops*, ses *peep-shows* et ses filles « en vitrine ». Une *junkie* jurait avoir partagé un fix avec elle à Soho. Un routier était certain de l'avoir aperçue dans une Mercedes noire sur une aire d'auto-route en Pologne. Une touriste envoya à la police une photo prise près de la piscine d'un hôtel de luxe en Thaïlande où l'on voyait une adolescente qui ressemblait comme deux gouttes d'eau à Alice. Elle était accompagnée d'un homme âgé. Le cliché fut diffusé sur Internet et étudié par des spécialistes de la morphologie, mais la piste fut formellement écartée.

★

Dans une lettre anonyme, un désaxé revendiqua l'enlèvement, le viol et l'assassinat de la jeune fille, mais il laissa de nombreuses empreintes qui permirent de l'identifier dans la journée. On découvrit très vite qu'il était incarcéré au moment de la disparition d'Alice.

★

Le 12 avril, au troisième sous-sol d'un parking de Moss Side, on retrouva le cadavre de Liam Kilroy, battu à mort à coups de batte de base-ball. L'homme était connu pour être un des lieutenants de Danny « Dub » Doyle. Cette mort ne fit pas les affaires de la police, car Liam était aussi leur indic et leur principale carte pour espérer faire tomber rapidement le parrain de Manchester.

★

Madeline ne dormit pas cette nuit-là.

16

La boîte

Qui baigne ses mains dans le sang les lavera dans les larmes.

Proverbe allemand

Le 15 juin, un étrange paquet arriva au commissariat de Cheatam Bridge.

Il était adressé au *Lieutenant Madeline Greene, responsable de l'affaire Alice Dixon.*

C'était un conteneur étanche en plastique ressemblant à ces glacières que l'on utilise en pique-nique. Madeline ouvrit la boîte : elle débordait de glaçons pilés. Avec ses mains, elle écarta les petits cubes translucides. La première couche était blanchâtre, mais plus elle creusait plus un liquide rougeâtre contaminait la glace. Lorsqu'elle aperçut les taches de sang, son rythme cardiaque s'emballa.

Elle essaya de ne pas paniquer et marqua un temps d'arrêt avant de reprendre son exploration. Au fond, il y avait… un morceau de viande à moitié congelé qu'elle regarda avec dégoût. Puis elle comprit qu'il s'agissait d'un organe.

Un cœur grossièrement charcuté.

Un cœur humain.

Le cœur d'Alice.

★

Cette fois, le labo de Birmingham disposait de suffisamment de matière et n'eut besoin que de quelques heures pour confirmer que les échantillons biologiques prélevés sur le cœur congelé correspondaient aux empreintes ADN contenues dans les cheveux d'Alice.

À présent, il n'y avait plus aucun doute.

Alice était morte.

★

Ce jour-là, quelque chose craqua chez Madeline. Elle rentra chez elle comme une somnambule, avala plusieurs verres de whisky et deux somnifères. Le lendemain, elle ne se rendit pas à son travail, ni les jours suivants. Pendant trois semaines, elle resta prostrée dans son lit, dans une sorte de léthargie, perdue entre l'alcool et les médicaments. La réalité lui était devenue insoutenable. Plus rien n'avait d'importance. Même pas d'arrêter le timbré qui se cachait derrière ce crime. Elle était désemparée, incapable de se projeter dans l'avenir, prête à appuyer sur le bouton « Off » de sa vie.

★

Le 19 juin, le *Sun* annonça dans ses colonnes qu'Erin Dixon avait été contactée par une société de production et qu'elle avait touché un acompte de 50 000 livres sterling pour que soit portée à l'écran une histoire tirée de la disparition et de l'assassinat de sa fille.

★

Le 26 juin, au cours d'un banal contrôle routier, la police du Merseyside arrêta un certain Harald Bishop. En état d'ébriété, l'homme transportait à l'arrière de son fourgon des outils tranchants maculés de sang. Il prétendit d'abord avoir découpé un sanglier qu'il avait accidentellement renversé dans la forêt de Bowland. Mais ses propos étaient confus et suspects. L'homme fut interpellé et conduit en cellule de dégrisement dans le petit commissariat de Prescot. Lorsque la garde à vue commença, les flics en service ne se doutaient pas qu'ils avaient devant eux celui que la presse surnommait depuis des années le « Boucher de Liverpool ».

Pendant son audition, Bishop avoua plus de vingt meurtres de jeunes femmes ou adolescentes et autant de viols commis sur une période allant de 2001 à 2009.

La surprise fut totale. Un simple contrôle d'alcoolémie venait de permettre l'arrestation d'un des plus terribles stakhanovistes du crime que l'Angleterre ait connus. Des dizaines d'homicides ou d'enlèvements non élucidés depuis dix ans trouvaient enfin leur résolution.

La confession d'Harald Bishop dura toute la nuit. Au petit matin, le dernier meurtre dont il s'accusa fut celui d'Alice Dixon. Il expliqua avoir jeté son corps dans la rivière Mersey après avoir envoyé son cœur à la police de Manchester.

*

L'affaire fit la une des journaux pendant des semaines. Bishop fut auditionné des dizaines de fois, mais il avait la mémoire défaillante, confondant souvent les dates et restant flou sur le déroulement de certains de ses crimes. En perquisitionnant son logement, les enquêteurs retrouvèrent des restes provenant de corps si nombreux qu'il ne fut pas possible de tous les identifier avec certitude.

★

Le 7 juillet, en pleine nuit, Madeline Greene accrocha la corde de son séchoir à linge à la poutre qui surplombait sa mezzanine.

Il fallait que ça s'arrête.

Avec un reste de whisky, elle avala tous les médicaments qu'elle avait sous la main, essentiellement des somnifères et des anxiolytiques. Puis elle monta sur une chaise, attrapa la corde du séchoir pour y former une boucle. Elle y glissa la tête et serra le nœud.

Il fallait que ça s'arrête.

Depuis un mois, des images d'horreur envahissaient sa tête. Des images insoutenables qui ne lui laissaient aucun répit. Des images qui lui faisaient ressentir les abominations qu'avait dû supporter Alice.

Il fallait que ça s'arrête.

Il fallait que ça s'arrête.

★

Alors, elle sauta.

17

L'orchidée noire

Seule [...]. Je suis toujours seule / quoi qu'il arrive.

Marilyn MONROE

San Francisco
Lundi matin

Le jour se levait sur Telegraph Hill. Les premiers rayons de soleil miroitèrent sur les chromes du réfrigérateur, faisant brutalement passer la cuisine de la pénombre à la lumière. Ébloui par le reflet, Jonathan porta la main à son visage.

Le matin, déjà...

Épuisé par la nuit blanche passée devant l'écran de son ordinateur, il se massa les paupières. Ses yeux le brûlaient, ses oreilles bourdonnaient, son cerveau était saturé d'horreurs.

Il se leva péniblement, alluma la machine à café, mais, comme un boxeur sonné après une série de coups, resta une bonne minute sans réaction, le regard dans le vide, sous le choc de cette plongée dans les ténèbres. Il frissonna ; le fantôme d'Alice, escorté par l'ombre de Madeline, planait encore dans la pièce. Dans son esprit, tout se brouilla, la démence meurtrière du Bourreau de Liverpool, la misère de Cheatam Bridge, les ravages du crack, l'ambiguïté de Danny Doyle, le sang, les larmes, la mort… Malgré ce dégoût, il n'avait pourtant qu'une envie : se remettre devant l'ordinateur pour continuer à exploiter les quelques documents du dossier qu'il n'avait pas encore ouverts. Mais Charly n'allait pas tarder à se lever et, avant de préparer le petit déjeuner de son fils, il avait besoin de prendre une douche pour se laver de cette folie. Il resta un bon moment sous le jet brûlant, se savonnant à s'écorcher la peau pour se débarrasser des images de cauchemar qui s'accrochaient à son cerveau. Des questions lancinantes le tenaillaient et revenaient à la charge. Quelles atrocités Bishop avait-il fait subir à cette pauvre gamine avant de la tuer ? Avait-il apporté d'autres révélations sur Alice ? Madeline avait-elle de nouveau croisé la route de Danny et, surtout, comment la flic acharnée de

Manchester s'était-elle muée en gentille fleuriste parisienne ?

★

Paris, XVIe arrondissement
10 heures du matin

Madeline gara sa Triumph sur un emplacement réservé aux deux-roues, au début de l'avenue Victor-Hugo. Elle enleva son casque, ébouriffa ses cheveux et poussa la porte de *L'Aiglon*, un petit bistrot traditionnel à l'allure populaire qui dénotait dans ce quartier plutôt chicos. Elle s'assit à la première table près de la fenêtre. D'ici, elle avait un point de vue privilégié sur le *Café Fanfan*, le restaurant de George LaTulip dont l'enseigne prestigieuse trônait de l'autre côté de la rue. Elle commanda un thé, un croissant, tira son ordinateur portable de son sac à dos et…

Qu'est-ce que je fous ici ?

Posée par l'autre moitié de son cerveau, la question la désarçonna. Pourquoi sortait-elle tout à coup des rails confortables de sa vie ? Sa place était au magasin, avec Takumi et ses clients. Pas en planque devant le restau d'un type qu'elle ne connaissait ni d'Ève ni d'Adam.

Tu n'es plus dans la police, ma vieille ! Tu n'es plus dans la police ! se répéta-t-elle pour s'en convaincre vraiment. Mais se débarrasse-t-on jamais d'un métier comme celui-là ?

Pour quelques minutes encore, elle choisit de mettre entre parenthèses le côté raisonnable de sa personnalité. Elle prit dans sa poche l'article du tabloïd évoquant la liaison de George et Francesca.

Fais marcher tes méninges ! s'ordonna-t-elle en le dépliant sur la table.

À nouveau, elle détailla les photos, preuves irréfutables de l'adultère de Francesca. Quelque chose n'allait pas dans ces clichés. Ils avaient un côté trop artistique. En tant qu'ancien mannequin, Francesca avait un sixième sens pour prendre la pose et jouer avec la lumière. Alors que cette série de photos était censée être l'œuvre d'un paparazzi, Madeline avait au contraire la conviction que, loin d'être « volées », elles participaient d'une mise en scène soigneusement étudiée.

Mais par qui ? Et dans quel but ?

Elle mordit dans son croissant tout en connectant son ordinateur à Internet. Sur le site du restaurant, elle trouva facilement le numéro de téléphone du *Café Fanfan*. Elle appela et demanda à parler à George, mais on lui répondit que M. LaTulip ne serait pas là avant onze heures. Elle profita du temps qu'elle avait devant elle pour pousser un peu ses recherches. Le site était à l'image du restaurant : moderne et luxueux. En regardant les crédits, on s'apercevait que l'établissement appartenait en fait au complexe hôtelier de luxe Win Entertainment.

Le groupe qui a racheté toutes les activités de Lempereur...

Sur les menus – dont les prix étaient stratosphériques –, elle reconnut certaines des recettes qui avaient contribué à la notoriété de Jonathan. George lui avait piqué non seulement sa femme, mais aussi ses plus célèbres recettes !

Injuste...

Madeline lança une nouvelle requête sur George LaTulip, et atterrit sur un blog... de plongée. Apparemment, LaTulip était passionné de photo sous-marine. Parfaitement tenu à jour, son site était une vitrine de ses différents voyages et présentait des centaines de sublimes photos de poissons multicolores, de tortues géantes et de coraux aux couleurs éclatantes. LaTulip explorait le monde depuis des années. Il avait plongé à Belize, à Hawaii, à Zanzibar, aux Maldives, au Brésil, au Mexique... Tout était classé, archivé, commenté. En parcourant les pages web, Madeline s'arrêta sur le cliché d'un magnifique requin léopard. D'après la légende, le sélacien avait été photographié aux Maldives, le 26 décembre 2009. La date fit tiquer l'ancienne flic.

Selon le tabloïd, les photos avec Francesca dataient du 28 décembre 2009. Elles avaient été prises sur une plage à Nassau aux Bahamas. Sauf que les Maldives et les Bahamas se trouvaient au moins à quinze mille kilomètres de distance, en deux points totalement opposés du globe terrestre… Relier les deux endroits par avion en moins de deux jours était sûrement faisable, mais difficile compte tenu des différents transits. Convaincue de tenir quelque chose, elle chercha à approfondir son intuition. En cliquant de page en page, elle remarqua qu'aucun des séjours de LaTulip ne durait moins d'une semaine. Logique lorsqu'on se déplace au bout du monde pour plonger… Or son voyage aux Maldives n'avait duré que deux jours. Tout laissait donc à penser que George avait brutalement interrompu ses vacances pour rejoindre Francesca.

Madeline ressentit une morsure au creux du ventre. Une brûlure flippante et délicieuse, un frisson intense qui marquait chez elle la découverte de la première piste d'une enquête. *Tu n'es* PLUS *flic*, lui répéta sa voix intérieure.

Mais elle choisit de ne pas l'écouter et, satisfaite de sa découverte, sortit quelques minutes sur le trottoir pour griller une cigarette.

*

San Francisco

— 'jour p'pa.

— Bonjour mon grand, dit Jonathan en soulevant Charly dans ses bras pour l'embrasser avant de le faire atterrir sur l'un des tabourets de la cuisine.

L'enfant se frotta les yeux et plongea la tête dans son bol de chocolat chaud. Jonathan lui beurra une tartine qu'il nappa d'un peu de miel d'acacia. Charly le remercia et demanda s'il pouvait regarder les dessins animés sur le petit téléviseur. Ce matin, Jonathan avait une bonne raison pour lui épargner son sermon anticathodique.

— Bien sûr, chéri, répondit-il en allumant lui-même l'appareil avec la télécommande.

Charly se rapprocha du poste. Jonathan profita que son fils était absorbé par *Bob l'Éponge* pour s'installer devant l'écran de son ordinateur et reprendre l'exploration du « dossier Dixon ».

Parmi les documents qu'il lui restait à parcourir se trouvait un fichier vidéo compressé qu'il lança après avoir branché ses écouteurs. L'image n'était pas d'une excellente qualité. Sans doute le film avait-il été tourné avec un téléphone ou un appareil numérique du milieu des années 2000. Le son néanmoins était audible.

Au premier plan, on distinguait Madeline, les

yeux clos. Couchée sur un lit d'hôpital, elle semblait encore dans le coma ou du moins profondément endormie. Puis l'homme qui tenait la « caméra » la posait sur la table de chevet et se filmait lui-même. C'était un type brun, viril, au visage carré, au regard sombre et fatigué.

— Cette fois, tu vas t'en sortir, Maddie..., commença-t-il d'une voix blanche.

Jonathan comprit tout de suite qu'il s'agissait de Danny Doyle...

★

Paris

La Porsche Panamera s'arrêta au niveau du restaurant à 11 h 30 passées. George LaTulip sortit de son véhicule et en confia les clés au voiturier.

Assise derrière la vitre du café, Madeline plissa les yeux pour le détailler. Il avait un peu vieilli par rapport aux photos, mais présentait toujours bien : allure soignée, silhouette athlétique. Les tempes légèrement argentées, certes, mais pas suffisamment pour qu'on le catalogue « vieux beau ».

Elle avait décidé de prendre son temps et de l'observer. Vu l'heure à laquelle il arrivait au restaurant, George se consacrait sans doute davantage aux relations publiques qu'à ses fourneaux. Elle était donc persuadée qu'il ne s'attarderait pas outre mesure une fois le service terminé.

Plus l'heure du déjeuner approchait, plus *L'Aiglon* – le petit café dans lequel elle avait trouvé refuge – se remplissait. La patronne lui demanda si elle souhaitait manger quelque chose, ce qu'elle accepta pour ne pas perdre son poste d'observation. Elle commanda le plat du jour. Le menu n'était pas le même que de l'autre côté, mais elle avait tellement faim qu'elle avala en quelques bouchées sa « saucisse de Toulouse au thym et aux oignons caramélisés ».

Voilà, elle avait repris contact avec le terrain : les planques, les filatures, les conjectures, les repas sur le pouce… Elle s'était pourtant persuadée d'avoir tiré un trait sur tout ça, mais les anciens réflexes revenaient au galop. Que cherchait-elle à se prouver ? Qu'elle n'avait pas perdu son flair ? Qu'elle était encore capable de dénouer les fils d'un mystère ?

Ça l'excitait autant que ça la terrifiait. Depuis plus de deux ans, elle s'était employée à effacer son passé, et aujourd'hui elle craignait qu'il ne ressurgisse brutalement, comme un diable de sa boîte. Elle était comme une *junkie* ou une alcoolique : jamais totalement guérie, susceptible de replonger à la moindre tentation.

À l'évocation du passé, les larmes lui montèrent aux yeux. Tenir le chagrin à distance. Surtout ne pas repenser à Alice. Sa dernière enquête l'avait projetée au fond du gouffre. Elle s'était réveillée à l'hôpital après deux jours de coma dus à son suicide manqué. Lorsqu'elle avait ouvert les yeux, elle avait son téléphone dans la main. Encore un peu dans les vapes, elle avait regardé l'écran sans comprendre. Sur la table de nuit, près d'un simple bouquet de violettes, reposait une enveloppe d'où elle avait tiré une carte de visite :

« On a toujours le choix »
Prends soin de toi
Daniel

Elle était revenue à son téléphone et avait constaté que quelqu'un s'était servi de son appareil pour se filmer. Lorsqu'elle avait lancé l'enregistrement, le visage de Danny était apparu sur l'écran. Elle ne l'avait jamais vu si fatigué ni si « humain » :

— Cette fois, tu vas t'en sortir, Maddie..., commença-t-il d'une voix blanche.

★

— Cette fois, tu vas t'en sortir, Maddie, mais ce ne sera pas toujours le cas. Je connais les flics : ils ne sont pas très différents des types comme moi. Je sais qu'au bout du compte la plupart finissent par suivre le même chemin désenchanté : celui qui s'enfonce dans les ténèbres, la violence, la souffrance, les obsessions, la mort…

Je sais que tu dors avec ton flingue. Je sais que tu es habitée par la peur. Je sais que tes nuits sont agitées, peuplées de fantômes, de cadavres et de démons. Je connais ta détermination, mais aussi cette part de noirceur en toi. Tu l'avais déjà lorsque tu étais adolescente et ton job n'a fait que l'amplifier. Mais il t'a aussi transformée en morte vivante. Tu as perdu ta pureté, ta fraîcheur et ta lumière. Désormais, la seule lueur qui s'allume en toi est celle de la traque. Au fond, tu n'es pas très différente de la mère de cette gamine qui s'accroche à sa pipe de crack. Tu es devenue un charognard, une camée qui a besoin de son quota de chasse et d'arrestations pour obtenir sa dose d'adrénaline. C'est ton shoot, ton fix, ton flash. C'est à ça que tu te piques et tu vas en crever…

Danny s'interrompit, dormant l'impression de chercher ses mots en allumant une cigarette. On était dans un hôpital où fumer était bien entendu strictement interdit, mais ce genre de lois, si elles valaient pour le commun des mortels, ne concernaient pas quelqu'un comme Doyle.

— *Tu as soif de vérité*, continua-t-il, *mais cette quête de l'absolu te ronge et ne s'arrêtera jamais. Après Alice, il y aura d'autres morts, d'autres enquêtes, d'autres criminels à coffrer... Et chaque fois, tu ressentiras davantage de mélancolie, de solitude et d'errance. Tu veux traquer le Mal, mais le Mal n'en a rien à foutre de toi. Il va te détruire et te laissera seule, c'est tout. Le Mal gagne toujours à la fin, crois-moi...*

Tu passes à côté de ta vie, Maddie. Il faut que tu sortes de cette spirale avant de basculer dans un précipice d'où tu ne reviendras pas.

Je ne veux pas que tu aies cette existence. Je ne veux pas que tu te laisses broyer.

Casse-toi de ce quartier, Maddie. Casse-toi de cette putain de ville. Vis tes rêves. Pars pour Paris. Ouvre cette boutique de fleurs dont tu parles depuis longtemps ! Ne la laisse pas à l'état de chimère. Tu lui avais même trouvé un nom, je me souviens... C'était quoi déjà ? Le titre d'une vieille chanson française, je crois : Le Jardin Extraordinaire...

La phrase resta en suspens. Danny défit un bouton de sa chemise et tira quelques bouffées nerveuses de sa cigarette en détournant son regard de l'objectif. Il se frotta les yeux, soupira, chercha quelque chose à ajouter, approcha sa main de l'appareil pour l'éteindre puis se ravisa. Il avait l'allure d'un homme aux abois. Une larme de fatigue le prit par surprise et roula le long de sa joue. Il l'essuya d'un geste maladroit, presque enfantin. Danny n'avait pas dû beaucoup pleurer dans sa vie. Au final, il murmura simplement :

— *Je t'aime.*

Puis l'image sauta avant de se brouiller.

Et Madeline comprit d'instinct que Danny était mort.

Depuis son lit d'hôpital, elle regarda le bouquet de violettes puis de nouveau la carte de visite. En la retournant, elle découvrit une succession de chiffres. Un numéro de téléphone qu'elle composa dans la foulée. C'était celui d'une banque, en Suisse. Elle donna son nom et on lui annonça qu'un compte avait été ouvert à son nom et qu'il était crédité d'une somme de 300 000 euros.

★

San Francisco

L'image sauta avant de se brouiller.

Pendant quelques secondes, Jonathan resta stupéfait devant son écran, éprouvant malgré lui une sorte d'admiration pour le malfrat.

Ce Danny Doyle... Quel drôle de mec...

Qu'était-il devenu depuis deux ans et demi ?

À notre époque effrayante, la plupart des questions ne résistaient pas très longtemps à Internet et, cette fois encore, Google lui apporta une réponse quasi instantanée.

Macabre découverte
aux portes de Manchester

L'article datait du 10 juillet 2009. Un ou deux jours après l'enregistrement du film. Danny ne bluffait pas : il se savait en danger mortel. Le journaliste expliquait que le cadavre du parrain de la pègre Danny « Dub » Doyle avait été retrouvé les mains et les pieds coupés, et toutes ses dents arrachées à la pince. Le gang des Ukrainiens s'était durement vengé...

Cette nouvelle découverte lui fit froid dans le dos. Jonathan revint au bureau de son ordinateur. Il ne lui restait qu'un dernier document à ouvrir. Un fichier JPG : une photo. Il fit glisser le curseur sur son écran, cliqua sur l'image, et son sang se glaça.

★

Paris

Avenue Victor-Hugo

George LaTulip quitta le restaurant peu après 14 heures. Immédiatement, Madeline sauta sur sa moto et lui colla au train pour ne pas le perdre de vue. Elle le suivit jusqu'à la rue Clément-Marot, au cœur du Triangle d'or. La Porsche stationna quelques secondes devant une agence immobilière de luxe. La jeune femme qui le rejoignit dans la voiture l'embrassa fougueusement. Sans doute une collaboratrice de l'agence. Grande, blonde, jeune, jupe courte et charme slave. Bandante, mais suffisamment distinguée pour vendre des appartements à trois ou quatre millions d'euros à une clientèle huppée. La voiture quitta le VIIIe pour rejoindre la rive gauche et le parking de l'École de médecine. Main dans la main, le couple longea la rue Saint-Sulpice, tourna rue Bonaparte avant de s'engouffrer sous le porche d'un immeuble de la rue de l'Abbaye.

Madeline poireauta une vingtaine de minutes avant qu'une vieille dame ne rentre à son tour. Elle se précipita à sa suite pour vérifier les boîtes aux lettres. L'une d'entre elles était au nom de LaTulip. Décidément, George menait la grande vie : belle voiture, jeune maîtresse, appartement à

Saint-Germain-des-Prés. Pas mal pour un ancien vendeur de hot dogs.

Leur récréation érotique fut de courte durée : un petit quart d'heure plus tard, les deux amants étaient déjà dans la rue. D'un pas rapide, ils rejoignirent le parking, puis George raccompagna sa partenaire à son travail. Sans remarquer qu'il était suivi, il rallia le quartier des Ternes par l'avenue de Wagram, tourna rue de la Néva et s'engagea dans l'imposante porte cochère d'un bel hôtel particulier blanc cassé.

Lancée sur le trottoir, la moto de Madeline pila devant la plaque dorée du bâtiment sur laquelle était gravé en lettres modernes : Fondation DeLillo.

La « flic » gara son engin non loin de la salle Pleyel et revint sur ses pas. Le temps neigeux du matin avait fait place au soleil, mais le froid était vif et de la buée s'échappait de la bouche de la jeune Anglaise.

On était dans les beaux quartiers ; les commerces gourmands ne manquaient pas : Maison du Chocolat, Mariage Frères… Attentive à ne pas perdre de vue l'entrée de l'immeuble, mais désireuse de se réchauffer, Madeline s'installa à une table de la plus célèbre maison de thé de Paris.

Le comptoir était entouré d'un mur d'étagères en chêne massif décoré de dizaines de boîtes en fer renfermant les crus les plus précieux. L'endroit sentait l'encens et le jasmin. La carte des thés était pléthorique. Un peu au hasard, Madeline se laissa guider par la poésie des noms et opta pour une tasse de « brumes d'Himalaya » accompagnée d'un sablé pur beurre.

Comme un réflexe, elle sortit son ordinateur qu'elle connecta à un point wi-fi pour accéder à Internet.

La recherche qu'elle lança sur la Fondation DeLillo lui apprit que Frank DeLillo, le père de Francesca, avait créé cet organisme quelques années avant sa mort. Il avait pour vocation d'aider des élèves brillants mais défavorisés à poursuivre leurs études en attribuant des bourses. Cette association – l'une des plus prodigues du monde – avait son siège à New York, mais possédait une antenne parisienne dont l'administrateur était… George LaTulip.

Pensive, Madeline but une gorgée de son infusion au goût de noisette et de muscat. L'étau se resserrait autour de LaTulip vers qui convergeaient toutes les pistes. Par quel miracle cet homme parti de rien était-il parvenu à obtenir à la fois les bonnes grâces du groupe qui avait « viré » Jonathan et celles de Francesca ?

Chacune de ses découvertes faisait monter son

excitation d'un cran. Son enquête l'aspirait. À présent, elle ne pensait plus à ses bouquets, à ses décorations ou à son magasin. Elle ne pensait qu'à découvrir le secret de George LaTulip qui, elle en était certaine, était aussi le secret de la séparation de Francesca et Jonathan.

★

Deux heures et demie plus tard

Il faisait déjà nuit lorsque George sortit de l'immeuble de la Fondation DeLillo. Entre-temps, Madeline avait eu le temps de goûter à plusieurs thés différents. Elle régla précipitamment une addition salée et regagna sa moto au moment où la Porsche rejoignait à toute allure le boulevard de Courcelles.

Et merde !

Elle enfourcha sa Triumph et mit les gaz mais, le temps qu'elle arrive place des Ternes, elle avait perdu de vue la Panamera.

Ne panique pas.

Selon toute logique, George devait retourner au restaurant pour le service du soir.

Bingo ! Elle retrouva la berline au niveau du rond-point de l'Étoile. À nouveau, elle ressentit ce petit frisson d'excitation. De plus en plus, elle se prenait au jeu de son « enquête ». Il FALLAIT qu'elle perce le secret de George, qu'elle fouille son appartement, qu'elle l'interroge pour le forcer à se mettre à table, qu'elle…

STOP ! Tu n'es plus flic ! lui cria la voix dans sa tête.

C'était vrai : mener une enquête était bien plus difficile sans sa carte de police. Impossible de le convoquer au commissariat ou de lancer une perquisition de son logement. Mais à défaut de la force, elle pouvait utiliser la ruse et trouver un moyen d'entrer en contact avec lui et de gagner sa confiance.

Lequel ?

Le visage balayé par le vent, Madeline suivit la voiture sur l'avenue Victor-Hugo et s'arrêta avec elle à un feu rouge. Le *Café Fanfan* n'était plus qu'à une vingtaine de mètres.

Trouve quelque chose. Maintenant.

Lorsque le feu passa au vert, elle accéléra pour se porter à la hauteur de la Panamera.

Tu ne vas pas risquer de te rompre les os quand même !

Mais une force la poussait en avant.

Ne bousille pas ta belle moto !

Tandis que la Porsche ralentissait, Madeline lui coupa la trajectoire, freinant brusquement pour bloquer sa roue arrière. Le pare-chocs percuta la moto au moment où celle-ci se couchait. Madeline fut éjectée de la Triumph qui glissa sur le bitume et finit sa course contre un lampadaire. La jeune femme roula sur le goudron. Son crâne heurta le sol, mais il était bien protégé par son casque intégral et le choc fut atténué par la faible vitesse au moment de l'impact.

Les roues de la Panamera crissèrent, abandonnant un peu de gomme sur l'asphalte, et s'arrêtèrent net. Affolé, George sortit de son monstre d'acier pour se précipiter vers Madeline.

— Je… je suis désolé ! Vous m'avez coupé la route !

Madeline constata l'étendue des dégâts : son blouson était râpé, son jean déchiré, ses mains et ses avant-bras écorchés. Mais ce n'était pas plus grave que ça.

— Je vais appeler une ambulance, fit George en activant son portable.

— Je crois que ça ne sera pas nécessaire, assura-t-elle en retirant son casque.

Elle ébouriffa ses cheveux et lui offrit son plus beau sourire.

Une lueur de désir s'alluma dans l'œil de George : la flamme du chasseur.

En acceptant la main qu'il lui tendait pour l'aider

à se relever, Madeline comprit qu'elle était parvenue à glisser un pied dans la porte.

C'était la phase numéro 1 : infiltrer l'ennemi.

*

San Francisco

Jonathan cliqua sur le dernier fichier. La photo s'ouvrit en plein écran. C'était la copie de l'affichette placardée à des milliers d'exemplaires aux quatre coins du Royaume-Uni pour signaler la disparition d'Alice Dixon. Au centre de la page, la photo d'une gamine d'une quinzaine d'années, aux cheveux blonds et raides, au sourire abîmé et au visage très pâle, parsemé de taches de rousseur. On avait choisi ce cliché parce que l'adolescente y portait le sweat-shirt dont elle était vêtue le jour de son enlèvement : un pull molletonné à capuche, rose et gris, de la marque Abercrombie & Fitch. Un sweat trop grand pour elle qu'elle avait personnalisé en cousant un écusson de l'équipe de foot de Manchester United.

Parmi les différents documents du « dossier Dixon », Jonathan s'était surtout concentré sur les notes personnelles de Madeline et les pièces officielles de l'enquête. C'était le premier portrait d'Alice qu'il prenait vraiment le temps d'observer.

Dès que la photo apparut sur l'écran, son cœur tressauta dans sa poitrine. Une vague de malaise l'envahit. Puis son regard rencontra celui d'Alice et son ventre se noua.

Il connaissait cette fille.

Il l'avait déjà croisée.

Il lui avait déjà parlé.

Terrassé par l'angoisse, il referma précipitamment son ordinateur. Son rythme cardiaque s'était emballé, ses mains tremblaient. Il respira profondément pour retrouver son calme, mais rien n'y fit.

Le souvenir d'une rencontre qui avait laissé dans son esprit une cicatrice indélébile remonta à la surface avec force. Il essaya de le repousser, mais son corps fut parcouru par un frisson glacial comme s'il se dissolvait sous l'effet de la peur.

Il fallait qu'il en ait le cœur net.

18

Hypnotique

De tous les maux, les plus douloureux sont ceux que l'on s'est infligés à soi-même.

SOPHOCLE

San Francisco
Lundi 19 décembre
22 h 30

Jonathan descendit du *cable-car* à deux blocks de Grace Cathedral. La ville était plongée dans une blancheur opaque qui étouffait les sons et enveloppait les rues d'un voile de mystère. Il quitta Powell Street à pied, parcourut une centaine de mètres avant d'arriver à l'hôpital Lenox.

— Je suis attendu par le Dr Morales, annonça-t-il à l'accueil.

Comme on lui demandait de patienter dans le

hall, il se laissa tomber dans le canapé de la salle d'attente et sortit de sa poche la feuille de papier sur laquelle il avait imprimé le portrait d'Alice.

Le visage de la gamine ne l'avait pas quitté de la journée. Il s'était employé à repousser son souvenir, à se dire qu'il se trompait de personne, mais rien n'y faisait. Lorsqu'il avait rencontré Alice Dixon, elle était brune et prétendait s'appeler Alice Kowalski, mais elle portait le même pull rose et la même blessure dans le regard.

— Bonsoir, Jonathan.

— Bonsoir, Ana-Lucia, répondit-il en levant les yeux vers une jolie jeune femme à la peau mate et aux cheveux de jais.

Le Dr Morales dégageait élégance et sobriété. De petite taille, elle portait sa blouse de médecin ouverte sur un chemisier, à la manière d'une veste cintrée qui mettait discrètement en valeur sa silhouette avantageuse.

— Tu viens dans mon bureau ?

Il la suivit dans l'ascenseur d'un pas décidé.

— Ça fait longtemps, remarqua-t-elle en appuyant sur le bouton du sixième étage.

— Un peu plus d'un an, admit Jonathan.

La cabine s'éleva en silence. Il avait rencontré Ana-Lucia Morales lors de ses premiers mois à San Francisco. Une période difficile de sa vie.

La psychiatre lui avait été conseillée par Elliott Cooper, un chirurgien de l'hôpital, client régulier de son restaurant qui avait fini par devenir son ami. « Elle est incapable de résoudre le bordel de sa propre vie, mais elle sait aider les autres même si elle est un peu trop jolie pour une psy », l'avait toutefois mis en garde le vieux médecin.

Jonathan avait fait quelques séances de thérapie pendant lesquelles il s'était un peu livré, puis il n'était venu que pour obtenir des anxiolytiques, puis il n'était plus venu du tout. La psychanalyse, ce n'était pas pour lui, en tout cas, il n'était pas encore prêt.

Un soir, quelques semaines après sa dernière consultation, il avait par hasard rencontré Ana-Lucia dans un bar de North Beach. L'endroit était plus proche d'un rade pour motards que du *Café Costes*. Sur la scène, un guitariste solitaire reprenait un vieux Led Zep', un pied tapant un cajon, l'autre conduisant un *sampler*. Jonathan n'avait toujours pas fait le deuil de son ex-femme ; Ana-Lucia venait de se faire larguer par son mec, un trader possessif et égoïste qui vivait à l'autre bout du pays, mais qu'elle avait dans la peau. Ils avaient bu quelques bières, avaient un peu flirté et s'étaient retrouvés tout prêts de faire une connerie. On a tous nos moments de faillite…

— Tu as l'air en petite forme, dit-elle pour rompre le silence.

— J'ai connu des jours meilleurs, admit-il. En fait, j'ai un service à te demander.

Les portes de l'ascenseur s'ouvrirent sur un long couloir qui menait au bureau d'Ana-Lucia : une petite pièce à la lumière douce donnant sur Hyde Street.

— Je t'écoute.

— Si je me rappelle bien, lorsque je venais en consultation, tu enregistrais nos séances, n'est-ce pas ?

— Oui, mais on les compte sur les doigts de la main, se souvint-elle en tapant le nom de Jonathan sur son clavier.

Accédant à son dossier, elle lui précisa :

— J'ai trois enregistrements.

— Tu peux me faire parvenir les fichiers ?

— Bien sûr, je te les envoie par mail immédiatement. Ça fait partie de la thérapie. Tu as besoin d'autre chose ?

— Merci, ça ira, assura-t-il en se levant.

— Bon, je n'insiste pas.

Elle se mit debout à son tour, enlevant sa blouse qu'elle accrocha à un portemanteau.

— Mon service est fini, je te ramène ? proposa-t-elle en enfilant un imperméable en cuir marron qui la faisait davantage ressembler à un top model qu'à un médecin.

— Je veux bien.

Il la suivit dans le parking souterrain jusqu'à une Audi Spyder flambant neuve.

— Combien fais-tu de consultations par semaine pour te payer une bagnole comme ça ?

— Elle n'est pas à moi, éluda-t-elle en mettant le contact.

— Je vois : ton trader est revenu.

— Pas ta femme ?

Trouvant la question absurde, Jonathan haussa les épaules.

Le cabriolet déboula sur Bush Street et tourna sur Leavenworth. Ana-Lucia aimait vivre dangereusement. Elle profita de la longue ligne droite de California Street pour accélérer brutalement.

— À quoi tu joues, là ?

— Excuse-moi, dit-elle en ralentissant.

Pensive, elle roula au pas, remonta en silence Grant Avenue puis Lombard. Au bout d'un moment, elle se risqua à un constat :

— Tu es comme beaucoup de monde, Jonathan : perdu dans tes zones d'ombre. Tu n'iras vraiment mieux qu'une fois que tu te seras délesté du poids de tes fantômes.

— Les fantômes, ça ne doit pas être bien lourd, plaisanta-t-il.

— Mais les chaînes qu'ils traînent pèsent des tonnes, répliqua-t-elle.

Il médita sur cette repartie le reste du trajet, puis elle le déposa au sommet de Telegraph Hill.

— Et toi, tu vas mieux ? demanda-t-il en ouvrant la porte du Spyder.

— Non, reconnut-elle, mais c'est un autre problème.

— Bon, je n'insiste pas.

Elle esquissa un sourire et repartit en trombe vers les lumières de la ville.

Soulagé de rentrer chez lui, Jonathan poussa la porte de la maison. Marcus s'était endormi sur le canapé devant un vieil épisode de *Star Trek*. Il éteignit la télé avant de passer une tête dans la chambre de son fils pour vérifier que tout allait bien. Charly dormait à poings fermés. Il s'était effondré sur sa tablette graphique en aidant les *Angry Birds* dans leur combat contre les cochons verts.

Un peu en colère, Jonathan désactiva l'ardoise électronique. Lorsqu'il avait cet âge, il s'endormait sur un livre, pas devant un écran ! Il repensa à ces heures lointaines où il se plongeait dans les *Tintin, Les Trois Mousquetaires*, Marcel Pagnol, Jules Verne puis, plus tard, Stephen King et John Irving. Tout cela semblait loin. Entre la télé, les consoles, les ordinateurs et les téléphones, les écrans et les réseaux envahissaient nos vies dès le plus jeune âge. Pour le pire plus que pour le meilleur.

Suis-je devenu un vieux con ? s'interrogea-t-il avant de succomber à son tour à la séduction de son ordinateur, s'installant devant son portable pour vérifier que les mails d'Ana-Lucia lui étaient parvenus.

Il y avait bien trois fichiers mp3 correspondant aux trois séances qu'il avait suivies avec elle. Il savait exactement ce qu'il cherchait. Le passage qu'il voulait réécouter se trouvait au début de la deuxième séance.

Il brancha son casque audio, éteignit les lumières et s'installa sur son canapé pour écouter l'enregistrement.

Les premières minutes, on entendait surtout la voix d'Ana-Lucia, incroyablement apaisante, qui s'appliquait à plonger son patient dans cet état de relaxation complète pouvant s'apparenter à un léger sommeil hypnotique.

Puis elle entra dans le vif du sujet :

« La semaine dernière, vous m'avez raconté la pire semaine de votre vie : ces quelques jours où vous avez perdu à la fois votre femme et votre travail. Une semaine pendant laquelle vous avez aussi appris la mort de votre père à qui vous n'aviez plus parlé depuis quinze ans. Vous m'avez dit avoir longtemps hésité à

aller à son enterrement. Puis, finalement, vous avez pris l'avion pour Paris, c'est bien ça ? »

Après un silence, Jonathan commençait sa confession. Du temps de son aura médiatique, il était habitué aux plateaux télé et rodé aux interviews. Mais ça faisait deux ans qu'il ne s'était plus « écouté parler » et cela lui fit bizarre de percevoir à quel point son débit et sa prononciation étaient à l'époque chargés d'émotion et de souffrance :

« J'étais arrivé à Paris le 31 décembre en fin d'après-midi. Cette année-là, l'hiver était glacial dans toute la France. Il avait neigé une semaine plus tôt et, à certains endroits, la capitale avait toujours des allures de station de ski... »

19*

Croiser ta route

La réussite n'est pas toujours une preuve d'épanouissement, elle est souvent même le bénéfice secondaire d'une souffrance cachée.

Boris CYRULNIK

« J'étais arrivé à Paris le 31 décembre en fin d'après-midi. Cette année-là, l'hiver était glacial dans toute la France. Il avait neigé une semaine plus tôt et, à certains endroits, la capitale avait toujours des allures de station de ski... »

Paris
Deux ans plus tôt
31 décembre 2009

J'avais loué une voiture à l'aéroport, une berline allemande confortable et supposée fiable pour tailler la route dans de bonnes conditions. J'aurais pu prendre un vol jusqu'à Toulouse, mais, à cause des fêtes, l'enterrement de mon père avait été repoussé au 2 janvier, et l'idée de passer un réveillon mortuaire avec ma sœur et son mari me révulsait.

J'avais donc décidé de rejoindre Auch en voiture, en ne partant que le lendemain soir. En attendant, il me restait vingt-quatre heures à tuer. Je n'avais pas fermé l'œil depuis trois jours et je comptais noyer mes insomnies dans une très longue nuit. Je rêvais d'une collection de pilules capable d'assommer un régiment, mais je n'avais pas de médocs sur moi et dénicher un médecin à cette heure-ci n'allait pas être facile. Avant tout, je devais trouver un hôtel, car celui dans lequel je descendais habituellement, dans le VIe arrondissement, n'avait plus de chambres disponibles.

— Nous sommes complets, m'avait annoncé sèchement le réceptionniste.

D'ordinaire, même lorsque je passais à l'improviste, les responsables de l'hôtel se débrouillaient pour m'accueillir en grande pompe parce que j'étais Jonathan Lempereur, parce que c'était pour eux un honneur que je choisisse leur établissement, parce qu'ils avaient accroché ma photo dédicacée dans leur petit salon, juste à côté de celles des autres VIP qui avaient séjourné ici. Mais les nouvelles vont vite et les employés avaient dû être prévenus de ma « disgrâce », car personne ne fit le moindre effort pour m'aider dans mes démarches. Je connaissais bien quelques confrères dans l'hôtellerie et la restauration de luxe, mais mon masochisme avait des limites et j'étais bien décidé à ne pas leur faire cadeau de ma dépouille. Après quelques coups de fil, je trouvai finalement une chambre dans un hôtel modeste, place du Château-Rouge, à l'angle du boulevard Barbès et de la rue Poulet. Ma chambre était effectivement « modeste », voire spartiate. Surtout, il y faisait un froid de gueux. J'essayai de monter le chauffage, mais ça ne changea pas grand-chose. Il était 17 heures ; il faisait déjà nuit. Je m'assis sur le lit et me pris la tête entre les mains. Mon fils me manquait, ma femme me manquait, ma vie me manquait. En une semaine, j'avais tout perdu. Quelques jours plus tôt, je vivais avec ma famille dans un loft à TriBeCa, je dirigeais un empire, j'avais une Black Card et trente demandes d'interview par semaine… Ce soir, j'avais envie de pleurer et je m'apprêtais à passer le nouvel an dans la solitude d'une chambre sordide.

You'll never walk alone…

Une sinistre évidence s'imposa soudain à moi. Je quittai ma chambre pour rejoindre ma voiture. Tout en conduisant, j'entrai une adresse dans le GPS, rue Maxime-Gorki à Aulnay-sous-Bois, et me laissai guider par la voix féminine du navigateur. Sur le siège à côté de moi s'entassaient les journaux français et américains achetés à l'aéroport. La presse hexagonale qui m'avait souvent ignoré ces dernières années s'en donnait cette fois à cœur joie : *Lempereur déchu, Lempereur abdique, La chute de Lempereur...*

C'était le jeu des médias et j'y étais préparé. Il n'empêche, aujourd'hui ces titres étaient dévastateurs et je les prenais en pleine gueule comme autant de coups de poing. Je n'arrivais même pas à me faire croire que j'allais rebondir. À part créer des recettes de cuisine, que savais-je faire ? Rien ou si peu... En perdant Francesca, j'avais perdu la flamme qui me poussait en avant, le déclic qui m'avait fait passer d'un chef étoilé « ordinaire » au patron de la meilleure table du monde. Il y avait vingt-cinq restaurants trois étoiles en France et près de quatre-vingts dans le monde, mais il n'y en avait qu'un avec une liste d'attente de plus d'un an. C'était *chez moi* et je savais que c'était à Francesca que je le devais. Car je ne carburais qu'à ça : l'amour exclusif, la passion, le besoin incessant de la séduire. J'avais rencontré Francesca à trente et un ans, mais je la cherchais depuis la cour du lycée. Quinze ans à espérer qu'une femme comme elle existe quelque part sur Terre. Une femme belle comme Catherine Zeta-Jones à qui on aurait greffé le cerveau de Simone de Beauvoir. Une femme ayant dix paires de Stilettos dans son dressing, mais capable de vous parler de l'influence de la musique de Haydn sur l'œuvre de Beethoven ou de l'effet du hasard dans la peinture de Pierre Soulages.

Lorsque Francesca entrait dans une pièce, elle vampirisait tous les regards. Les femmes voulaient qu'elle devienne leur meilleure amie, les hommes désiraient coucher avec elle, les enfants appréciaient sa gentillesse. C'était mécanique, habituel, inéluctable. Nous avions vécu nos années d'amour dans cette incandescence et cette drôle de répartition des tâches : j'avais la notoriété, elle avait le glamour et le magnétisme. Notre amour avait tenu pendant dix ans en équilibre sur ce fil.

★

Par l'autoroute, je fus à Aulnay en vingt minutes. Je trouvai une place dans la rue Gorki, non loin de l'immeuble où habitait Christophe Salveyre.

— C'est Jonathan, annonçai-je en appuyant sur la sonnette.

— Jonathan qui ?

— Jonathan Lempereur, ton cousin.

Salveyre était le fils de la sœur de ma mère. On ne s'était jamais vus jusqu'à ce qu'il m'appelle à New York, trois ans plus tôt. En vacances à Big Apple, il s'était fait serrer par les flics après une bagarre dans un bar. Il ne connaissait personne à Manhattan et n'avait plus un radis. Par compassion familiale, j'avais payé sa caution et je l'avais hébergé pendant quinze jours dans une des dépendances du restaurant en attendant que son affaire soit classée. Le type avait joué franc-jeu avec moi et ne m'avait pas caché la nature de ses activités en France : il dealait de la coke. Ça m'avait fait froid dans le dos, mais il m'avait assuré qu'il était clean sur le territoire américain.

— Qu'est-ce que tu fous là ? me demanda-t-il en ouvrant la porte.

— J'ai besoin que tu me rendes un service, dis-je en m'imposant dans l'appartement.

— Tu tombes mal, putain. J'étais rentré pour « faire le plein », mais j'allais ressortir.

— C'est important.

— Qu'est-ce que tu veux ?

— Il me faut une arme.

— Une arme ?

— Un flingue.

— T'as vu écrit « armurerie » sur la porte ? Où veux-tu que je te trouve un flingue ?

— Fais un effort !

Salveyre soupira.

— C'est le réveillon, bordel ! Les gens font la fête et j'ai une quantité monstrueuse de came à fourguer. Reviens me voir demain.

— Non, il me le faut ce soir !

— Ce soir, je ne peux pas. Je dois livrer un maximum de coke en un minimum de temps.

— Souviens-toi que je t'ai aidé lorsque tu étais dans la merde…

— Et qui va payer mon manque à gagner ?

— Dis-moi combien il te faut.

— Je t'aide si tu m'achètes pour 4 000 euros de dope. Et ajoute 3 000 euros pour le flingue.

— D'accord, répondis-je imprudemment. Tu n'as rien contre les dollars, j'imagine ?

En quittant New York, j'avais vidé mon coffre-fort et j'avais dans les poches plus de 10 000 dollars en liquide.

— Laisse-moi une heure, m'annonça-t-il. Tu peux m'attendre ici : repose-toi, tu as une sale gueule.

Je suivis son conseil et m'écroulai sur son canapé. Sur la table, il y avait une bouteille de cognac entamée. Je m'en servis un grand verre puis un autre avant de m'assoupir.

Salveyre revint peu après 20 heures.

— Je t'ai pris ce que j'ai trouvé, dit-il en me tendant un revolver chromé à la crosse noire.

Le flingue était compact, mais lourd. Avec cinq cartouches, le barillet était plein.

— C'est un Smith & Wesson Model 60 de calibre 38 Special.

L'information entra par une oreille et sortit par l'autre. Je lui donnai le fric et il me tendit un pochon plastifié fermé par un zip qui contenait une vingtaine de doses de cocaïne. J'hésitai à les lui laisser, mais décidai finalement de les emporter en me disant que je les détruirais plus tard.

Ce sera toujours ça que personne ne consommera, me justifiai-je.

Je sais, il m'arrive d'être naïf…

⋆

20 heures

Je mis le flingue et la dope dans la boîte à gants et pris la direction de l'hôtel. Pas la peine d'allumer le GPS pour faire le chemin en sens inverse : l'A1, la sortie porte de la Chapelle…

Merde.

Je venais de louper bêtement un embranchement. Le cognac m'avait assommé. Soudain, je n'étais plus très sûr du nom de la rue. Entre la porte de

Clignancourt et la porte de Clichy, je continuai à rouler sur les boulevards des Maréchaux pendant cinq cents mètres.

L'endroit n'était pas engageant. Sous la lumière blafarde des panneaux publicitaires, un groupe de prostituées aguichaient le client. Certaines voitures s'arrêtaient brièvement : les vitres se baissaient, les mecs discutaient le prix de la passe ou de la pipe puis, selon la réponse, repartaient avec la fille. Ou pas. Le feu devant moi venait de virer au rouge. J'étais bloqué malgré moi devant un abribus. Une fille de l'Est, jupe courte et bottes en cuir, tambourina contre ma vitre en me proposant ses charmes. J'essayai d'abord de l'ignorer, mais elle exécuta une sorte de mini-chorégraphie tendance Moulin-Rouge. Ses yeux étaient tristes et vides. Elle me fit de la peine et je décidai de baisser ma vitre pour lui faire néanmoins un compliment sur sa danse.

Je sais, je suis naïf…

★

Les deux voitures de police arrivèrent en trombe, vingt mètres derrière moi. En moins de trois secondes, la rue vibra au rythme des sirènes bleutées. Les flics avaient sorti leurs brassards, résolus à faire du zèle un soir de réveillon, embarquant les filles, vérifiant l'identité des clients.

Tandis que je remontais ma vitre, une silhouette féminine ouvrit brusquement ma portière et s'installa sur le siège passager.

— Démarrez ou vous allez vous faire coffrer ! cria-t-elle dans la confusion.

C'était une gamine. Une adolescente d'une quinzaine d'années.

Une prostituée ? À cet âge ?

— Roulez, putain ! cria-t-elle.

Dans quel guêpier venais-je de me fourrer ? Je devais avoir deux grammes d'alcool dans le sang, j'avais un flingue, un sachet plein de coke dans ma boîte à gants et une fille mineure était assise dans ma voiture.

J'allais me retrouver en prison et y rester longtemps.

Je n'attendis même pas que le feu passe au vert et tournai au premier croisement.

19★★

À toute allure, je remontai l'avenue de la Porte-de-Saint-Ouen et me fondis dans la circulation du périphérique.

— À quoi tu joues ? demandai-je à ma passagère.

— *'just wanna escape these fucking cops*[1], répondit-elle en anglais avec un accent indéterminé.

J'allumai la lumière du plafonnier et profitai que le trafic se ralentissait pour la détailler. C'était une jeune fille d'une quinzaine d'années, à la silhouette fragile et fuyante. Ses cheveux étaient teints en noir à l'exception de quelques mèches rouge carmin. Une frange trop longue lui retombait sans cesse sur les yeux. Elle portait un jean slim, des Converse en cuir et un tee-shirt rayé partiellement recouvert d'un pull à capuche rose et gris sur lequel était cousu l'écusson de l'équipe de foot de Manchester United.

1. *À échapper à ces putains de flics.*

Un diamant minuscule brillait sur sa narine gauche tandis qu'à son cou pendait un collier médiéval en argent et cristal grenat. Son maquillage gothique – khôl et *eye-liner* noir sur fond de teint blafard – lui donnait un air cadavérique, mais relevait d'un style savamment étudié.

Je regardai ses chaussures : elles étaient quasi neuves. Cette gamine avait des fringues de marque et des bijoux. Ce n'était pas une fille des rues, plutôt une gosse de riche.

Je ne savais pas quoi faire. Je ne pouvais pas l'abandonner au milieu du périph. Il fallait que j'en sache plus, mais elle n'avait pas l'air très bavarde. Je pris la première bretelle qui menait à la station-service de la porte de Montreuil et m'arrêtai sur le parking.

— Comment t'appelles-tu ? demandai-je en anglais.

— Qu'est-ce que ça peut vous foutre ?

— Écoute, c'est TOI qui es montée dans ma voiture sans que je te demande rien, alors tu vas baisser d'un ton, OK ?

Elle haussa les épaules, détourna la tête.

— Comment t'appelles-tu ? répétai-je fermement.

— Alice, soupira-t-elle. Alice Kowalski.

— Où habites-tu ?

— Je ne vois pas en quoi ça vous regarde.

— Pourquoi avais-tu peur des flics tout à l'heure ?

— Et vous ? me retourna-t-elle.

Pris de court, je me défendis :

— J'ai bu un coup de trop, c'est tout.

À cet instant, le couvercle de la boîte à gants que j'avais mal refermé retomba, la laissant béante. La vue de l'arme à feu et de la drogue fit paniquer la fille. Elle ouvrit la porte pour s'enfuir, persuadée d'être tombée sur un malfrat.

— Attends, ce n'est pas ce que tu crois ! dis-je en lui courant après sur le parking.

— Lâchez-moi, rétorqua-t-elle en se réfugiant dans la station.

J'allumai une cigarette et la regardai à travers la vitre. Elle s'était assise sur un tabouret près des distributeurs automatiques. Qui était cette fille ? À quoi cherchait-elle à échapper ? À ce moment, j'eus brièvement la tentation de retourner à ma voiture et de me tirer sans demander mon reste. Tout cela ne me concernait pas. A part des emmerdes supplémentaires, je n'avais rien à gagner dans cette histoire.

Je soupirai, mais décidai malgré tout de la rejoindre. La station-service était parée de ses décorations de fête : guirlandes électriques tristounettes, sapin déplumé, boules de Noël en plastique. Usé jusqu'à la corde, un vieux tube des années 1980 passait à la radio.

— Tu m'offres un espresso ?

— J'ai pas de fric, dit-elle en secouant la tête.

Je sortis mon portefeuille pour y chercher de la monnaie.

— Tu veux quelque chose ? demandai-je en insérant des pièces dans l'appareil.

— Que vous me foutiez la paix.

J'essayai de la raisonner.

— Écoute, on est partis sur de mauvaises bases.

— Cassez-vous à présent, je vais me débrouiller seule.

— Avec quoi ? Tu n'as pas d'argent et tu ne parles pas un mot de français. Je ne vais pas te laisser comme ça. C'est ma responsabilité d'adulte.

Elle leva les yeux au ciel, mais accepta l'argent que je lui tendais. Dans le distributeur, elle choisit une petite bouteille de lait à la fraise et un paquet de biscuits Oreo. Pendant qu'elle mangeait ses sucreries, je ramassai un exemplaire de *Metro* qui traînait sur une table.

— Regarde, il y a ma photo dans le journal. Comme tu peux le voir, ce n'est pas dans la rubrique des faits divers.

Elle regarda l'article puis leva les yeux.

— Je vous ai déjà vu à la télé ! Une émission dans laquelle vous vous mettiez en colère contre les végétaliens !

Elle faisait allusion à une joute épique m'ayant opposé à des activistes assez puissants qui cherchaient à faire interdire le foie gras aux États-Unis.

— Si vous êtes une star, qu'est-ce que vous foutez chez des putes à 20 euros, un soir de réveillon, avec votre boîte à gants remplie de coke ? demanda-t-elle avec provocation.

— Bon, suis-moi, lui demandai-je.

Dieu bénisse la télévision. Ma notoriété avait restauré un peu de sa confiance et, en restant à bonne distance, elle accepta de m'accompagner jusqu'à la BMW.

— D'abord, je n'étais pas client des prostituées et tu le sais très bien, sinon tu ne serais pas montée dans ma voiture, même pour fuir la police…

Elle ne répondit pas, preuve que j'avais marqué un point.

— Ensuite, cette drogue n'est pas à moi, lui expliquai-je en prenant le pochon plastifié et en le jetant dans l'une des corbeilles publiques du parking. C'est une histoire compliquée, mais j'ai été obligé de l'accepter pour pouvoir me procurer ce revolver.

— Et cette arme, c'est pour quoi faire ?

— Juste pour me protéger.

Elle était sans doute américaine, car elle accepta cette explication sans protester.

— Bon, à toi maintenant. Tu me dis qui tu es et où tu habites, sinon j'appelle les flics.

— J'ai fait une connerie, commença-t-elle. Une fugue, c'est tout. Je vis à New York, mais je suis en vacances avec mes parents. On a une maison sur la Côte d'Azur.

— Où ça ?

— Au Cap d'Antibes.

Je connaissais bien. C'était là que j'avais eu mon premier « vrai » restaurant.

— Je voulais rentrer chez moi, mais on m'a piqué mon sac dans le TGV et je n'ai plus ni téléphone ni portefeuille.

Elle avait l'air sincère, même si quelque chose clochait sans que je sache pourquoi.

— Appelez mon père ou ma mère si vous ne me croyez pas !

Elle me donna un numéro que je composai sur mon portable. Au bout d'une seule sonnerie, je tombai sur une certaine Mme Kowalski qui accueillit mon appel comme une délivrance. Elle me confirma toute l'histoire : sa fille avait fugué le matin même après une dispute. Son angoisse était palpable, même si elle essayait de ne pas trahir son affolement.

Je lui passai Alice pour la rassurer. Ne voulant pas être indiscret, je sortis fumer une cigarette, accoudé au capot de la voiture, mais j'entendis la plus grande part de leur conversation. Elles restèrent de longues minutes au téléphone. Alice s'excusa et versa quelques larmes. Lorsqu'elle me repassa sa mère, je proposai à Mme Kowalski de lui ramener moi-même sa fille. Je devais justement « descendre dans le Sud » pour l'enterrement de mon père et je pouvais être à Antibes dans la matinée.

Elle hésita longuement, mais finit par accepter.

★

Nous roulions depuis une demi-heure.

Sous la grisaille et les flocons, nous avions pris l'autoroute du Soleil et venions de dépasser Évry. Alice s'était plongée dans les journaux américains qui détaillaient mes revers professionnels et conjugaux.

— Elle est belle votre femme…, dit-elle en scrutant une photo de Francesca.

— Ouais, c'est une phrase que j'entends au moins une fois par jour depuis dix ans…

— Et ça vous gonfle ?

— T'as tout compris.

— Pourquoi ?

— Si elle n'était pas si belle, peut-être qu'elle ne m'aurait pas trompé.

— Je pense que ça n'a rien à voir, jugea-t-elle du haut de ses quinze ans.

— Bien sûr que si. Plus tu es jolie, plus tu as de sollicitations, donc de tentations. C'est mathématique…

— Mais c'est la même chose pour vous, non ? Dans vos émissions, vous jouiez le rôle du chef sexy qui…

— Non ! la coupai-je. Ce n'est pas pareil. Moi, je ne suis pas *comme ça*.

— Comme quoi ?

— Tu m'emmerdes.

— Vachement constructif, observa-t-elle.

Devant mon silence, elle alluma la radio et fit défiler les fréquences. Je pensai qu'elle cherchait une station de « musique de jeunes », mais son zapping s'arrêta sur France Musique. Immédiatement, Alice fut absorbée par le morceau : une pièce pour piano délicate et raffinée.

— C'est beau, dis-je.

— Schumann, les *Davidsbündlertänze*, opus 6.

Je crus qu'elle se foutait de moi jusqu'à ce que le morceau s'achève et que la présentatrice annonce :

« Vous écoutiez Maurizio Pollini qui interprétait les Davidsbündlertänze *de Robert Schumann. »*

— Bravo !

Elle la joua modeste :

— C'était facile.

— Je connais mal Schumann. En tout cas, je n'avais jamais entendu ces morceaux.

— Ils sont dédiés à Clara Wieck, la jeune femme dont il était amoureux.

Elle laissa passer un silence avant de constater :

— Parfois l'amour détruit, parfois il se cristallise dans des œuvres d'art magnifiques…

— Tu joues du piano ?

Elle marqua un temps avant de répondre. Une retenue dont elle fit preuve plusieurs fois au cours de cette nuit, comme si elle craignait toujours de commettre un impair ou de se laisser aller à la confidence de trop.

— Non, du violon. La musique, c'est ma passion.

— Et l'école, ça va ? Tu es en quelle classe ?

Elle sourit :

— C'est bon, ne vous croyez pas obligé de me faire la conversation.

— Cette fugue, c'était pour prouver quoi ?

— Cette fois, c'est vous qui m'emmerdez, dit-elle en replongeant dans la lecture des journaux.

★

23 heures

Alice s'était endormie depuis deux heures, mais se réveilla au niveau de Beaune alors que nous roulions toujours sur l'A6 en direction de Lyon.

— Quand est prévu l'enterrement de votre père ? demanda-t-elle en se frottant les yeux.

— Après-demain.

— De quoi est-il mort ?

— Je n'en sais rien.

Elle me regarda de façon étrange.

— On ne se parlait plus depuis quinze ans, dis-je en restant évasif.

Mais comme je ne me sentais coupable de rien, je me confiai un peu plus :

— Mon père tenait un restaurant, *La Chevalière*, un établissement très ordinaire, place de la Libération à Auch. Toute sa vie, il avait rêvé d'avoir une étoile au *Guide Michelin*, mais il n'y était jamais parvenu.

Je doublai une file de voitures avant de poursuivre :

— L'été de mes quatorze ans, j'ai travaillé au restaurant comme commis. Le soir, après le service, je restais en cuisine pour expérimenter mes idées. J'ai ainsi créé trois plats et deux desserts que, sous la pression de son sous-chef, mon père a bien voulu ajouter à sa carte. Rapidement, grâce au bouche à oreille, les gens sont venus au restaurant pour y déguster spécifiquement ces plats. *Mes* plats. Mon père n'a pas apprécié que je lui fasse de l'ombre. À la rentrée, pour m'éloigner, il m'a inscrit dans un internat à Sophia-Antipolis, dans le sud-est de la France.

— C'est dur…

— Oui. Et dans les mois qui ont suivi, le *Michelin* a attribué une étoile à l'établissement familial en citant les nouvelles créations du restaurant ! Mon père m'en a énormément voulu, un peu comme si je lui gâchais le plus beau jour de sa vie.

— Quel con !

— Ce fut la première étape de notre rupture.

Elle ramassa l'exemplaire de *Time Out New York* qui était à ses pieds et me montra le passage de l'article qu'elle avait entouré.

— Et cette histoire, c'est vrai ou c'est une légende ?

— Lire ou conduire, il faut choisir…

— Ils disent que vous avez séduit votre femme grâce à un macaron !

— C'est un très gros raccourci, fis-je en souriant.

— Racontez-moi !

— À l'époque, Francesca venait de se marier avec un banquier. Elle était en voyage de noces sur la Côte d'Azur dans l'hôtel où je travaillais. Je suis tombé amoureux d'elle dès le premier regard, comme on chope un virus. Plus tard, dans la soirée, je l'ai revue près de la plage, sans son mari. Elle marchait le long des vagues en fumant une cigarette. Je lui ai demandé quel était son dessert préféré. Elle m'a dit que c'était le riz au lait à la vanille que lui faisait sa grand-mère…

— Et ensuite ?

— J'ai passé la nuit au téléphone avec les États-Unis. J'ai réussi à joindre sa grand-mère pour connaître la recette exacte du dessert, et le lendemain j'ai travaillé toute la journée pour créer un macaron au riz au lait. J'en ai fabriqué une douzaine puis je les lui ai offerts. La légende a fait le reste.

— Assez classe, admit l'adolescente.

— Je te remercie.

— Au fond, vous êtes un peu comme Schumann, plaisanta-t-elle. Pour plaire à son amoureuse, il lui écrivait des concertos. Et vous, vous lui créez des macarons !

⋆

Chalon-sur-Saône, Tournus, Mâcon… Il était minuit lorsqu'un panneau indicateur nous annonça : « Lyon : 60 km ».

— *Happy New Year*, dit Alice.

— Bonne année, lui répondis-je.

— Je crève la dalle…

— Moi aussi. On va faire une pause dans une station-service pour acheter des sandwichs.

— Des sandwichs ! s'exclama-t-elle. Je fête le nouvel an avec le plus grand cuisinier au monde et il veut me faire bouffer des putains de sandwichs sous Cellophane !

Pour la première fois depuis une semaine, je partis dans un éclat de rire. Cette fille ne manquait pas d'esprit.

— Qu'est-ce que tu veux qu'on fasse ? Je ne peux rien te cuisiner dans une bagnole.

— On s'arrête quelque part ?

Après quatre cent cinquante kilomètres sans faire de pause, nous étions tous les deux fatigués.

— Tu as raison : on a bien mérité un peu de repos.

Vingt minutes plus tard, je prenais la sortie « Gare de Perrache », puis continuais vers le centre-ville où je me garai sur un emplacement réservé aux livraisons.

— Suis-moi.

Malgré le froid, la ville était animée : musique, pétards, groupes de déconneurs, pochetrons qui beuglaient des chansons paillardes…

— Je n'ai jamais aimé les 31 décembre, dit Alice en remontant sa fermeture Éclair jusqu'au cou.

— Moi non plus.

Je n'avais plus mis les pieds à Lyon depuis une éternité. À dix-sept ans, j'avais été pendant trois mois commis de cuisine dans un restaurant proche de l'Opéra, à l'angle de la rue Longue et de la rue de Pleney.

— C'est fermé, constata Alice en arrivant devant *La Fourchette à gauche*.

— À vrai dire, c'est ce que j'avais espéré. À l'époque où j'y travaillais, le patron faisait déjà l'impasse sur les dîners de Noël et du nouvel an.

Au début de la rue, une petite impasse s'enfonçait en diagonale pour rejoindre la rue du Plâtre. Au milieu du chemin pavé, je savais qu'un portillon permettait d'atteindre la courette qui donnait sur les cuisines. Bien entendu, il était cadenassé, mais cette nuit-là, j'avais enfreint la loi suffisamment de fois pour ne plus m'embarrasser de ce détail.

★

La cuisine du restaurant était moderne, parfaitement propre et rangée.

— Vous êtes certain qu'il n'y a pas d'alarme ? demanda Alice en regardant avec inquiétude le carreau de la fenêtre que je venais de faire voler en éclats.

— Écoute, je ne suis certain de rien, mais si ça te fout les jetons, tu peux retourner à la voiture. Tu as le droit d'être pétocharde.

— Non, je n'ai pas peur ! se défendit-elle.

— Parce que c'est quand même toi qui m'as cassé les pieds pour que je te cuisine quelque chose…

Elle me regarda avec défi.

— OK, je m'occupe des spaghettis et vous préparez les macarons, ça marche ?

— Des macarons ? Non, c'est impossible. Il me faudrait au moins 24 heures pour en faire des dignes de ce nom. Si on ne laisse pas reposer au réfrigérateur, ils…

— Ouais, j'ai compris : vous vous dégonflez.

Sa remarque me piqua au vif :

— Comme tu voudras. Comment comptes-tu préparer tes spaghettis ?

— Sauce au *pesto*, répondit-elle en ouvrant l'un des bacs à glace. Il y a du basilic frais dans le congélateur.

Elle commença à rassembler ses ingrédients et je fis de même en préchauffant le four.

— Passe-moi le cul-de-poule ! demandai-je en pointant un saladier en Inox.

L'expression la fit pouffer. Son sourire était aussi rare que joli.

Dans le récipient, je tamisai le sucre, la poudre d'amandes et le cacao. Elle fit tremper le basilic dans l'eau tiède puis en coupa les tiges pour n'en garder que les feuilles qu'elle sécha sur un torchon.

— *Grana Padano* ou *Parmigiano Reggiano* ? hésita-t-elle.

— *Parmigiano* ! Pourquoi as-tu fugué ? demandai-je abruptement en la regardant râper son parmesan

— J'ai... J'ai un petit ami parisien que j'avais rencontré lors d'un voyage scolaire en France. Je voulais le voir, mais mes parents n'étaient pas d'accord.

Mal à l'aise, elle avait répondu avec un temps de retard, en cherchant ses mots, frottant son nez et son menton, évitant de me fixer. Autant de signes qui me laissaient penser qu'elle mentait.

— On sait très bien tous les deux que ce n'est pas la vérité, n'est-ce pas ?

Son regard se raccrocha au mien, me suppliant de ne pas chercher à en savoir plus.

Je retournai à ma recette, versant le mélange cacaoté en pluie sur les blancs d'œufs battus tandis qu'elle rassemblait dans le bol du mixeur fromage, basilic, pignons, ail et huile d'olive.

Lorsque la pâte fut homogène, je la fis couler dans une poche à douille et façonnai des ronds de pâte.

Elle goûta sa préparation, sala, poivra, et rajouta de l'huile tout en continuant à mélanger pour obtenir une sauce à la fois fluide et consistante.

— Qui t'a appris à faire ça ?

— J'ai appris toute seule, répondit-elle comme une évidence.

En attendant que les coques de mes biscuits durcissent, je m'attaquai à la ganache pendant qu'elle plongeait des spaghettis au blé complet dans de l'eau bouillante.

Dans les placards, je trouvai un chocolat noir pas trop mauvais. Alice en croqua un carré tandis que j'en hachai trois tablettes pour préparer ma crème.

— Pour être onctueuse, elle devrait passer plusieurs heures au réfrigérateur.

Je regardai l'heure. Il était presque 2 heures du matin. J'enfournai les macarons et baissai aussitôt la température du four.

— Vous ne m'avez pas raconté pourquoi vous venez de fermer votre restaurant et de tout envoyer bouler, fit-elle remarquer en se servant un verre de lait.

— C'est compliqué, tu ne peux pas comprendre…

A cet instant, je pensai aux rapaces de Win Entertainment à qui j'avais été obligé de vendre tous mes actifs pour éviter la faillite et qui m'avaient dépossédé de mon nom et de mon travail. Désormais, tous les restaurants de leur groupe avaient le droit d'inscrire *mes* plats à leur menu. Toute une vie de création volée par des margoulins sans scrupules. La faillite d'une aventure à laquelle je m'étais donné corps et âme depuis mes seize ans…

Un long laguiole en ivoire et ébène traînait sur la table. Je l'empoignai par le manche et le lançai devant moi. Le couteau fit plusieurs rotations dans les airs avant de venir se figer au milieu de la porte dans un bruit sourd.

— Il n'y a qu'un « Lempereur ». Et Lempereur, c'est moi.

Sans un mot, Alice s'approcha de la porte et en retira le poignard juste au moment où la sonnerie de la minuterie indiquait que mes macarons étaient cuits.

⋆

Je versai un peu d'eau sous le papier sulfurisé et le dégagement de vapeur permit aux biscuits de se détacher facilement.

— Ingénieux, jugea Alice.

Elle m'aida à garnir généreusement de ganache la moitié des coques avant de les accoler deux à deux pour former les macarons.

— Pour bien faire, il faudrait les laisser figer vingt-quatre heures au réfrigérateur, mais on va accélérer les choses en les mettant une heure au congélo.

Pendant ce temps-là, Alice nous servit deux assiettes de pâtes que nous dégustâmes de bon appétit. Pendant le repas, elle me raconta une foule d'anecdotes : qu'à l'âge de quatorze ans Mozart avait été capable de retranscrire la partition secrète du *Miserere* d'Allegri en ne l'ayant écouté qu'une seule fois, que *l'Adagio* d'Albinoni n'était pas d'Albinoni, qu'à la fin de sa vie Picasso signait ses autographes directement sur la peau de ses admirateurs pour éviter que ceux-ci n'aillent les revendre, que dans la chanson *Hey Jude* des Beatles, la batterie ne joue qu'au troisième couplet parce que Ringo Starr était parti aux toilettes lors de la prise !

Lorsqu'elle était détendue et en confiance, son accent changeait imperceptiblement. Ses intonations étaient plus « mâchouillées », son timbre se voilait. Elle me faisait penser aux frères Gallagher[1]

1. Chanteur et guitariste du groupe de rock Oasis, originaires tous deux de Manchester.

et j’étais prêt à parier que cette fille avait vécu dans le nord de l’Angleterre.

Bien qu’ayant une culture encyclopédique, elle n’était pas du tout pédante, mais plutôt curieuse de tout et prenant plaisir à faire partager son savoir. Le genre d’enfant dont rêvent tous les parents…

19**

Nous continuâmes notre descente vers le sud.

En deux heures, j'avais avalé deux cent soixante-dix kilomètres et Alice une trentaine de macarons.

— J'ai mal au ventre, se plaignit-elle.

— Je t'avais prévenue.

On s'arrêta sur une aire d'autoroute juste avant Aix-en-Provence. Je payai mon essence à la caisse tandis qu'elle partait aux toilettes. Elle revint quelques minutes plus tard, l'air pâle et plusieurs serviettes en papier dans la main.

— Tu veux un thé ?

— Non, je vous attends dans la voiture.

*

Côte d'Azur
7 heures du matin

Le jour qui pointait à l'horizon colorait le ciel de

bandes roses. À mi-chemin entre Nice et Cannes, la presqu'île du Cap d'Antibes se fondait dans un écrin de roches et de pins maritimes.

— Il va falloir que tu m'indiques le chemin, demandai-je à Alice alors que nous longions la Méditerranée.

Nous dépassâmes le prestigieux *Eden Roc*, puis Alice me guida jusqu'au dernier portail de l'impasse du Sans-Souci. C'est dans ce cadre prestigieux et paradisiaque, au milieu des hôtels de luxe et des demeures de milliardaires, que ses parents possédaient une maison de vacances.

La grille était restée ouverte. Sur plus de deux cents mètres, une allée de gravier traversait une pinède avant d'arriver à une grande maison des années 1930 tournée vers la mer. Une femme longiligne et distinguée nous attendait sur les marches de la demeure. Alice ouvrit la portière et elles tombèrent dans les bras l'une de l'autre.

— Mrs Kowalski, se présenta-t-elle en me tendant la main.

Elle avait dû avoir sa fille très jeune, car je ne lui donnai pas plus de trente-cinq ans. Sa chevelure blonde était ramenée dans un chignon-tresse sophistiqué. Elle avait le regard clair et intense ; les traits de son visage incroyablement fins et délicats, malgré la présence d'une cicatrice singulière qui partait de son arcade sourcilière pour lui déchirer le haut de la joue jusqu'à la commissure des lèvres. Un outrage tellement inattendu qu'on n'avait qu'une envie : connaître les circonstances de cette blessure. Elle me remercia pour mon aide et me proposa un café, mais je lui expliquai que j'étais attendu.

Alors que je remontai dans la voiture, Alice me rejoignit pour récupérer la dizaine de macarons qu'elle n'avait pas engloutis.

— Pour mon quatre-heures, dit-elle en me faisant un clin d'œil avant de repartir vers sa mère.

Elle avait déjà parcouru quelques mètres quand elle se retourna et me conseilla avec gravité :

— Prenez soin de vous.

*

Je repartis en sens inverse et me garai devant la plage qui marquait le début du sentier du littoral. Je récupérai le revolver dans la boîte à gants, verrouillai la BMW et m'engageai à pied sur le chemin, la tête pleine de souvenirs.

Si j'étais né à Auch, c'était à Antibes que j'avais vécu certains de mes plus beaux moments. À quatorze ans, mon père m'avait envoyé en internat près d'ici, à Sophia-Antipolis. À quinze ans, sur les remparts du château Grimaldi, j'avais embrassé Justine, mon amour d'adolescence. Et plus tard, c'est à *La Bastide* de Saint-Paul-de-Vence puis à *l'Hôtel du Cap* que j'avais dirigé mes restaurants français.

Ces souvenirs qui remontaient à la surface me firent frissonner.

Étrange que le destin m'ait ramené sur le lieu de mes premiers succès un jour de telle dérive...

La promenade était étroite, bordée d'à-pics vertigineux. Je sautai d'un rocher à un autre pour rester au plus près de la côte escarpée qui longeait les flots, offrant un panorama unique sur la ville fortifiée, les cimes enneigées des Alpes et les îles de Lérins.

Je m'arrêtai devant le soleil orangé qui triomphait à l'horizon. L'air était pur et le spectacle aussi éblouissant que la solitude et l'angoisse qui me bouffaient le ventre.

Une belle journée pour mourir.

Je sortis le revolver de ma poche. Les paroles de Christophe Salveyre me revinrent en mémoire : « un Smith & Wesson Model 60 de calibre 38 Special ».

On a tous un avis sur le suicide. Acte de courage ou de lâcheté ? Ni l'un ni l'autre sans doute. Juste une décision désespérée lorsqu'on se trouve dans une impasse. Le dernier recours pour sortir de sa vie et échapper à l'insupportable.

J'avais toujours fait face, j'avais toujours fait front. Je m'étais toujours battu contre tout, forçant mon destin et imposant ma chance, mais aujourd'hui, c'était différent. J'avais un ennemi redoutable à affronter : moi-même. L'ennemi ultime. Le plus dangereux.

Mon geste n'avait rien de rationnel. Je ne l'avais pas planifié des mois à l'avance, mais il s'imposait comme la seule réponse à cette solitude brutale qui, depuis quelques jours, me dévorait et me faisait glisser dans le néant.

Je pensai à l'amitié, mais je n'avais jamais eu d'amis. Je pensai à la famille, mais j'avais perdu la mienne. Je pensai à l'amour, mais il s'était envolé.

L'image de mon fils traversa mon esprit et j'essayai de m'y raccrocher, mais parfois, même penser à vos enfants n'est pas suffisant pour lutter contre la mort.

Je plaçai le métal froid du canon sur ma tempe. J'armai le chien, regardai une dernière fois le soleil, pris une ultime respiration et appuyai sur la détente comme une libération.

19 ⁂

J'appuyai sur la détente.

Une fois.

Deux fois.

Mais je n'étais pas mort.

J'examinai le barillet : il était vide.

Impossible.

J'avais vérifié moi-même les cinq cartouches en quittant Aulnay-sous-Bois.

Je retournai à la voiture et ouvris la boîte à gants : pas de munitions. Il n'y avait que les deux serviettes en papier de la station-service sur lesquelles Alice s'était essuyé les mains. Entre les taches de macaron au chocolat, elle m'avait laissé un mot, griffonné à la va-vite avec un feutre bleu.

Cher M. Lempereur, enfin, je veux dire Jonathan. J'ai pris la liberté de retirer les balles de

votre revolver et de les jeter dans la poubelle du parking pendant que vous buviez votre café.
Je ne sais pas pourquoi vous avez voulu vous procurer une arme, mais je suis à peu près certaine que c'est une mauvaise idée.
Je sais aussi que cette nuit, même si vous n'alliez pas bien, vous avez fait l'effort de me faire rire et de prendre soin de moi.
Je suis désolée pour vos problèmes financiers et pour votre femme. Peut-être qu'un jour les choses s'arrangeront entre elle et vous. Mais peut-être aussi que ce n'était tout simplement pas l'amour de votre vie.
Pendant longtemps, je n'ai pas été heureuse. Lorsque j'étais vraiment triste, je m'accrochais à une phrase, parfois attribuée à Victor Hugo, que j'avais recopiée à la première page de mon journal. Elle disait : « Les plus belles années d'une vie sont celles que l'on n'a pas encore vécues. »
Prenez soin de vous, Jonathan.
Alice

En lisant ces mots, la vie reprit soudain le dessus et je fondis en larmes, tout seul, comme un con, dans ma voiture.

20

À vif

Mon mal vient de plus loin.

Flannery O'CONNOR

San Francisco
Lundi soir
2 heures du matin

En enlevant ses écouteurs, Jonathan se rendit compte qu'une larme roulait sur sa joue. Cette plongée en apnée dans les méandres de la période la plus noire de son existence avait été difficile.

Cette Alice Kowalski dont il avait croisé la route était-elle vraiment Alice Dixon, la victime du Boucher de Liverpool ?

Il eut beau vérifier et revérifier les dates, quelque chose ne collait pas. Madeline avait reçu le cœur déchiqueté d'Alice le 15 juin 2009. Disposant d'un profil génétique en béton, le labo scientifique avait formellement identifié l'organe comme étant celui de la jeune fille disparue. « Sans aucun doute possible », mentionnait même le rapport.

Or Jonathan avait rencontré Alice Kowalski dans la nuit du 31 décembre 2009.

Plus de six mois après !

Il dévissa le bouchon de la bouteille de vodka et se servit un remontant. Encore sous le choc de sa découverte, il essaya de ne pas s'emballer, envisageant méthodiquement toutes les idées qui lui venaient à l'esprit.

Première hypothèse : les deux Alice n'avaient rien à voir l'une avec l'autre. Tout cela tenait du hasard ou de la coïncidence : le même pull molletonné, le même écusson de foot, la même passion pour la musique, le même physique. Difficile à imaginer, mais pourquoi pas…

Deuxième possibilité : Alice avait une jumelle cachée. Non. C'était stupide. Pourquoi l'une vivrait-elle dans une riche famille américaine et l'autre dans un quartier défavorisé de Manchester ?

Troisième option. Les deux Alice étaient bien la même personne. Dans ce cas, soit le labo s'était gouré en analysant l'ADN du cœur (peu probable), soit Alice avait subi une transplantation cardiaque (guère plus crédible, sans compter que le cœur parvenu à la police n'avait pas été prélevé dans les règles chirurgicales, mais complètement charcuté).

Dernière éventualité : une explication surnaturelle, genre réincarnation, mais qui croyait sérieusement à ce genre de sottises ?

Jonathan réfléchit encore quelques minutes avant de prendre conscience de l'heure avancée de la nuit. Il gagna sa chambre, où il fut incapable de trouver le sommeil. Depuis le premier jour, il avait eu cette impression folle que la vie de Madeline et la sienne étaient rattachées par un fil invisible. Cette nuit, il était parvenu à identifier le chaînon manquant : Alice.

Madeline, Alice…

Il devait des explications à la première.

Il avait une dette envers la seconde.

21

The wild side

Le vertige, c'est autre chose que la peur de tomber. C'est la voix du vide au-dessous de nous qui nous attire et nous envoûte, le désir de chute dont nous nous défendons ensuite avec effroi.

Milan KUNDERA

Paris, Montparnasse
Mardi 20 décembre
19 h 20

Devant le miroir de son appartement, Madeline ajustait sa tenue de camouflage : maquillage chic et discret, talons hauts pour étirer sa ligne, petite robe noire en taffetas de soie. Tout se jouait dans la longueur de jambes : ni trop longue ni trop courte, juste au-dessus du genou. Ce soir, elle se considérait comme étant « en mission » et, à en juger par les bombasses qui défilaient dans le lit de George, il fallait qu'elle soit désirable si elle voulait réussir à le piéger.

Elle enfila le manteau en gabardine que lui avait offert Raphaël et sortit de son appartement, se sentant suffisamment piquante et fatale pour tromper l'ennemi.

À cette heure-ci, les voitures roulaient pare-chocs contre pare-chocs. Malgré le froid, elle préféra donc le métro au taxi et s'engouffra dans la bouche de la station Raspail.

Montparnasse, Pasteur, Sèvres-Lecourbe...

La rame était bondée. La plupart des voyageurs revenaient de leur travail, d'autres sortaient dîner ou allaient au spectacle, d'autres encore effectuaient leurs emplettes de Noël. Madeline ouvrit son sac à main : il contenait son Glock 17 – son ancienne arme de service qu'elle n'avait jamais restituée – et un livre de poche – *Le Cavalier suédois*, que sa libraire lui avait conseillé depuis longtemps.

Cambronne, La Motte-Picquet, Dupleix, Bir-Hakeim...

Debout contre le strapontin, elle regarda autour d'elle. Il lui semblait que de moins en moins de monde lisait dans les transports. Comme ailleurs, les gens scrutaient leur écran de téléphone, dialoguant, jouant, écoutant leur musique. Elle essaya de se plonger dans le roman, mais fut incapable de se concentrer. Trop de monde, trop de bousculade et, surtout, le poids de la culpabilité qui lui pesait sur les épaules. Depuis samedi, elle mentait à Raphaël. Et ses mensonges étaient de moins en moins innocents. Ce soir, elle lui avait fait croire qu'elle se rendait à l'enterrement de vie de jeune fille d'une copine. Heureusement qu'il n'était ni méfiant ni soupçonneux, sinon, il n'aurait pas été long à la démasquer.

Passy, Trocadéro, Boissière, Kléber...

Comme elle l'avait espéré, George LaTulip n'avait pas tardé à reprendre contact avec elle. Quelques heures à peine après leur « accident », il l'avait appelée à la boutique, lui proposant un déjeuner. Pour l'émoustiller, elle avait d'abord refusé, mais il avait heureusement insisté et, cette fois, Madeline avait accepté un dîner. Elle connaissait bien les types comme George. Dans les articles psycho des magazines féminins, on les appelait des « séducteurs compulsifs ». Dans la réalité, on les appelait des queutards. Question de vocabulaire...

Elle descendit au terminus de la ligne 6. Dès la sortie du métro, elle fut cueillie par l'explosion féerique des illuminations. Sur plus de deux kilomètres, de la Concorde à la place de l'Étoile, les centaines d'arbres de la plus belle avenue du monde étaient bardés d'oriflammes de cristaux bleutés. Même le Parisien le plus blasé ne pouvait rester indifférent devant la magie du spectacle.

Elle resserra son manteau, s'engagea dans l'avenue Hoche et marcha jusqu'au restaurant du *Royal Monceau*.

— Vous êtes ravissante, l'accueillit George.

Il ne s'était pas foutu d'elle. La salle à manger du palace faisait de l'effet avec ses colonnades, ses fauteuils en cuir beige, et ses jeux de matière : chaises de bar en métal, comptoir translucide…

— Vous aimez la déco ? demanda-t-il tandis qu'on les installait à une table dans une petite alcôve discrète.

Madeline hocha la tête.

— C'est signé Starck. Vous saviez qu'il avait aussi « habillé » mon restaurant ?

Non, elle ne savait pas.

À partir de ce moment, elle ne parla presque plus, se contentant d'être belle et de sourire, feignant l'admiration devant la parade amoureuse de George le bonobo. Son discours était rodé. Très à l'aise, il faisait la conversation pour deux, parlait de ses voyages, de sa pratique des sports extrêmes, de David Guetta et d'Armin van Buuren qu'il « connaissait personnellement », de la nuit parisienne qu'il jugeait « morose, sinistrée et presque morte ».

— C'est gravissime : il n'y a plus de véritable culture *underground* dans la capitale. Les meilleurs DJ et les labels les plus créatifs s'expatrient à Berlin ou à Londres. Si tu veux vraiment faire la fête, aujourd'hui, il faut prendre un avion !

Madeline écoutait d'une oreille distraite ces paroles formatées qu'il avait déjà dû prononcer cent fois.

Lorsqu'on lui apportait un plat – œuf mollet aux écrevisses et aux cèpes, quasi de veau au jus et aux carottes... –, elle se demandait ce qu'en aurait pensé Jonathan.

Après avoir dégusté chaque bouchée de son dessert – un mille-feuille extraordinaire au chocolat et au citron –, elle accepta d'aller prendre un « dernier verre » chez George.

Elle s'installa sur le siège passager de la Porsche que le voiturier venait d'avancer. Avant de démarrer, LaTulip se pencha vers Madeline et l'embrassa sur la bouche.

Décidément, ce type ne doute de rien.

Elle lui sourit, fit semblant d'aimer ça et lui rendit son baiser.

★

Pendant ce temps, à San Francisco…

Il était midi à l'horloge de l'aéroport. Jonathan embrassa son fils et le reposa au sol. Un billet d'avion à la main, il planta son regard dans celui de Marcus.

— Bon, je te confie Charly pendant deux jours. Alessandra reste en ville pendant les vacances, elle pourra venir t'épauler. Quant au restaurant, j'ai annulé toutes les réservations jusqu'à la fin de la semaine.

— Tu es sûr que tu veux prendre cet avion ?

— Certain.

— Je ne vois pas très bien ce que tu vas foutre à Londres.

— En fait, je vais à Manchester. Il faut que je rencontre quelqu'un, que je vérifie deux ou trois détails…

— Et ça ne peut pas attendre ?

— Non.

— Tu ne veux pas m'expliquer ?

Jonathan resta évasif :

— J'ai une dette à payer, des fantômes à chasser, certaines zones d'ombre à éclaircir…

— Ça a un rapport avec cette femme, Madeline Greene ?

— Je te raconterai tout lorsque j'y verrai plus clair. En attendant, prends soin de Charly.

— Bien sûr.

— Pour toi, ça veut dire pas une goutte d'alcool, pas de pétasse à la maison, pas de pétard, de joint, de beuh, de shit, de weed, de…

— Je crois que j'ai saisi.

— Et pour lui, ça veut dire brossage de dents matin, midi et soir, pas de films ou de dessins animés violents, pas de télé-réalité, pas de sucreries toutes les cinq minutes, au moins cinq portions de fruits ou de légumes par jour, pyjama et au lit à 20 heures.

— Compris.

— Tout est clair ?

— Comme du jus de boudin, répondit Marcus, ce qui fit pouffer Charly.

L'un après l'autre, Jonathan les serra dans ses bras une dernière fois avant de passer la zone d'embarquement.

Le vol British Airways à destination de Londres décolla de San Francisco peu après 13 heures. Regardant à travers le hublot, Jonathan ressentit un pincement au cœur.

Était-ce une bonne idée d'abandonner ainsi son fils qu'il voyait déjà si peu en pleines vacances de Noël ? Sans doute pas. Pourtant, il se força à chasser ses doutes. À présent, il ne pouvait plus faire demi-tour. Il fallait qu'il comprenne, qu'il aille au bout de ce mystère, au-delà des souvenirs et des faux-semblants. Après Madeline, son tour était venu de se confronter au fantôme d'Alice Dixon.

★

Paris

George invita Madeline à entrer la première dans le minuscule ascenseur. Il referma la porte, appuya sur le bouton du cinquième étage et colla sa langue dans la bouche de la jeune femme. L'une de ses mains se plaqua sur ses seins tandis que l'autre cherchait à remonter sa robe.

Madeline sentit sa gorge se nouer, mais elle réussit à garder le dégoût à distance. Elle était là en mission.

En MISSION.

Le duplex de George occupait les deux derniers étages de l'immeuble. Organisé comme un loft, c'était un appartement moderne à la décoration minimaliste teintée d'une touche industrielle. Un escalier futuriste en acier reliait les deux étages.

George débarrassa son invitée de son manteau puis effleura un interrupteur de verre qui déclencha une musique soudaine :

— Tu aimes ? C'est de la *Progressive Trance*

mixée par un Danois : Carl Karl, le roi de la scène berlinoise. Pour moi, c'est le nouveau Mozart.

Et toi, tu es con comme la lune, pensa très fort Madeline en lui offrant son plus adorable sourire.

Maintenant qu'ils n'étaient plus que tous les deux, elle se sentait mal à l'aise. Son cœur battait fort dans sa poitrine. Elle avait un peu peur de ce qui allait se passer. Une partie d'elle-même aurait voulu être ailleurs, avec Raphaël, dans le confort douillet de son appartement. Mais une autre facette de sa personnalité, une autre entité intérieure, ressentait une excitation fiévreuse sous l'effet du danger.

— Je te prépare un *Pink Pussy Cat* ? proposa-t-elle en passant derrière le bar.

En entendant le mot *pussy*, George émit un grognement de satisfaction. Il se plaça derrière sa conquête, posa ses mains sur ses hanches avant de les remonter sur sa poitrine.

— Attends, chéri, je vais tout renverser ! dit-elle en se dégageant doucement.

Elle attrapa deux tumblers qu'elle emplit de cubes de glace.

— J'ai un cadeau pour toi ! dit-il en sortant de sa poche deux petits comprimés roses ornés d'une étoile.

De l'ecstasy...

Elle prit l'un des cachets et lui lança un clin d'œil complice.

— Tu devrais baisser la lumière, proposa-t-elle en faisant semblant d'avaler l'amphétamine.

Cet abruti va faire foirer mon plan.

Elle se dépêcha de verser deux vodkas dans les verres à cocktail qu'elle compléta de jus de pamplemousse et d'un trait de sirop de grenadine. Elle profita d'un moment d'inattention de George pour agrémenter sa boisson d'une bonne dose de Rohypnol, un puissant hypnotique souvent utilisé par les violeurs.

— Cul sec ! dit-elle en lui tendant son *Pink Pussy Cat*.

Dieu soit loué, George ne se fit pas prier pour descendre l'intégralité de son cocktail, mais à peine eut-il reposé son verre qu'il fit basculer Madeline sur une banquette habillée de tissu noir jonchée de petits coussins zébrés.

Ses deux mains saisirent la tête de la jeune femme, guidant sa bouche vers la sienne pour un baiser qu'il imaginait sans doute sensuel. Il fourra sa langue dans sa bouche, retroussa sa robe jusqu'à sa petite culotte puis déboutonna son haut, caressant ses seins, suçant et mordillant ses tétons.

Madeline sentit sa cage thoracique se compresser. Elle manquait d'air. Le corps de George plaqué contre le sien était lourd, envahissant, dégageant une chaleur et une odeur incommodantes. Sa salive chaude et salée provoquait en elle nausée et suffocation. Excité, George la dominait, lui mordant le cou, se rêvant dans la peau du lion avant de dévorer la gazelle. Elle étouffait et, en même temps, elle était consentante. Personne ne l'avait obligée à venir. Personne ne l'obligeait à rester. Elle pouvait arrêter le jeu d'un simple mot ou d'un cri, mais elle ne le fit pas.

Pour résister, elle se focalisa sur ce qui l'entourait, se concentrant sur le bruit d'une de ses chaussures tombée sur le sol, fixant le plafond éclairé par les phares des voitures qui passaient dans la rue.

Le visage du restaurateur était collé au sien. L'homme délaissa ses seins pour commencer à lui mordiller les oreilles.

— Tu aimes ça ? lui chuchota-t-il.

Elle se contenta d'un gémissement, sentant son érection contre sa hanche. D'un geste autoritaire, George lui saisit la main pour la poser sur son sexe. Madeline ferma les yeux et sentit comme un goût de sang dans la bouche.

Chercher. Savoir. Comprendre.

Enquêter.

C'était sa came depuis son entrée dans la police. Flic elle était, flic elle resterait. C'était sa nature véritable. Un truc incrusté en elle qui l'avait contaminée comme une maladie.

Les doigts de George descendaient maintenant vers son ventre, palpant ses cuisses, explorant la naissance de son pubis.

Madeline tourna la tête vers le grand miroir du salon et vit ses yeux qui brillaient dans la nuit. Le goût du vertige, l'ambiguïté de la violence, la nécessité de franchir les limites : ce côté écorché qu'elle avait refoulé depuis deux ans lui revenait en pleine tête comme un boomerang. Les souvenirs et les anciennes sensations remontaient à la surface. L'addiction au danger ; la dépendance que pouvait créer ce métier. Lorsqu'elle avait affaire à un crime de sang, peu de choses pouvaient rivaliser avec l'adrénaline de son travail. Ni les vacances, ni les sorties avec les copines, ni le sexe. L'enquête la rendait monomaniaque, le mystère la dévorait. Autrefois, lorsqu'elle était sur un coup important, elle « vivait » au commissariat, dormait dans sa voiture garée sur le parking ou même dans les cellules de garde à vue. Ce soir, c'était différent. Enfin, en apparence. Certes, il n'y avait pas de meurtre, mais son flair lui disait de s'acharner. Francesca était devenue son obsession : qu'est-ce qui avait pu pousser cette femme à saboter volontairement son couple et à faire exploser son foyer ? Un tel comportement cachait forcément quelque chose de très grave…

Un moment encore, les doigts de George s'attardèrent au creux de son corps, contournant le tissu mouillé de sa culotte avant de perdre progressivement leur agilité. Lorsqu'elle sentit le corps de son « amant » s'effondrer brutalement sur elle, Madeline se dégagea et s'extirpa du canapé comme une plongeuse pressée de remonter à la surface. LaTulip gisait sur le sofa, assommé par le *roofie*. Madeline s'assura que l'homme respirait encore. Elle espérait seulement que l'interaction entre l'hypnotique et l'ecstasy ne produirait pas d'effets trop néfastes.

★

23 heures

Ne pas perdre de temps. Faire le job. Tout de suite.

Madeline se mit au travail méthodiquement. Cet appartement cachait un secret, elle en était certaine. Elle éteignit d'abord cette musique assourdissante qui l'horripilait, alluma toutes les lumières et commença sa fouille.

Le duplex était grand, mais relativement vide. Ou plutôt, tout était à sa place. George était méticuleux et employait à coup sûr une femme de ménage. Il avait un dressing immense à faire fantasmer n'importe quelle nana. Dans la bibliothèque et les placards, tout était soigneusement rangé : matériel de sport, appareils hi-fi dernier cri, DVD par centaines, quelques beaux livres… Madeline retourna toutes les fringues, ouvrit tout ce qui pouvait l'être, inspecta tous les recoins. Ce genre de « savoir-faire » ne se perdait pas. Elle ne savait pas vraiment ce qu'elle cherchait, mais elle savait qu'il y avait quelque chose à trouver. Peut-être dans la paperasse abondante que LaTulip gardait dans des classeurs à soufflets et des trieurs en accordéon ?

Elle vérifia que George était toujours inconscient, sortit son Glock au cas où il aurait le réveil un peu brutal et s'installa à son bureau pour éplucher les documents : relevés bancaires, avis d'imposition, factures EDF, titres mobiliers et immobiliers. Cette « perquisition » lui prit plus d'une heure, mais ne déboucha sur rien qu'elle ne connaisse déjà. Le restaurateur avait des revenus substantiels en tant que gérant de son établissement, mais surtout en tant qu'administrateur de la Fondation DeLillo.

Madeline enragea d'avoir fait chou blanc.

Le temps passait vite.

Restait l'ordinateur portable en aluminium posé sur la table basse du salon. L'enquêtrice ouvrit la bête avec circonspection. Lorsqu'elle était flic, elle avait la possibilité de faire analyser le contenu des disques durs par un service spécialisé, mais ses propres connaissances en informatique étaient limitées. Par chance, l'appareil était déjà sous tension, ce qui lui épargna d'avoir à saisir un mot de passe pour ouvrir la session. Elle se contenta de deux ou trois manipulations basiques, inspectant les dossiers du bureau, consultant le répertoire de photos – bourré à craquer d'images de plongée sous-marine –, examinant l'historique des sites web. Elle parcourut rapidement les courriers électroniques conservés dans la boîte de réception, mais n'y trouva rien d'intéressant.

Enquêter, c'est insister.

Sans se décourager, elle fureta dans le logiciel de messagerie. Le compte de George était configuré en protocole IMAP. Madeline avait fait de même pour sa propre adresse, ce qui lui permettait de consulter ses mails à la fois sur son téléphone et sur son ordinateur personnel. Pas la peine d'être un expert en informatique pour savoir que, dans ce cas, tous les messages restaient archivés sur le serveur, même ceux que l'utilisateur croyait avoir supprimés.

C'est donc dans les archives du compte que Madeline alla faire un tour. Il y avait des milliers de messages, reçus ou envoyés depuis des années. Elle entra différents mots clés jusqu'à parvenir à isoler le courrier qu'elle cherchait. La preuve qu'elle était sur la bonne voie :

De : Francesca DeLillo
À : George LaTulip
Objet : Re :
Date : 4 juin 2010 19 : 47
George,
Je t'en supplie, renonce à ton projet d'aller voir Jonathan à San Francisco. Nous avons pris la bonne décision. Il est trop tard pour avoir des remords, je croyais que tu avais compris en lisant la presse… Oublie Jonathan et ce qui nous est arrivé. Laisse-le se reconstruire. Si tu lui avoues la vérité, tu vas nous mettre tous les trois dans une situation dramatique et tu vas tout perdre : ton boulot, ton appartement, ton petit confort.
F.

Le message était décousu, mais intéressant. Sans doute y avait-il des choses à découvrir en lisant entre les lignes. Elle imprima le mail et, pour plus de sécurité, en envoya une copie à sa propre adresse.

★

1 heure du matin

De l'eau glacée dans la figure. Puis des gifles. George ouvrit les yeux au moment précis où une nouvelle beigne l'atteignait en plein visage.

— Qu'est-ce que… ?

Il était assis, attaché avec ses propres cravates à une chaise du salon. Il essaya de se dégager, mais ses mains étaient entravées derrière son dos et chacune de ses chevilles solidement nouée à un pied du siège. À dix centimètres de son visage, le canon d'un automatique le menaçait. Il était à la merci totale de cette femme qu'il avait eu l'imprudence de ramener chez lui et qui venait de le « saucissonner ».

— Je… je peux vous donner de l'argent. Il y a un petit coffre dans le dressing qui contient au moins 20 000 euros.

— Oui, je l'ai déjà trouvé ton fric, répondit Madeline en lui balançant les liasses de billets à la figure.

— Mais qu'est-ce que vous voulez d'autre ?

— La vérité.

— La vérité sur quoi ?

— Sur ça.

Il baissa la tête pour découvrir le courrier de Francesca.

— Qui… qui êtes-vous au juste ? Je croyais que vous étiez fleuriste et que…

— Je suis la femme qui tient le flingue, c'est tout.

— J'ignore ce qui vous intéresse dans cette affaire, mais je vous conseille de…

— Dans ta position, je crois que tu n'as rien à me conseiller. Revenons à ce mail : pourquoi vouliez-vous aller voir Jonathan Lempereur à San Francisco ?

Au bord du malaise, George transpirait à grosses gouttes. Pour l'inciter à parler, Madeline accentua sa pression, appuyant le canon de son arme sur le front du restaurateur.

— Jonathan, c'est celui à qui je dois tout, articula-t-il. Il m'a sorti de la merde et m'a mis le pied à l'étrier. Il était jeune et plein d'énergie. À l'époque, c'était vraiment un type à part : généreux, capable de vous détourner de vos démons et de faire ressortir ce qu'il y a de meilleur en vous…

— Et pour le remercier, vous lui avez piqué sa femme ?

— Pas du tout ! se défendit-il alors que des palpitations agitaient sa poitrine. Si vous croyez que Francesca aurait pu tomber amoureuse d'un type comme moi ! Elle était folle de son mari !

D'un mouvement de tête, George essuya la sueur qui coulait sur son visage.

— C'était un couple étrange et exalté, continua-t-il. Chacun était en admiration devant l'autre. Chacun voulait épater l'autre. Ils s'étaient réparti les tâches, lui aux fourneaux et sur les plateaux télé, elle dans la coulisse, chargée de l'expansion du groupe. Francesca vénérait son mari dont elle voulait faire connaître la cuisine au monde entier, mais…

— … mais quoi ?

— À vouloir s'agrandir trop vite, elle a pris de mauvaises décisions stratégiques qui ont conduit le groupe au bord de la faillite.

À présent, George claquait des dents. De larges cernes noirs s'étaient incrustés sous ses yeux comme une traînée de suie. Le mélange ecstasy et somnifère n'était décidément pas à conseiller.

— Ces photos de vous et de Francesca dans les tabloïds, c'était donc du pipeau ?

— Évidemment ! Un jour, il y a deux ans, elle m'a téléphoné depuis les Bahamas. C'était pendant les vacances de Noël justement. J'étais aux Maldives avec un copain pour faire de la plongée. Complètement affolée, elle m'a demandé de venir la retrouver à Nassau avant le lendemain 15 heures. Elle m'a dit que c'était urgent. J'ai bien cherché à en savoir plus, mais elle m'a assuré que moins j'en saurais, mieux je me porterais.

— Qu'est-ce qui vous a poussé à accepter ?

— Francesca était ma patronne et je ne peux pas dire qu'elle m'ait vraiment laissé le choix. Je me souviens que c'était un bordel immense : les avions étaient complets ; il a fallu que je transite par Londres pour être à l'heure. Je pensais que j'aurais davantage d'informations une fois sur place, mais ça n'a pas été le cas. Elle a juste mis en scène ces photos débiles avec un paparazzi local et nous sommes rentrés par le même vol.

— Et ?

— À l'arrivée, Jonathan nous attendait à l'aéroport. Je ne sais pas qui l'avait prévenu, mais ça s'est très mal passé. Il m'a mis son poing dans la gueule et s'est violemment disputé avec sa femme devant tout le monde. Le lendemain, ils annonçaient leur divorce et la vente de leur groupe.

— Vous n'avez jamais raconté la vérité à votre ami ?

— Non. J'y ai songé plusieurs fois. J'avais des remords, je savais qu'il allait mal et qu'il végétait à San Francisco. J'en ai parlé à Francesca et chaque fois elle m'a dissuadé de le faire, surtout que…

— … surtout que sa fondation vous payait généreusement pour garder le silence.

— Écoutez, je n'ai jamais prétendu être un type bien, se défendit George. Il n'y avait que Jonathan pour le croire.

— Et Francesca ?

— Elle vit toujours à New York avec son fils. Depuis la mort de son père, elle s'occupe principalement de sa fondation.

— Elle a un mec ?

— Je ne sais pas. Elle vient parfois accompagnée lors de soirées de bienfaisance ou à des premières de spectacle, mais ça ne veut pas dire qu'elle sort avec ces types. Bon, vous allez me libérer, bordel !

— Baisse d'un ton, s'il te plaît. À quoi fait-elle allusion dans son courrier lorsqu'elle écrit : « Je croyais que tu avais compris en lisant la presse… » ?

— Je n'en sais rien du tout !

Madeline était circonspecte. Sur ce point, il y avait tout à parier que George mentait. En reprenant ses esprits, il devenait même menaçant :

— Vous avez bien conscience que dès que vous m'aurez libéré, je me précipiterai dans le premier commissariat venu et…

— Je ne crois pas, non.

— Et pourquoi ?

— Parce que la police, c'est moi, connard !

Il fallait qu'elle se calme. Elle était dans une situation périlleuse. Quelle était la prochaine étape ? Lui mettre le canon du Glock dans la bouche ? Lui déverser de l'eau dans les voies respiratoires pour le faire suffoquer ? Lui découper un bout de phalange ?

Un mec comme Danny aurait fait parler George en moins de cinq minutes. Mais elle n'était pas certaine que Danny lui-même aurait souhaité qu'elle passe de l'autre côté.

Elle prit un couteau de cuisine, trancha le premier lien qui retenait George prisonnier, libérant ainsi sa main droite.

— Tu feras le reste tout seul, dit-elle en quittant l'appartement.

22

Le fantôme de Manchester

Un secret que l'on garde est comme un péché que l'on ne confesse point : il germe, se corrompt en nous, et ne peut se nourrir que d'autres secrets.

Juan Manuel DE PRADA

Mercredi 21 décembre
Londres

Le vol British Airways se posa à Heathrow à 7 heures du matin dans la nuit, la pluie et la brume. Ce temps « anglais » ne contraria pas Jonathan outre mesure : il n'était pas venu ici en vacances. À peine descendu de l'avion, il changea quelques dollars et rejoignit le comptoir Hertz pour prendre possession de la voiture qu'il avait réservée la veille sur Internet.

De Londres, il fallait quatre heures d'autoroute pour se rendre à Manchester. Les premiers kilomètres furent cauchemardesques : Jonathan pensa qu'il ne s'habituerait jamais à la conduite à gauche. Quelques sentiments antibritanniques traversèrent son esprit (on critiquait toujours l'arrogance des Français, mais que penser d'un peuple qui s'escrimait à refuser l'euro, continuait à rouler à gauche et agitait l'index *et* le majeur pour faire un doigt d'honneur ?), mais il repoussa ces clichés ethnocentriques. Il respira et se dit qu'il suffisait de rester zen, de rouler moins vite et de se concentrer.

Puis il arriva à un rond-point, faillit se tromper de sens, voulut mettre son clignotant, à cause de l'inversion des commandes activa les essuie-glaces et manqua de se faire emboutir.

Sur l'autoroute, il roula prudemment, prenant peu à peu ses marques au fil des kilomètres. À la périphérie de Manchester, il brancha le GPS et entra dans le navigateur les coordonnées du commissariat de Cheatam Bridge. Il se laissa guider jusqu'à un bâtiment grisâtre devant lequel il ressentit une certaine émotion. Les lieux étaient tels qu'il les avait imaginés. C'était là que Madeline avait travaillé, là qu'un matin blême Erin Dixon avait débarqué pour signaler la disparition de sa fille…

Dans le hall d'entrée, il se renseigna pour savoir

si le *detective* Jim Flaherty travaillait toujours ici. Comme c'était le cas, il demanda si le policier pouvait le recevoir.

— J'ai des éléments nouveaux à lui communiquer sur une de ses enquêtes.

La réceptionniste décrocha son téléphone puis l'invita à la suivre. Ils traversèrent la grande salle aménagée en *open space* qu'il se souvenait d'avoir vue sur la vieille photo d'anniversaire de Madeline. Le commissariat baignait dans son jus. Depuis toutes ces années, rien n'avait vraiment changé, si ce n'est que le poster de Cantona avait disparu au profit de celui de Wayne Rooney.

Pas la meilleure chose que vous ayez faite, les mecs...

La réceptionniste l'introduisit dans le bureau que Flaherty partageait avec un jeune *lieutnant*.

— Le *chief detective* va vous recevoir.

Jonathan salua l'autre policier et s'avança dans la pièce. Flaherty avait récupéré le vieux poster de « Canto » qu'il avait scotché à côté d'une affiche d'un concert de The Clash.

Un bon point pour lui...

Sur le tableau de liège, il avait épinglé plusieurs photos – anniversaires, pots de départ en retraite, célébrations diverses... – qui dataient toutes du temps où Madeline était « encore là ». Enfin, en haut à droite, était scotchée l'affichette jaunie et déchirée imprimée à l'époque de la disparition d'Alice Dixon. Non seulement Flaherty ne l'avait pas retirée, mais il l'avait placée à côté d'un portrait de son ancienne coéquipière. L'évidence sautait aux yeux : les deux femmes avaient le même regard, triste et voilé, la même beauté aussi et donnaient cette impression d'être ailleurs, dans un monde qui n'appartenait qu'à elles, très loin de celui qui tenait l'appareil.

— Je peux vous aider ? demanda Flaherty en refermant la porte derrière lui.

Jonathan le salua. Le flic avait un visage avenant, des cheveux blond-roux, une stature et une épaisseur imposantes. Sur les photos, il était plutôt « bel homme », même si à présent on devinait un certain laisser-aller. Surtout, son ventre débordait de tous les côtés : quelques semaines de « Dukan » n'auraient pas été un luxe pour lui rendre une silhouette plus séduisante.

— Nous avons une connaissance en commun, lieutenant, commença Jonathan en s'asseyant.

— Qui est ?

— Madeline Greene.

Une petite flamme s'alluma dans les yeux de Flaherty.

— Madeline… Elle ne m'a plus donné de nouvelles depuis sa démission. Comment va-t-elle ?

— Bien, je crois. Elle est fleuriste à Paris.

— C'est ce que j'avais entendu dire.

— En fait, reprit Jonathan, je ne suis pas ici pour vous parler de Madeline, mais d'Alice Dixon.

Flaherty se troubla et fronça les sourcils d'un air menaçant. À cet instant, la tension était palpable et Jonathan n'avait plus la moindre envie de lui conseiller d'entreprendre un régime.

— Vous êtes un putain de fouille-merde de journaliste, c'est ça ?

— Pas du tout, je suis chef.

— Chef de quoi ?

— Chef cuisinier.

Le flic le détailla et se radoucit quelque peu :

— À une époque, vous passiez à la télé, n'est-ce pas ?

— Oui, c'était moi.

— Alors qu'est-ce que vous venez foutre dans mon bureau ?

— J'ai un renseignement qui pourrait vous intéresser.

Le flic regarda son collègue à la dérobée puis jeta un coup d'œil à la pendule murale qui venait de marquer 13 heures.

— Vous avez déjeuné ? demanda-t-il.

— Pas encore. J'ai pris l'avion de San Francisco et j'ai atterri à Londres ce matin.

— Juste pour me parler ?

— C'est ça.

— Il y a un bar fréquenté par les flics à deux rues d'ici. Une portion de *fish & chips*, ça vous tente ?

— Volontiers, répondit Jonathan en se levant pour le suivre.

— Mais je vous préviens, ce n'est pas le *Fat Duck*[1]...

★

Sur ce point, le flic n'avait pas menti. L'endroit était bruyant et sentait la friture, la bière et la transpiration.

À peine assis, Flaherty entra dans le vif du sujet :

— Vous avez l'air sympathique, mais je vais vous mettre en garde tout de suite : l'affaire Alice Dixon est close depuis deux ans, compris ? Alors si vous êtes venu me péter les couilles avec des théories tordues ou des pseudo-révélations à la mords-moi-le-nœud, je vous explose la tête dans votre assiette, c'est clair ?

— Comme le jour, répondit Jonathan.

Peut-être n'est-ce pas l'expression la plus

---

1. Restaurant gastronomique du chef Heston Blumenthal, considéré comme l'une des plus prestigieuses table du Royaume-Uni.

appropriée, pensa-t-il en regardant à travers la vitre la pluie battante que de gros nuages charbonneux déversaient en cataracte sur le bar.

— Dans ce cas, je vous écoute, fit Jim en engloutissant une part énorme de poisson frit.

— Qu'est devenue Erin Dixon ? commença Jonathan.

— La mère de la gamine ? Elle est morte l'année dernière d'une overdose. Elle a claqué en dope l'argent que les rapaces de la télé lui ont versé. Ne comptez pas sur moi pour m'apitoyer sur son sort…

— Pourquoi l'affaire a-t-elle été si vite classée ?

— Si vite ? On a reçu le cœur de la gamine il y a deux ans et demi, à la fin du printemps 2009, dix jours avant l'arrestation d'Harald Bishop, le Boucher de Liverpool. On a une preuve de la mort d'Alice et un meurtrier sous les verrous, ça ne vous suffit pas ?

— J'ai lu que Bishop s'était accusé de certains meurtres qu'il n'avait pas commis…

— Oui, c'est fréquent chez ce genre de tueurs en série. On ne sait pas encore avec certitude tout ce qu'a fait Bishop. Il parle beaucoup, mais pas forcément des cas sur lesquels on aimerait l'entendre. Comme de nombreux monstres de son espèce, c'est un type à la fois complètement fêlé et très calculateur. Lors des interrogatoires, il s'amuse avec les enquêteurs : il avoue quelque chose, se rétracte, parle d'un autre crime. On a continué à analyser toutes les dépouilles retrouvées dans son jardin. On n'y a pas identifié le profil génétique d'Alice, mais ça ne veut pas dire qu'il ne l'a pas tuée.

Jonathan goûta une bouchée de poisson frit et eut un haut-le-cœur. Il se sentait mal à l'aise dans ce lieu étroit et chaud comme une étuve. Il défit un bouton du col de sa chemise et commanda un Perrier.

— Vous êtes toujours amoureux de Madeline Greene ? demanda-t-il en ouvrant l'opercule de la canette.

Flaherty le regarda, médusé. Une violence sourde monta en lui.

— Allez, reconnaissez-le, Jim ! poursuivit Jonathan. C'est une belle fille, intelligente et fonceuse, avec cette petite faille qui la rend encore plus attachante. C'est difficile de ne pas l'aimer, non ?

Flaherty abattit son poing sur la table.

— D'où sortez-vous ces...

— Il suffit de regarder les photos dans votre bureau. Depuis que Madeline est partie, vous avez pris combien ? Quinze kilos ? Vingt kilos ? Vous vous laissez aller. Je pense que son départ vous a ravagé et que...

— Arrêtez ces conneries ! dit le flic en l'attrapant par le col.

Mais cela n'empêcha pas Jonathan de continuer :

— Je pense aussi que vous n'êtes pas du tout convaincu que Bishop a tué Alice. Vous avez gardé l'affichette signalant sa disparition dans votre bureau, car, pour vous, l'affaire ne sera jamais vraiment close. Je suis sûr que vous pensez à Alice tous les jours. Je crois même que vous avez continué à enquêter de votre côté et que vous avez peut-être trouvé des faits nouveaux. Pas des preuves permettant de rouvrir l'enquête, mais des éléments suffisamment troublants pour bousiller vos nuits...

Le regard de Flaherty se troubla. Désarçonné, il relâcha son étreinte. Jonathan enfila sa veste, se leva et abandonna un billet de 10 livres sur la table. Il fit quelques pas sous la pluie, traversa la rue pour se protéger de l'orage sous l'auvent d'une école.

— Attendez ! lui cria Flaherty en le rejoignant. Vous disiez que vous aviez des renseignements à me communiquer.

Les deux hommes s'assirent sur un banc en bois à l'abri de l'averse. C'étaient les vacances de Noël. La cité scolaire était calme et déserte. L'orage s'abattait avec une force incroyable, déversant sur le quartier une pluie lourde et ruisselante qui menaçait de tout noyer.

— Je ne suis pas le père Noël, prévint Jonathan.

Avant de vous dire ce que j'ai trouvé, je veux savoir exactement où en sont vos investigations.

Jim soupira, mais accepta de faire le point sur les progrès de son enquête :

— Vous avez raison : même si l'affaire a été classée, j'ai continué pendant mon temps libre à explorer certaines pistes ouvertes par Madeline. Une en particulier, relative au journal intime d'Alice qui nous avait toujours intrigués.

— Pourquoi ?

— Parce qu'il ne contenait que des banalités, rien de vraiment « intime » justement…

— Vous l'avez fait analyser ?

— Oui, d'abord par un graphologue qui a confirmé l'authenticité du document, puis par un chimiste. Bien qu'il soit assez difficile de dater les documents récents, on peut tirer beaucoup de choses de quelques pages griffonnées. Vous saviez par exemple que certains fabricants incluaient dans leurs stylos des « marqueurs chimiques » donnant l'année de fabrication d'une encre ?

Jonathan secoua la tête. Jim poursuivit :

— L'encre vieillit dès qu'elle entre en contact avec le papier. Ses composants se dégradent en d'autres produits que l'on peut analyser par chromatographie et grâce aux infrarouges. Bref, je vous passe les détails. Le rapport graphologique est formel : les pages ont bien été rédigées de la main d'Alice, mais ce journal qui recense des événements s'étendant sur plus d'une année a en fait été écrit *d'un seul jet* !

Jonathan n'était pas certain de tout comprendre. Jim explicita sa découverte :

— Je suis persuadé qu'il s'agit d'une copie « expurgée » réalisée par Alice pour brouiller les pistes.

— Je vous accorde que c'est déconcertant, mais c'est un peu mince, non ?

— Il y a autre chose, ajouta Flaherty. L'instrument de musique qu'on a retrouvé dans sa chambre.

— Son violon ?

— Oui. Alice prenait des leçons depuis six ans avec Sarah Harris, une soliste assez connue qui l'avait repérée en faisant du bénévolat dans les écoles. Comme elle était douée, Harris lui a offert un violon artisanal de bonne qualité. Un instrument d'une valeur de 5 à 7 000 euros…

— Mais ce n'est pas celui qu'on a retrouvé dans la chambre d'Alice, n'est-ce pas ?

— Non, j'ai fait expertiser l'instrument : c'est un violon d'étude merdique fabriqué en Chine qui ne vaut pas un kopeck…

Cette fois, Jonathan fut obligé d'admettre que le fait était troublant. Alice avait-elle vendu son violon avant de disparaître ? En tout cas, elle ne l'avait pas avec elle sur les images prises par la caméra de surveillance.

— J'ai beau retourner ces éléments dans tous les sens, je ne comprends pas la logique de tout ça, avoua Jim, désabusé.

— Vous avez creusé du côté du cœur ?

— Vous me prenez vraiment pour un bleu-bite ! Vous pensez à quoi ? Une transplantation ?

— Par exemple…

— Bien sûr que j'ai vérifié ! Ce n'était pas très compliqué d'ailleurs : on ne fait pas ce genre d'opération dans son garage et le faible nombre de greffons disponibles oblige à une transparence totale. J'ai recensé les adolescentes ayant reçu un nouveau cœur dans les mois qui ont suivi l'enlèvement d'Alice. Il n'y a que quelques dizaines de cas. Toutes ces personnes ont été identifiées et toutes ont respecté la procédure.

Jonathan ouvrit la fermeture Éclair de son sac à dos pour en sortir un sachet en plastique cristal contenant deux serviettes en papier gribouillées tachées de chocolat.

— Qu'est-ce que c'est ? demanda Jim en essayant de lire à travers l'emballage.

Il reconnut une écriture désormais familière. Les premières lignes commençaient par :

Cher M. Lempereur, enfin, je veux dire Jonathan.

J'ai pris la liberté de retirer les balles de votre revolver et de les jeter dans la poubelle du parking pendant que vous buviez votre café...

— Envoyez ces serviettes à votre laboratoire. Essayez de relever les empreintes.

— Dites-m'en plus, se plaignit le policier.

— Regardez l'inscription au dos et vous comprendrez.

Jim fronça les sourcils en retournant la pochette plastique. Une inscription en lettres dorées dansait au milieu de chaque serviette : « Les stations Total vous souhaitent une bonne année 2010. »

— C'est impossible : à cette date, Alice était morte depuis six mois !

— Appelez-moi lorsque vous aurez les résultats, répondit Jonathan en lui tendant sa carte.

— Attendez ! Vous rentrez à San Francisco ?

— Oui, mentit Jonathan. J'ai un avion dans la soirée et un restaurant à faire tourner.

Il se leva et regagna sa voiture sous la pluie.

Il mit le contact, alluma les essuie-glaces et démarra. La tête ailleurs, il ruminait les éléments que venait de lui communiquer Flaherty. Cette histoire de journal intime, de violon... Plongé dans ses pensées, il ne se rendit pas compte qu'il roulait machinalement à droite. Lancé à bonne allure, un bus déboucha en face de lui. Jonathan poussa un cri, braqua la voiture de toutes ses forces et la redressa dans la foulée. Il perdit un enjoliveur au passage, érafla le véhicule et en fut quitte pour une belle frayeur.

Mais il était vivant.

★

Paris 16 h 30

— Tu vas voir Juliane à Londres ! s'exclama Raphaël. Comme ça, sur un coup de tête ?

— Ça me fera du bien, répondit Madeline.

Ils s'étaient donné rendez-vous dans un petit café de la rue Pergolèse en bas de l'immeuble où Raphaël avait son cabinet d'architecture.

— Tu pars quand ?

— En début de soirée : l'Eurostar de 18 h 13.

— Mais on est à trois jours du réveillon !

Elle essaya de le rassurer :

— Ne fais pas cette tête : je serai de retour pour la soirée du 24.

— Et ta boutique ? Je croyais que tu n'avais jamais eu autant de travail ?

— Écoute, s'exaspéra-t-elle, j'ai envie d'aller voir ma copine en Angleterre, c'est tout ! On n'est plus en 1950, alors je vais me passer de ta permission.

Perdant subitement patience, elle se leva et sortit du café. Abasourdi, Raphaël régla la note et la rejoignit à la station de taxis sur l'avenue de la Grande-Armée.

— Je ne t'ai jamais vue comme ça, s'inquiéta-t-il. Tu as des soucis ?

— Non, chéri, ne t'en fais pas. J'ai juste besoin de ce petit break, d'accord ?

— D'accord, acquiesça-t-il en l'aidant à charger son sac à l'arrière du taxi. Tu m'appelles en arrivant ?

— Bien sûr, dit-elle en l'embrassant.

Il se pencha vers le chauffeur et lui indiqua : « Gare du Nord, s'il vous plaît. »

La voiture démarra. Madeline fit un signe d'adieu à Raphaël à travers la vitre. L'architecte lui répondit en mimant un baiser.

La jeune femme attendit que le taxi soit arrivé place de l'Étoile pour mentionner au conducteur :

— Oubliez la gare du Nord, je vais à Roissy. Terminal 1.

★

Madeline présenta son passeport et son billet à l'hôtesse d'Air China. En cette période de vacances, tous les vols pour San Francisco étaient complets ou hors de prix. Pour moins de 1 000 euros, elle n'avait trouvé sur Internet que cet aller simple sur la compagnie chinoise. Une escapade en Californie qui l'obligeait tout de même à une brève escale à Pékin !

Elle s'engagea dans la passerelle de verre qui menait à l'avion. Vieux jean, pull à col roulé, blouson de cuir : le jeu de miroirs des vitres de la plate-forme lui renvoyait une silhouette qui n'avait plus grand-chose de féminin. Elle était décoiffée, pas maquillée, presque négligée. Le côté « chiffonné » de son allure reflétait le chaos qui régnait dans son esprit.

Elle s'en voulait d'avoir menti à son compagnon. Raphaël était un homme exemplaire, responsable et attentionné. Il connaissait son passé et ne la jugeait pas. Il lui avait redonné sérénité et confiance. Elle n'avait pas le droit de le tromper ainsi.

Pourtant, elle n'avait pas hésité une seule seconde à acheter un billet d'avion pour l'autre bout du monde quelques secondes seulement après avoir reçu cet appel de Jim Flaherty.

Son ancien coéquipier avait trouvé le numéro de sa boutique et l'avait contactée en début d'après-midi pour la prévenir qu'un certain Jonathan Lempereur, un homme qui prétendait la connaître, était venu le questionner sur l'affaire Dixon.

L'affaire Dixon…

Alice.

Cette seule évocation avait joué le rôle d'un électrochoc qui donnait tout son sens à son comportement de ces derniers jours. C'était un signe du destin ! Le sort s'était joué d'elle dès le début en intervertissant son téléphone et celui de Lempereur. En enquêtant sur George, Francesca et Jonathan, elle était revenue vers Alice !

Dans son esprit, rien n'était loin, rien n'était flou. Le souvenir de l'adolescente était toujours aussi fort. Une image nette qu'elle avait tenté en vain de refouler pour protéger sa santé mentale. Une plaie de l'âme encore vive qu'aucun feu ne pourrait jamais cautériser.

On ne se libère pas comme ça de son passé. On n'échappe pas comme ça aux sables mouvants de ses obsessions.

Alice revenait la chercher.

Alice revenait la hanter.

La dernière fois, l'horreur de l'épisode du « cœur » l'avait fait renoncer à poursuivre son enquête. Cette fois, elle était prête à aller jusqu'au bout. Peu importait le prix qu'il faudrait payer.

23

Le miroir à deux faces

Je ne sais où va mon chemin, mais je marche mieux quand ma main serre la tienne.

Alfred DE MUSSET

Jeudi 22 décembre
Aéroport Nice-Côte d'Azur
11 h 55

Un franc soleil d'hiver éclaboussait le tarmac.

Jonathan avait quitté le matin même la grisaille anglaise pour la douceur méditerranéenne. À peine descendu de l'avion, il prit un taxi pour Antibes. La circulation étant fluide, le chauffeur délaissa l'autoroute au profit de la départementale qui longeait le bord de mer. Sur la promenade des Anglais, on se croyait au printemps ou en Californie : les sportifs faisaient du jogging, les seniors promenaient leur chien et, à l'heure du déjeuner, de nombreux employés prenaient leur casse-croûte en contemplant la baie des Anges assis sous des pergolas.

En vingt minutes, la voiture fut à Antibes. Elle traversa le centre-ville et rejoignit le boulevard de la Garoupe. Plus Jonathan s'approchait du but, plus il sentait l'excitation le gagner. Qui habitait la « maison d'Alice » aujourd'hui ? On était en période de vacances. Peut-être la jeune fille qu'il avait raccompagnée deux ans plus tôt y passait-elle encore Noël avec ses parents ?

— Attendez-moi quelques minutes, demanda-t-il au chauffeur en arrivant au bout de l'impasse du Sans-Souci.

Cette fois, le portail était fermé. Il dut sonner plusieurs fois et montrer patte blanche devant la caméra de surveillance avant qu'on accepte de lui ouvrir le portillon.

Il remonta à pied l'allée de gravier qui traversait la pinède. Des odeurs de thym, de romarin et de lavande flottaient dans l'air. Sur le perron de la maison l'attendait une femme d'une cinquantaine d'années. Elle portait un foulard dans les cheveux, une palette dans la main et quelques traces de pigments colorés sur le visage : il l'avait visiblement dérangée en pleine séance de peinture.

— En quoi puis-je vous aider ? lui demanda-t-elle

avec un fort accent autrichien qui accentuait sa ressemblance avec Romy Schneider.

Elle s'appelait Anna Askin et possédait la maison depuis le printemps 2001. Une propriété qu'elle louait une bonne partie de l'année, le plus souvent à la semaine, à une riche clientèle russe, anglaise et néerlandaise.

Jonathan ne fut qu'à moitié surpris. Ainsi, Alice lui avait menti : ses « parents » n'étaient pas propriétaires de la demeure. Sans doute l'avaient-ils simplement louée le temps de courtes vacances.

— Excusez-moi de vous importuner, mais je cherche à retrouver une famille qui a loué votre maison il y a tout juste deux ans. M. et Mme Kowalski, ça vous dit quelque chose ?

Anna Askin secoua la tête. Le plus souvent, elle ne rencontrait pas les locataires elle-même : féru de domotique, son mari avait entièrement automatisé la maison. Tout fonctionnait par codes et infrarouge, intégrés dans un réseau piloté par un programme informatique.

— Je ne sais plus, mais je peux vérifier.

Elle fit signe à Jonathan de la suivre sur la terrasse. Il l'accompagna jusqu'à un belvédère circulaire qui dominait la mer et les rochers. À côté d'un chevalet, posé sur une table en teck, un ordinateur portable dernier cri diffusait de la musique relaxante. L'Autrichienne ouvrit un tableau Excel qui récapitulait l'historique des locations.

— Mr & Mrs Kowalski, c'est exact. Un couple d'Américains. Ils ont loué la maison quinze jours entre le 21 décembre 2009 et le 4 janvier. C'est étrange parce qu'ils ont avancé leur départ : la maison était vide le 1er au soir.

Ils sont repartis quelques heures seulement après le retour d'Alice, pensa Jonathan.

— Vous avez leur adresse ?

— Non, ils ont tout réglé en liquide : 9 000 dollars qu'ils ont fait parvenir plusieurs semaines à l'avance au bureau de mon mari à New York. Ce n'est pas courant, mais c'est déjà arrivé avec les Américains. Ils ont cette « religion du cash », dit-elle d'un ton un peu dédaigneux.

— Et leur caution ?

— Ils n'en ont jamais demandé le remboursement.

Et merde...

— Enfin, vous avez bien gardé quelque chose !

— Une simple adresse mail. C'est par ce moyen que nous communiquions.

Sans trop d'espoir, Jonathan nota l'adresse de courrier électronique : un compte Hotmail probablement créé à cet unique usage et qui se révélerait impossible à tracer.

Il remercia néanmoins Anna Askin pour sa

coopération et demanda au chauffeur de le reconduire à l'aéroport.

*

14 heures

Jonathan se dirigea vers la banque d'enregistrement Air France pour acheter un billet sur la navette de 15 heures pour Paris. Il passa la zone d'embarquement et patienta en grignotant un club-sandwich dans l'un des restaurants panoramiques qui surplombaient les pistes.

D'ordinaire, il se sentait mal dans les aéroports, mais celui de Nice était différent. Privilégiant la transparence, le terminal avait la forme d'un immense cône de verre aux allures de soucoupe volante. La façade vitrée offrait une vue spectaculaire sur la Grande Bleue, la baie des Anges et les cimes enneigées de l'Esterel. Futuriste et apaisant, le lieu invitait au rêve. La lumière était partout, comme dans un loft aux dimensions infinies flottant entre le ciel et la mer…

Il tira l'élastique pour ouvrir le carnet en moleskine sur lequel il avait noté le compte rendu de sa discussion avec Jim Flaherty. Il consigna ce qu'il venait d'apprendre de la bouche d'Anna Askin tout en ayant conscience qu'il n'avait pas beaucoup avancé. À son tour, l'histoire d'Alice Dixon l'avait pris aux tripes, mais il n'avait pas fait mieux que ceux qui s'étaient penchés sur l'affaire avant lui : plus il enquêtait, plus le mystère s'épaississait et les pistes se multipliaient, plus déroutantes les unes que les autres.

Il prit encore quelques notes, essayant de relier entre eux certains éléments, couchant sur le papier toutes les hypothèses qui lui passaient par la tête. Plongé dans ses pensées, il attendit qu'on appelle son nom pour se lever et rejoindre le comptoir d'embarquement.

Bien conscient que ses déductions se heurtaient à un mur et qu'il ne trouverait pas tout seul la clé de l'énigme, une évidence s'imposa à lui : il devait entrer en contact avec Madeline Greene.

⋆

Aéroport de San Francisco
8 h 45

Avec une fierté non dissimulée, le pilote d'Air China fit remarquer à ses passagers que l'appareil venait de s'immobiliser sur son parking avec cinq minutes d'avance sur l'horaire prévu.

Son sac sur les épaules, Madeline suivit le flot de voyageurs qui se présenta devant les files du bureau d'immigration. Complètement déphasée, elle mit un moment à réaliser qu'il n'était que 9 heures du matin. Lorsqu'on lui demanda son passeport, elle se rendit compte que, dans la précipitation de son départ, elle avait oublié de renseigner le formulaire en ligne ESTA qui autorisait son entrée aux États-Unis !

— Vous étiez à New York il y a quelques jours. Le formulaire est valable deux ans, la rassura l'officier.

Elle poussa un grand « ouf » et essaya de se calmer. N'ayant pas de bagages, elle se rendit directement dans la zone des taxis et donna au chauffeur la seule adresse de Jonathan qu'elle possédait : celle de son restaurant.

Il faisait chaud et ensoleillé. Difficile de croire que, quelques heures plus tôt, elle se trouvait dans la grisaille parisienne. Elle ouvrit même la vitre pour mieux se rendre compte de la douceur du climat.

La Californie...

Elle avait toujours rêvé de s'y rendre, mais elle avait imaginé que ce serait pour des vacances, en compagnie d'un amoureux. Pas comme ça, à l'arrache, en ayant menti à l'homme qui venait de la demander en mariage.

Putain... pourquoi je bousille tout ?

Elle avait mis deux ans pour se reconstruire une

vie stable et sereine, mais ce bel équilibre avait volé en éclats avec le retour sournois des fantômes du passé. En quelques jours, elle avait perdu tous ses repères. Elle se sentait égarée au milieu d'un *no man's land* inquiétant, écartelée entre deux vies dont aucune n'était plus la sienne.

La voiture roula une vingtaine de minutes, traversant la ville depuis les quartiers sud jusqu'à North Beach.

Il était 10 heures lorsque le taxi déposa Madeline devant le restaurant de Jonathan…

★

Pendant ce temps, à Paris

Dix-huit heures. L'avion était parti de Nice avec du retard : une grève impromptue des contrôleurs aériens qui avait immobilisé l'appareil au sol pendant près d'une heure. Puis, une fois à Orly, il avait fallu attendre une bonne quinzaine de minutes l'installation de la passerelle. Il faisait nuit, il faisait froid, il tombait des cordes, le périph était bloqué ; aimable comme une porte de prison, le chauffeur de taxi écoutait la radio à plein volume sans se soucier de son client.

Welcome to Paris !

Jonathan n'avait pas l'âme parisienne. À l'inverse

de New York, de San Francisco ou des villes du Sud-Est, la capitale n'était pas *sa* ville. Il ne s'y sentait pas chez lui, n'y avait pas de bons souvenirs, n'avait jamais voulu y élever son fils.

Une fois la porte d'Orléans franchie, la circulation se fit un peu plus fluide. On approchait de Montparnasse. Il avait vérifié sur « son » téléphone les horaires d'ouverture de la boutique de Madeline. La fleuriste ne fermait son magasin qu'à 20 heures. Dans quelques minutes, il allait donc la revoir, lui parler. Il ressentit un mélange d'excitation et d'appréhension. Jamais il n'avait eu cette impression de connaître autant quelqu'un en l'ayant si peu fréquenté. Il avait suffi de cet échange de téléphones pour qu'il se sente lié à elle d'une façon très forte.

Le taxi dépassa le lion de Belfort de la place Denfert-Rochereau, continua boulevard Raspail puis tourna rue Delambre. Voilà, plus que quelques mètres. Il apercevait déjà la devanture vert amande du magasin qu'il avait vu en photo sur Internet. Planté devant un restaurant de sushis, un camion bloquait la rue. Pressé d'arriver, Jonathan régla sa course et parcourut à pied les quelques mètres qui le séparaient du magasin…

★

San Francisco

En guise de pancarte, une ardoise pendue à la porte du *French Touch* prévenait :

Chers clients,
le restaurant fermera ses portes
jusqu'au 26 décembre inclus.
Nous vous remercions de votre compréhension.

Madeline n'en crut pas ses yeux : Jonathan Lempereur avait posé ses petites vacances ! Elle ne venait tout de même pas de parcourir douze mille kilomètres pour… rien ?

Et merde ! Elle aurait dû être moins impulsive, se renseigner avant d'entreprendre un tel voyage, mais Jim Flaherty lui avait assuré que le restaurateur avait repris son avion la veille au soir.

Elle relut la dernière ligne écrite à la craie :

Nous vous remercions de votre compréhension.

— Ta compréhension ! Tu sais où tu peux te la mettre, ta compréhension ? cria-t-elle sous l'œil médusé d'une petite vieille qui promenait son chien.

★

Paris

Chers amis,
À l'occasion des fêtes de fin d'année
le Jardin Extraordinaire sera fermé du mercredi
21 décembre au lundi 26 décembre inclus.
Bonnes fêtes à toutes et à tous !
Madeline Greene + Jakumi

Incrédule, Jonathan se frotta les yeux : une fleuriste qui fermait son magasin la semaine précédant Noël ! Apparemment, la jeune Anglaise avait succombé au goût immodéré des Français pour les vacances ! Sa consternation se transforma en irritation. Alors qu'il bouillait de colère, il entendit son téléphone sonner dans sa poche. C'était Madeline…

★

Elle : Où êtes-vous ?

Lui : Hé ! ho ! On ne vous a jamais appris à dire bonjour ?

Elle : Bonjour. Où êtes-vous ?

Lui : Et vous ?

Elle : Devant votre restaurant, figurez-vous !

Lui : Hein ?

Elle : Je suis à San Francisco. Dites-moi où vous habitez et je viens vous rejoindre.

Lui : Mais, je ne suis pas chez moi, justement !

Elle : C'est-à-dire…

Lui : Je suis à Paris, devant votre magasin.

Elle :…

Lui :…

Elle : Vous ne pouviez pas me prévenir, bordel ?

Lui : Parce que c'est ma faute ? Je pourrais vous retourner le compliment, je vous signale !

Elle : C'est VOUS qui avez commencé à fouiller dans mon téléphone ! Vous qui vous mêlez de choses qui ne vous regardent pas ! Vous qui avez déterré un dossier qui a bousillé ma vie. Vous qui…

Lui : *ÇA SUFFIT* ! Écoutez, il faut qu'on parle, calmement. En tête à tête.

Elle : À dix mille kilomètres de distance, ça me paraît difficile !

Lui : C'est pour ça qu'on va faire chacun un pas vers l'autre.

Elle :… ?

Lui : Je propose qu'on se retrouve à Manhattan. C'est rapide et, avec le décalage horaire, on peut y être dès ce soir.

Elle : Vous êtes malade ! D'abord, les avions sont pleins, ma carte de crédit est dans le rouge et je vous signale que…

Lui : Il y a un vol United Airlines à 14 h 30. Je l'ai souvent pris pour aller chercher Charly à New York. J'ai un bon paquet de *miles* et c'est moi qui vous offre le billet…

Elle : Vous savez où vous pouvez vous le carrer votre billet ?

Lui : Bon, inutile d'être grossière et de faire votre forte en gueule. Envoyez-moi plutôt votre numéro de passeport, sa date et son lieu de délivrance. J'en ai besoin pour réserver votre trajet.

Elle : Cessez de me donner des ordres et de me parler comme à une ado débile ! Vous n'êtes pas mon père !

Lui : Non, Dieu merci…

Elle : Et cessez vos intrusions dans ma vie privée et dans mes enquêtes !

Lui : Vos enquêtes ? Je vous signale que vous n'êtes plus flic depuis longtemps.

Elle : Je ne comprends pas pourquoi vous me harcelez ni ce que vous cherchez à obtenir. Vous voulez me faire chanter, c'est ça ?

Lui : Ne soyez pas ridicule, je veux juste vous aider.

Elle : Commencez d'abord par vous aider vous-même.

Lui : Qu'est-ce que vous voulez dire ?

Elle : Je veux dire que votre vie est un beau bordel et que votre ex-femme vous cache des choses.

Lui : Qu'est-ce qui vous permet d'affirmer ça ?

Elle : Moi aussi, j'ai fait mes petites recherches…

Lui : Raison de plus pour qu'on se parle, non ?

Elle : Je n'ai rien à vous dire.

Lui : Écoutez, j'ai des informations nouvelles sur Alice Dixon.

Elle : Vous êtes taré…

Lui : Laissez-moi seulement vous expliqu…

Elle : Allez vous faire foutre !

⋆

Elle avait raccroché. Il essaya de la rappeler, mais elle avait coupé son téléphone. Bon Dieu ! elle ne lui facilitait pas la tâche…

Une succession d'éclairs fendit les nuages noirs puis le tonnerre gronda. Il continuait à pleuvoir à torrents. Jonathan n'avait ni parapluie ni capuche, et son manteau était gorgé d'eau. Il essaya de héler un taxi, mais on n'était pas à New York. Dépité, il marcha jusqu'à la station de la gare Montparnasse et prit sa place dans la file. La silhouette noire et solitaire de l'hideuse tour défigurait le ciel parisien. Comme chaque fois qu'il venait dans ce quartier, il se demanda comment on avait pu laisser construire cette carcasse sombre aussi monstrueuse qu'inesthétique.

Il venait de grimper dans le taxi lorsqu'un carillon léger et joyeux annonçant l'arrivée d'un SMS retentit dans la poche humide de son imper.

C'était un texto de Madeline. Il contenait une suite de chiffres et de lettres ainsi que l'inscription : « Délivré à Manchester, le 19 juin 2008 ».

★

À Charles-de-Gaulle, Jonathan prit le vol Air France de 21 h 10. Le voyage dura sept heures cinquante-cinq et l'appareil se posa à New York JFK à 23 h 05.

★

Madeline quitta San Francisco à 14 h 30. Elle avait reçu par mail le billet électronique promis par Jonathan. Le trajet jusqu'à New York dura cinq heures vingt-cinq. Il était 22 h 55 lorsqu'elle atterrit à JFK.

★

New York

À peine débarqué, Jonathan consulta sur les écrans l'historique des arrivées. L'avion de Madeline s'était posé dix minutes avant le sien. Ne sachant où elle l'attendait, il hésita à l'appeler, puis aperçut le restaurant *La Porte du Ciel*, l'enseigne dans laquelle ils étaient entrés en collision.

Peut-être que...

Il s'approcha de la cafétéria et regarda à travers la vitre. Madeline était assise à une table devant un café et un bagel. Il mit un moment à la reconnaître. La *fashion victim* élégante avait cédé la place à une *girl next door* urbaine. Le maquillage avait disparu. Une paire de Converse remplaçait les escarpins, un blouson de cuir avait évincé le manteau Prada et un sac marin informe, posé sur la banquette, avait détrôné les luxueux bagages en toile Monogram.

Noués en chignon, ses cheveux s'échappaient en mèches blondes, cachant partiellement une cicatrice et apportant néanmoins une touche de féminité à sa nouvelle apparence.

Jonathan frappa deux petits coups discrets contre la vitre, comme s'il toquait à une porte. Elle leva les yeux pour le regarder et il comprit tout de suite que la personne qu'il avait devant lui n'avait plus rien à voir avec la jolie jeune femme coquette qu'il avait rencontrée le samedi précédent. La *chief detective* de Manchester avait repris le pas sur la fleuriste parisienne.

— Bonsoir, dit-il en s'approchant de la table.

Les yeux de Madeline étaient rougis par le manque de sommeil et brillaient de fatigue.

— Bonjour, bonsoir… je ne sais plus ni quelle heure il est, ni même quel jour nous sommes…

— Je vous ai rapporté quelque chose, dit-il en lui tendant son téléphone.

À son tour, elle fouilla dans sa poche pour prendre l'appareil de Jonathan qu'elle lança dans sa direction et qu'il attrapa au vol.

Désormais, ils n'étaient plus seuls.

TROISIÈME PARTIE

L'UN POUR L'AUTRE

24

Ce que les morts laissent aux vivants

Ce que les morts laissent aux vivants [...], c'est certes un chagrin inconsolable, mais aussi un surcroît de devoir de vivre, d'accomplir la part de vie dont les morts ont dû apparemment se séparer, mais qui reste intacte.

François CHENG

Manchester
Commissariat de Cheatam Bridge
4 heures du matin

Dans la pénombre de son bureau, Jim Flaherty augmenta la puissance du chauffage d'appoint, mais l'appareil, gracieusement fourni par l'Administration, venait de rendre l'âme et crachait désormais de l'air froid. Tant pis, il en serait quitte pour garder son écharpe et sa veste polaire. En cette veille de réveillon, le commissariat était presque désert. Du côté des interpellations, la nuit avait été calme : le froid qui paralysait le nord-ouest de l'Angleterre avait au moins le mérite de freiner la délinquance.

Un tintement aigu signala l'arrivée d'un mail. Jim leva la tête vers son écran et ses yeux s'illuminèrent. C'était le courrier qu'il attendait : le rapport de l'expert graphologue à qui il avait envoyé la photographie de la serviette en papier confiée par Jonathan Lempereur. La veille, lorsqu'il avait rempli le formulaire officiel, il avait vu sa demande rejetée sous prétexte que l'affaire Dixon était close et que l'Administration n'avait plus ni temps ni argent à lui consacrer. Il avait alors choisi une voie détournée et fait appel à l'une de ses formatrices à l'école de police : Mary Lodge, l'ancienne responsable de l'unité d'expertise « Comparaison d'écritures manuscrites » de Scotland Yard. Elle travaillait aujourd'hui comme consultante à des tarifs prohibitifs, mais avait accepté de lui rendre ce service gratuitement.

Jim lut et relut le courrier avec fébrilité. Les conclusions du rapport étaient ambiguës. Les phrases sur la serviette en papier pouvaient très bien être de la main d'Alice, mais l'écriture change et évolue quand on grandit : la nouvelle calligraphie était plus « mature » que celle des échantillons du journal intime, rendant difficile une identification certaine.

Jim soupira.

Ces putains d'experts ne veulent jamais se mouiller...

Un bruit. Quelqu'un poussa la porte du bureau sans prendre la peine de frapper.

Flaherty leva la tête et plissa les yeux pour reconnaître son collègue, Trevor Conrad.

— Ça caille ici ! remarqua le jeune flic en remontant la fermeture Éclair de son blouson.

— Tu as terminé ? demanda Jim.

— Je te préviens, c'est la dernière fois que tu me fais bosser toute la nuit pour un dossier classé depuis des mois. Relever ces empreintes n'a pas été une mince affaire, crois-moi..., dit-il en lui rendant le sachet en plastique contenant la pièce à conviction, la fameuse serviette en papier tachée de chocolat.

— Tu as trouvé quelque chose d'exploitable ?

— En tout cas, j'ai travaillé comme un malade. J'ai passé ta serviette au DFO. J'ai bien des traces, des fragments, mais tout ça reste très partiel.

Il lui tendit une clé USB en le mettant en garde :

— Je t'ai copié tous les relevés, mais c'est le foutoir : ne t'attends pas à trouver un dactylogramme complet.

— Merci, Trevor.

— Bon, moi je me tire. Avec tes conneries, Connie va encore croire que j'ai une maîtresse, maugréa le jeune inspecteur en quittant la pièce.

Resté seul, Jim inséra la clé USB dans le port de son ordinateur. Trevor était parvenu à isoler une dizaine de fragments, dont deux ou trois semblaient utilisables. Jim les fit glisser sur le bureau de son PC. Il agrandit les clichés et resta un long moment à contempler avec fascination ces entrelacs de courbes, de boucles, de crêtes et de sillons qui parcourent la peau de nos doigts pour donner à chacun d'entre nous sa singularité.

C'est avec appréhension qu'il se connecta au fichier automatisé des empreintes digitales. Il savait que c'était quitte ou double, mais, dans la solitude et le froid de la nuit, il voulait encore croire en sa bonne étoile. Il lança la comparaison des trois formes avec les centaines de milliers contenues dans la base de données. L'algorithme commença son balayage à une vitesse hallucinante. Dans ce domaine, la loi anglaise était l'une des plus exigeantes au monde : elle imposait la présence simultanée de seize points de convergence pour pouvoir authentifier deux empreintes digitales comme identiques.

Soudain, l'écran se figea sur le visage triste d'Alice Dixon.

Jim fut parcouru d'un frisson : les empreintes sur la serviette en papier étaient bien celles de l'adolescente.

Ce Jonathan Lempereur ne lui avait pas raconté de bobards. En décembre 2009, plus de six mois après qu'on lui eut arraché le cœur, Alice Dixon était encore en vie !

Il sentait ses mains trembler et les priorités se bousculer dans sa tête. Il allait faire rouvrir l'enquête. Il allait prévenir son chef, les médias, Madeline. Cette fois, ils allaient la retrouver. Il n'y avait pas un instant à perdre, il…

Le bruit sourd et diffus d'une déflagration rompit le silence de la nuit.

Tirée à bout portant, la balle tua Jim sur le coup.

★

L'ombre s'était glissée par la fenêtre.

Vêtu de la tête aux pieds d'une combinaison noire, le tueur poursuivit la mission pour laquelle on l'avait payé. Il plaça l'automatique dans la main de Jim pour faire croire à un suicide puis, comme on le lui avait demandé, récupéra le plastique contenant la serviette en papier ainsi que la clé USB. Il connecta ensuite un petit disque dur à l'ordinateur du policier défunt et s'en servit pour introduire le virus « Tchernobyl 2012 » : une saloperie foudroyante qui dans un temps record allait infecter les programmes de la machine, effacer le contenu de son disque dur et empêcher la bécane de redémarrer.

L'opération prit moins de trente secondes. À présent, il fallait déguerpir. Le commissariat avait beau être aux trois quarts vide, quelqu'un n'allait pas tarder à débarquer dans la pièce. Le silencieux qui équipait le Beretta était d'une efficacité relative. Il modérait et noyait l'intensité de la détonation sans pour autant la réduire au chuintement bref que l'on entendait dans les films.

L'ombre rembarqua rapidement son matériel. Au moment où elle s'apprêtait à ressortir par la fenêtre, elle entendit le téléphone de Jim vibrer sur le bureau. Elle ne put s'empêcher de jeter un coup d'œil au smartphone : un prénom s'afficha à l'écran.

MADELINE

25

La ville qui ne dort jamais

Les hommes parlent aux femmes pour pouvoir coucher avec elles ; les femmes couchent avec les hommes pour pouvoir leur parler.

Jay McInerney

Pendant ce temps, à New York…

— Rien à faire : Jim ne répond pas, constata Madeline en raccrochant son téléphone tandis que leur taxi se garait devant un petit restaurant de Greenwich Village.

Jonathan lui ouvrit la portière de la voiture.

— Pas étonnant, il est 5 heures du matin à Manchester ! Votre Jim est encore au pieu, c'est tout…

L'enquêtrice suivit le Français à l'intérieur de

la brasserie. Dès leur arrivée, le maître des lieux reconnut l'ancien chef :

— Jonathan ! C'est toujours un honneur, tu sais !

— Content de te revoir, Alberto.

Le patron les installa à une petite table près de la fenêtre.

— Je vous apporte deux *Spécial One*, dit-il en s'éclipsant.

Une nouvelle fois, Madeline appela le numéro de Flaherty, sans plus de succès que précédemment. Quelque chose clochait…

— Jim est un bourreau de travail. Le connaissant, avec ce que vous lui avez raconté, il a dû jouer de toute son influence pour diligenter l'intervention de la scientifique. Et à l'heure qu'il est, il devrait avoir les premiers résultats.

— Nous sommes à deux jours de Noël : les services tournent au ralenti. Vous le rappellerez demain matin.

— Mmm, lui concéda Madeline. Au fait, où avez-vous prévu de me faire dormir ? Parce que je vous préviens, je suis crevée et…

— Ne vous en faites pas : on ira chez Claire.

— Claire Lisieux ? Votre ancienne sous-chef à *L'Imperator* ?

— Oui, elle a un appartement pas loin d'ici. Je l'ai appelée pour lui demander l'hospitalité.

Ça tombe bien : elle n'est pas à New York pour Noël.

— Où travaille-t-elle à présent ?

— À Hong Kong, dans un des restaurants de Joël Robuchon.

Madeline éternua. Jonathan lui tendit un mouchoir en papier. *Alice est peut-être en vie…*, pensa-t-elle, les yeux brillants. Bouleversée par les révélations de Jonathan, elle cherchait à faire taire sa voix intérieure, se forçant à réfréner son excitation, refusant encore de s'enflammer avant d'avoir reçu des preuves tangibles.

— Chaud devant ! cria Alberto en apportant la spécialité de la maison : deux hamburgers saignants dans un pain croustillant agrémentés de petits oignons, de cornichons, et des patates sautées.

Situé au nord de Greenwich Village, à l'angle de University Place et de la 14e Rue, *Alberto's* était l'un des derniers authentiques *diners* de Manhattan. Ouvert 24 heures sur 24, le wagon-restaurant en métal attirait, dans une atmosphère rétro, un flot continu de noctambules venus se régaler d'omelettes, de *French Toasts*, de hot dogs, de gaufres et de *pancakes*.

L'Italo-Américain posa un milk-shake devant chaque assiette.

— Ce soir, vous êtes mes invités. Non, Jonathan,

ne me contredis pas, s'il te plaît ! Ce sera sûrement la dernière fois, d'ailleurs…

— Pourquoi donc ?

— Moi aussi, ils ont eu ma peau ! lança Alberto en désignant une affiche placardée au mur.

L'avis annonçait aux clients qu'en raison d'une augmentation excessive du bail l'endroit vivait ses derniers jours et allait fermer ses portes au printemps.

— Je suis désolé, compatit Jonathan.

— Bah ! j'ouvrirai quelque chose ailleurs, assura-t-il en retrouvant son humeur joviale avant de disparaître dans sa cuisine.

À peine avait-il quitté la table que Madeline se jeta sur son sandwich.

— Je crève la dalle, avoua-t-elle en prenant une bouchée de son *Spécial One*.

Tout aussi affamé, Jonathan ne se fit pas prier pour l'imiter. Ils dégustèrent leur repas en se laissant gagner par le charme du restaurant. C'était un endroit hors du temps qui mélangeait allègrement des éléments Art déco, des chromes rutilants et un mobilier en Formica. Sur le mur, derrière le comptoir, une série de photos dédicacées recensait les célébrités – de Woody Allen au maire de New York – venues y déguster un plat de pâtes ou d'*arancini*. Au fond de la salle, un vieux juke-box diffusait *Famous Blue Raincoat*, l'un des plus beaux titres de Leonard Cohen, malgré sa noirceur et ses paroles obscures.

Du coin de l'œil, Jonathan regardait la jeune Anglaise dévorer son hamburger.

— C'est étrange, la première fois que je vous ai vue, j'aurais juré que vous étiez le genre de nana végétarienne à vous contenter de deux feuilles de salade par jour.

— Comme quoi les apparences…, sourit-elle.

Il était maintenant plus de une heure du matin. Installés l'un en face de l'autre, sur une banquette en moleskine, ils profitaient de ce moment de répit. Malgré la fatigue, tous les deux avaient l'impression de sortir d'une longue hibernation. Depuis quelques heures, une adrénaline nouvelle faisait courir plus vite le sang dans leurs veines. Jonathan avait quitté l'engourdissement et l'aigreur dans lesquels il s'était laissé glisser depuis deux ans. Quant à Madeline, elle avait cessé de se faire croire que sa petite vie sans à-coups la protégerait de ses démons.

Cet instant partagé, un peu irréel, était leur « œil du cyclone » : le grand calme avant le retour d'une tempête qui ne pourrait être que plus brutale et dévastatrice. Ils ne regrettaient pas leur choix, mais ils savaient aussi que l'inconnu s'ouvrait devant eux : le vide, les interrogations, la peur… Que se passerait-il demain ? Vers quoi allait les mener leur enquête ? Sauraient-ils faire face ou bien ressortiraient-ils de cette aventure encore plus abîmés ?

Un portable vibra sur la table. Ils baissèrent les yeux en même temps. Machinalement, ils avaient posé leurs téléphones côte à côte. C'était celui de Jonathan que l'on appelait, mais c'est le prénom « RAPHAËL » qui clignotait sur l'écran.

— Je pense que c'est pour vous, dit-il en lui tendant l'appareil. Vous êtes gonflée de l'avoir rentré dans mon carnet !

— Je suis désolée. Il m'avait demandé votre numéro. Il ne sait pas que j'ai récupéré le mien.

La vibration se prolongeait.

— Vous ne répondez pas ?

— Non, je n'en ai pas le courage.

— Écoutez, ce ne sont pas mes affaires et je ne sais pas exactement ce que vous lui avez dit en partant, mais je pense que vous ne devriez pas laisser votre ami sans nouvelles…

— Vous avez raison : ce ne sont pas vos affaires.

Le portable cessa de tressauter. Jonathan regarda la jeune femme d'un air de reproche.

— Il est au courant que vous êtes ici ?

Elle haussa les épaules.

— Il pense que je suis à Londres.

— Chez votre copine Juliane, c'est ça ?

Elle acquiesça de la tête.

— Il a dû parvenir à la joindre, devina Jonathan. Il sait que vous n'êtes pas avec elle.

— Je l'appellerai demain.

— Demain ? Mais il doit être mort d'inquiétude ! Il va téléphoner aux aéroports, aux commissariats, aux hôpitaux…

— Arrêtez votre cinéma ! Pourquoi pas le plan « alerte enlèvement » tant que vous y êtes ?

— Vous n'avez donc pas de cœur ? pas de compassion pour ce pauvre type qui doit se ronger les sangs ?

— Vous m'emmerdez ! Et puis Raphaël n'est pas un pauvre type !

— Vous êtes vraiment toutes pareilles !

— Ce n'est pas parce que vous avez un problème avec les femmes que je dois en faire les frais !

— Vous n'êtes pas honnête avec lui ! Dites-lui la vérité.

— C'est quoi la vérité ?

— Que vous ne l'aimez plus. Qu'il n'était qu'une roue de secours dans votre vie, une béquille qui…

Elle leva la main pour le gifler, mais il lui attrapa le bras, évitant la claque de justesse.

— Je vous conseille vraiment de vous calmer.

Il se leva, enfila son manteau, attrapa son téléphone et sortit pour fumer une cigarette sur le trottoir.

*

Le néon de l'enseigne brillait dans la nuit. Il faisait un froid de tous les diables, accentué par des bourrasques glaciales. Jonathan joignit les mains pour protéger du vent la flamme de son briquet, mais la tempête était tellement forte qu'il dut s'y reprendre à deux fois avant de parvenir à allumer sa cigarette.

*

Furieuse, Madeline quitta sa place et se fraya un chemin jusqu'au comptoir pour commander un double whisky qu'elle noya dans du jus d'ananas. Dans le juke-box, la voix profonde et rocailleuse de Leonard Cohen avait cédé la place à la guitare rythmique et à la batterie des Beatles. *I Need You*, chantait George Harrison. C'était une mélodie très « années 1960 », légère et naïve, que le « troisième Beatles » avait écrite pour Pattie Boyd, du temps de leurs amours, bien avant qu'elle ne le quitte pour Eric Clapton.

Son cocktail à la main, Madeline revint s'asseoir à sa table. Elle regarda à travers la vitre cet homme étrange qu'elle ne connaissait que depuis une semaine, mais qui, ces derniers jours, avait occupé l'essentiel de ses pensées, au point de l'obséder. Enveloppé dans son manteau, il observait le ciel. La lumière blanche du réverbère lui donnait un air lunaire, vaguement enfantin et mélancolique. Il avait quelque chose de touchant et d'attachant. Un charme simple, un visage qui inspirait confiance. Il dégageait un je-ne-sais-quoi de franc, de sain, de bénéfique. À son tour, il la regarda et c'est là que quelque chose changea. Prise de frissons, elle sentit son estomac se nouer brutalement.

À mesure qu'elle encaissait cette émotion inattendue, son cœur s'emballa, ses jambes tremblèrent, des papillons volèrent dans son ventre.

L'effet de surprise la prit de court. Complètement chamboulée, elle se demanda d'où provenait cette agitation qui la laissait subitement sans repères. Elle ne contrôlait plus rien. Bouleversée, incapable de lutter, elle ne pouvait plus détacher son regard du sien. À présent, son visage lui semblait familier, comme si elle l'avait toujours connu.

★

Jonathan prit une bouffée de sa cigarette et recracha une volute de fumée bleue qui, engourdie par le froid de la nuit, mit une éternité à se dissiper. Sentant le regard de Madeline posé sur lui de l'autre côté de la vitre, il tourna la tête et, pour la première fois, leurs regards se croisèrent vraiment.

Cette femme… Il savait que derrière sa carapace dure et froide se cachait quelqu'un de sensible et de complexe. C'était grâce à elle qu'il était sorti de sa torpeur. À nouveau, il sentit ce lien inédit qui les unissait. Ces derniers jours, ils avaient entrepris un apprentissage accéléré l'un de l'autre. Ils avaient nourri une obsession l'un pour l'autre, pénétrant leurs secrets les plus intimes, mettant à nu leurs failles, leur fragilité, leur ténacité, découvrant des forces et des faiblesses qui semblaient se faire écho.

⋆

Pendant quelques secondes, ils furent unis dans un accord parfait. Un éblouissement, un flash, un instinct de vie. Mesurant le chemin et les risques pris pour arriver jusqu'à l'autre, ils étaient bien obligés d'admettre qu'ils étaient des *twin souls* : des âmes jumelles qui s'étaient reconnues et qui avaient cheminé pour parvenir à la même destination. À présent, il y avait entre eux comme une évidence, un élan, une alchimie. Un sentiment primitif qui remontait aux peurs et aux espoirs de l'enfance. La certitude vertigineuse d'être enfin face à la personne capable de combler leur vide, de faire taire leurs peurs et de guérir les blessures du passé.

*

Madeline capitula et s'abandonna à ce sentiment nouveau. C'était grisant comme un saut dans le vide, sans parachute ni élastique. Elle repensa à leur rencontre. Rien ne serait arrivé sans cette collision à l'aéroport. Rien ne serait arrivé s'ils n'avaient pas échangé leurs téléphones par mégarde. Si elle était entrée dans cette cafétéria trente secondes plus tôt ou trente secondes plus tard, ils ne se seraient jamais croisés. C'était écrit. Un drôle de coup du destin qui avait choisi de les rapprocher dans un moment décisif. L'appel de l'ange, comme disait sa grand-mère…

*

Immobile dans la nuit, Jonathan se laissait dériver, dévoré par une brûlure qui consumait les attaches du passé pour dessiner l'esquisse d'un futur.

La magie dura moins d'une minute. Soudain,

le charme se rompit. Son téléphone sonna dans sa poche.

C'était Raphaël qui retentait sa chance. Cette fois, Jonathan choisit de décrocher. Il rentra dans le restaurant, rejoignit sa table et tendit l'appareil à Madeline.

— C'est pour vous.

Dur retour à la réalité.

*

Vingt minutes plus tard

— Ne faites pas l'enfant ! Vous allez attraper la crève avec votre petit blouson !

Le froid était de plus en plus cinglant. Vêtue d'un simple pull et d'un perfecto, Madeline suivait Jonathan le long de la 14e Rue, mais refusait obstinément d'enfiler le manteau qu'il lui proposait.

— Vous ferez moins la fiérote demain avec 40 de fièvre…

À l'angle de la 6e Avenue, il s'arrêta dans un *deli* pour acheter de l'eau, du café ainsi qu'un gros sac de toile rempli de petit bois et de bûches.

— Comment savez-vous qu'il y a une cheminée ?

— Parce que je connais cette maison, figurez-vous. J'ai aidé Claire à l'acheter en me portant caution.

— Vous étiez très proches tous les deux, n'est-ce pas ?

— C'était une très bonne amie, oui. Bon, vous le mettez ce manteau, oui ou non ?

— Non, merci. C'est vraiment magnifique ici, s'extasia-t-elle en découvrant le quartier.

Dans une ville en perpétuel changement, Greenwich Village représentait une sorte de point fixe préservé de la modernisation. Lorsque Madeline était venue à Manhattan avec Raphaël, ils étaient restés à Midtown, visitant Times Square, les musées et les boutiques autour de la 5e Avenue. Ici, elle découvrait un New York débarrassé de ses gratte-ciel. Un New York plus résidentiel avec ses élégantes *brownstones* aux façades de brique et aux perrons de pierre qui rappelaient les quartiers bourgeois du vieux Londres. Surtout, à l'opposé des voies rectilignes qui quadrillaient le reste de la ville, *The Village* fourmillait de ruelles sinueuses qui suivaient le tracé des anciennes routes pastorales, vestiges du temps où Greenwich n'était qu'un petit bourg rural.

Malgré le froid et l'heure tardive, les bars et les petits restaurants étaient encore animés. Dans les allées bordées d'arbres, ils croisèrent des joggeurs avec leur chien, tandis que des étudiants de la NYU fêtaient le début des vacances de Noël en chantant des *Christmas Carols* sous les réverbères.

— C'est vraiment la ville qui ne dort jamais ! constata-t-elle.

— Oui, sur ce point, la légende ne ment pas… Alors qu'ils arrivaient à Washington Square, Jonathan tourna dans une petite rue pavée dont l'accès était protégé par un portail.

— MacDougal Ailey abritait autrefois les écuries des villas qui bordaient le parc, expliqua-t-il en composant le code pour ouvrir la barrière. Il paraît que ce fut la dernière rue de Manhattan à être éclairée par des réverbères à gaz.

Ils s'avancèrent dans la petite impasse longue d'une centaine de mètres. On avait du mal à croire qu'on était à New York, au début du XXIe siècle, tant l'endroit avait quelque chose de magique et d'intemporel.

Ils s'arrêtèrent devant une maison pittoresque à un étage. Jonathan suivit les instructions de Claire, soulevant le pot en terre cuite posé au pied de la façade sous lequel la gardienne avait laissé un trousseau de clés.

Il activa le disjoncteur pour rétablir la lumière et le chauffage puis prépara du petit bois dans la cheminée. Madeline déambula dans toutes les pièces. La maison avait été rénovée avec goût. Le mobilier était moderne, mais on avait conservé certains éléments d'origine comme les murs en brique rouge, les poutres apparentes et un étonnant puits de lumière qui donnait à l'endroit son côté féerique.

Curieuse, la jeune Anglaise regarda les photos accrochées aux murs. Claire Lisieux était une jolie fille, grande et sportive. Elle en fut immédiatement jalouse.

— Vous ne trouvez pas étrange d'être présent sur plus de la moitié des clichés exposés dans cette maison ?

— Comment ça ? demanda Jonathan en craquant une allumette pour enflammer le petit bois.

— Vous êtes partout : Claire et Jonathan aux fourneaux, Claire et Jonathan au Fish Market, Claire et Jonathan chez Dean and Deluca, Claire et Jonathan au marché bio, Claire et Jonathan posant avec telle ou telle célébrité…

— C'est mon amie. Normal qu'elle ait gardé des souvenirs.

— À part son père, vous êtes le seul homme sur toutes ces photos !

— Vous me faites une scène, là ?

— C'était qui cette fille ? Votre maîtresse ?

— Non ! Vous allez me poser la question combien de fois ?

— Pourtant, elle était amoureuse de vous, c'est évident.

— Je n'en sais rien.

— Moi, je vous le dis.

— Qu'est-ce que ça change ?

— Après votre séparation, vous auriez pu vous rapprocher d'elle. Elle est jeune, belle comme un astre, visiblement intelligente…

— Bon, ça suffit.

— Non, expliquez-moi.

— Il n'y a rien à expliquer.

— Vous voulez que je le fasse, moi ? le défia-t-elle en se penchant vers l'avant.

— Non, pas vraiment.

Jonathan essaya de reculer, mais il était dos à la cheminée et le feu commençait à prendre.

— Je vais le faire quand même ! Claire Lisieux est parfaite : c'est une fille douce, gentille et sérieuse. Elle serait la mère idéale si vous deviez avoir d'autres enfants. Vous l'appréciez et la respectez beaucoup, mais… comment dire ?… Ça serait trop facile, trop harmonieux…

Madeline s'était encore, rapprochée. À présent, ses lèvres n'étaient plus qu'à quelques centimètres de celles de Jonathan. Elle continua :

— Or ce n'est pas ce que vous recherchez dans l'amour, n'est-ce pas ? Vous, il vous faut de la passion, de la bagarre, de la conquête. En résumé, Claire n'est pas une femme pour vous…

Jonathan hésita à répondre. Il sentait le souffle

de Madeline se mêler au sien. Elle poussa la provocation à son paroxysme :

— Et moi ? Je suis une femme pour vous ?

Il plaqua son corps contre le sien et l'embrassa.

*

Jonathan n'avait plus fait l'amour depuis sa rupture avec Francesca. C'est donc maladroitement qu'il retira son blouson à la jeune femme et la débarrassa de son pull. Elle lui déboutonna sa chemise tout en lui mordant le cou. Il se dégagea pour mieux caresser son visage et goûter à ses lèvres. Elle avait une odeur fraîche et vibrante d'agrumes, de menthe et de lavande.

Le corps délicat et élancé de Madeline s'enroula autour de lui et ils tombèrent tous les deux sur le canapé. Leurs hanches ondulèrent. Leurs corps se mélangèrent pour former une sculpture en mouvement, tout en courbes et en creux, qui ondoyait dans le clair-obscur de la lune.

Leurs cheveux, leurs odeurs, leurs peaux, leurs lèvres se mêlèrent. Les yeux accrochés au visage de l'autre, ils se laissèrent envahir par le plaisir.

Dehors, la vie continuait, dans la ville qui ne dort jamais.

26

La fille aux yeux de Modigliani

Non sum qualis eram[1].

HORACE

Pendant ce temps, à la Juilliard School,
la plus prestigieuse école artistique de New York

— Je viens de recevoir un texto de Luke ! s'exclama Lorely en ouvrant la porte de la salle de bains et en agitant son portable sous les yeux de sa colocataire.

La tête penchée sur le lavabo, sa brosse à dents dans la main, Alice demanda :

— Kechkilteuveu ?

— Pardon ?

La jeune fille se rinça la bouche et articula :

1. *Je ne suis plus ce que j'étais.*

— Qu'est-ce qu'il te veut ?

— Il m'invite à dîner demain soir au *Café Luxembourg* !

— Veinarde ! Tu ne trouves pas qu'il a un air de Ryan Reynolds ?

— En tout cas, il a un joli p'tit cul ! gloussa Lorely en refermant la porte.

Restée seule, Alice se regarda dans le miroir en se démaquillant avec une lingette. La glace lui renvoya l'image d'une jolie jeune fille de dix-sept ans, au visage fin encadré de cheveux blonds. Elle avait un grand front dégagé, une bouche mutine et des pommettes hautes. Ses yeux bleu-vert très sombres contrastaient avec son teint de porcelaine. Ici, à l'école, à cause de son physique et de son nom, tout le monde pensait qu'elle avait des origines polonaises. Elle s'appelait Alice Kowalski. Du moins, c'était ce qui était inscrit sur sa carte d'identité…

Elle termina sa toilette puis joua encore quelques secondes avec son image, s'amusant à changer très vite d'expression. Comme lors des exercices qu'elle faisait pour ses cours d'art dramatique, elle se composa une moue boudeuse, lançant un regard tour à tour timide puis provocant.

Elle rejoignit Lorely dans la grande chambre qu'elles partageaient. Tout excitée par son prochain rendez-vous, la jeune cantatrice afro-américaine avait mis Lady Gaga à fond et essayait devant la psyché différentes tenues : robe noire et perfecto en tweed pour jouer à la Gossip Girl, robe *vintage* un peu gypsy, jean Chloé et top coloré à la Cameron Diaz…

— Je suis crevée, avoua Alice en se pelotonnant sous les couvertures.

— C'est normal. Ce soir, tu étais la reine du bal !

La belle soprano faisait référence au spectacle de fin d'année qu'avaient donné les élèves de leur section : une représentation de *West Side Story* dans laquelle Alice avait tenu le rôle de Maria.

— Vraiment, tu m'as trouvée bien ?

— Rayonnante ! tu es aussi douée pour la comédie musicale que pour le violon.

Le rose aux joues, Alice la remercia. Pendant un bon quart d'heure, les deux jeunes filles papotèrent, refaisant le film de la soirée.

— Merde, j'ai oublié mon sac dans le vestiaire de l'auditorium ! réalisa brusquement Alice.

— Pas grave, tu le reprendras demain, non ?

— Le problème, c'est qu'il y a mes médocs dedans.

— Les trucs que tu prends pour éviter le rejet de ta greffe ?

— Surtout mes pilules contre l'hypertension, précisa-t-elle en s'asseyant en tailleur sur son lit.

Perplexe, elle s'accorda quelques secondes de réflexion, puis :

— J'y vais ! décida-t-elle en sautant sur le sol.

Elle enfila un bas de survêtement directement sur sa nuisette et ouvrit son placard pour attraper un pull.

D'instinct, elle choisit le dernier posé sur la pile : un sweater molletonné à capuche en coton rose et gris orné de l'écusson de Manchester United. Le seul vestige de sa vie d'avant.

Elle chaussa une paire de baskets en toile, sans se soucier d'en nouer les lacets.

— J'en profiterai pour m'arrêter au distributeur, décida-t-elle. J'ai envie d'Oreo et d'un lait fraise.

— Tu me prends un paquet de gaufres ? demanda sa *roommate*.

— D'ac'. À tout'.

⋆

Alice sortit de la chambre. Dans le couloir, l'ambiance était à la détente. En cette veille de vacances scolaires, une atmosphère festive régnait à l'internat. La résidence universitaire abritait plus de trois cents étudiants sur les douze derniers étages du Lincoln Center : des futurs danseurs, acteurs et musiciens de cinquante nationalités différentes !

Bien qu'il ne fût pas loin de 2 heures du matin, les élèves passaient de chambre en chambre. Beaucoup faisaient leur valise avant de quitter l'école le lendemain pour passer Noël dans leur famille.

Une fois dans le hall, Alice appela l'ascenseur. En patientant, elle regarda par la fenêtre les lumières des buildings qui se reflétaient sur le fleuve. Elle était encore dans l'euphorie du spectacle et fit un petit pas de danse. Plus que jamais, en cette fin d'année, elle éprouvait une sorte de gratitude envers la vie. Que serait-elle devenue si elle était restée à Manchester ? Serait-elle seulement encore en vie à l'heure actuelle ? Probablement pas. Ici, à Manhattan, elle s'était épanouie et, malgré les séquelles de la transplantation cardiaque, vivait sur un nuage. Elle, la petite fille de Cheatam Bridge, avait tenu ce soir le rôle principal d'un spectacle de la plus prestigieuse école artistique de New York !

Elle fut soudain traversée par un frisson et plongea les mains dans les poches de son pull. Le vieux sweat rose raviva des souvenirs, et des images de son ancienne vie traversèrent sa tête en rafale : sa mère, son quartier, son école, la misère, les bâtiments pourris, la pluie, la solitude terrible et la peur qui ne la quittait jamais. Aujourd'hui, elle avait souvent le sommeil agité, mais elle ne regrettait pas sa décision. Et elle ne la regretterait jamais.

Ici, à la Juilliard School, tout le monde était passionné par l'art et la culture. Les gens étaient ouverts aux idées, tolérants, originaux et stimulants. La vie était facile et les installations propices au travail : si elle le voulait, elle pouvait répéter son violon en pleine nuit, dans des salles insonorisées présentes à chaque étage. L'école bénéficiait de plusieurs auditoriums et salles de spectacle, d'une clinique de physiothérapie, d'un centre de *fitness*...

Lorsque l'ascenseur arriva enfin, Alice appuya sur le bouton du douzième étage où se trouvait la grande salle de séjour commune. Le coin salon était encore animé : quelques élèves regardaient un concert sur un écran géant, d'autres jouaient au billard, certains, attablés le long du bar de la cuisine communautaire, se partageaient des *cupcakes* de chez Magnolia Bakery.

— Pas de chance ! lâcha-t-elle, dépitée, en constatant que les distributeurs automatiques avaient été dévalisés.

— Qu'est-ce qui ne va pas, ma petite demoiselle ? demanda l'un des vigiles.

— Mes biscuits fétiches sont en rupture de stock !

L'endroit était surveillé 24 heures sur 24 par un important dispositif. À Juilliard, on ne plaisantait pas avec la sécurité : l'école accueillait des enfants de diplomates, de têtes couronnées et même la fille d'un président en exercice.

Avant de retourner vers la batterie d'ascenseurs, Alice acheta sa boisson ainsi que le paquet de gaufres pour Lorely. Elle se rendit cette fois aux niveaux inférieurs, où se trouvaient les salles de concert. Au deuxième étage, quand les portes s'ouvrirent, Alice découvrit une immense silhouette sombre qui l'attendait. Un homme cagoulé pointait un pistolet dans sa direction. Elle eut un mouvement de recul, poussa un cri étouffé, mais il s'avança et ouvrit le feu.

27

Captive

Personne ne peut porter longtemps le masque.

SÉNÈQUE

Les deux dards du Taser frappèrent Alice au bas de l'abdomen, libérant une décharge électrique qui la foudroya. Paralysée, l'adolescente s'écroula sur place, le souffle et les jambes coupés, le système nerveux bloqué.

Son agresseur fut sur elle dans la seconde. Il l'attrapa à la gorge et lui enfonça brutalement un mouchoir dans la bouche, avant de la bâillonner avec un chèche. Les portes de l'ascenseur se refermèrent. Il appuya sur un bouton pour accéder aux sous-sols et, pendant la descente de l'appareil, plaqua Alice au sol. Avant qu'elle ne reprenne ses esprits, il la retourna à plat ventre, lui attachant les poignets et les chevilles à l'aide de deux colliers serre-flex en Nylon qu'il sangla au maximum.

En quelques secondes, ils furent au parking. L'homme, la tête toujours couverte de sa cagoule, empoigna Alice comme un sac et la hissa sur son épaule. Encore dans les vapes, elle tenta mollement de se débattre, mais plus elle remuait, plus le type resserrait son emprise. Ses bras étaient puissants comme de lourdes mâchoires capables de lui broyer les os. Comment avait-il réussi à se jouer d'un système de sécurité si sophistiqué ? Comment avait-il su qu'Alice prendrait l'ascenseur *à ce moment précis* ?

Dans la pénombre, ils traversèrent l'espace de stationnement jusqu'à un pick-up Dodge de couleur bordeaux. Avec sa calandre monstrueuse, ses vitres teintées, ses chromes rutilants et ses roues arrière dédoublées, l'engin avait une allure effrayante. L'homme précipita Alice sur la banquette arrière, séparée du conducteur par une plaque de Plexiglas comme on en trouve dans les taxis. Il s'installa au volant et quitta le parking sans être inquiété, grâce à un badge électromagnétique.

Dès qu'il rejoignit l'extérieur, l'inconnu retira sa cagoule, permettant à Alice d'apercevoir son visage dans le rétroviseur central. C'était un homme aux cheveux ras, aux yeux vitreux et aux grosses joues flétries et couperosées. Elle ne l'avait jamais rencontré auparavant. La camionnette se fondit dans la circulation pour rejoindre Broadway avant de tourner sur Columbus Avenue.

★

Les genoux tremblants, le cœur battant, Alice commençait à peine à émerger de l'état catatonique dans lequel l'avaient plongée les impulsions électriques du Taser. Gagnée par la panique, elle s'efforça néanmoins d'apercevoir par la fenêtre le trajet emprunté par son ravisseur. Tant qu'ils restaient dans les quartiers « touristiques », elle gardait un espoir. Avec ses pieds, elle essaya de tambouriner contre la vitre, mais le lien qui lui retenait les chevilles ne lui permettait pas la moindre latitude de mouvement. Terrorisée, elle s'étouffait avec ce bâillon qui lui coupait la respiration. Elle fit une tentative pour libérer ses mains, mais les cordes en Nylon pénétrèrent douloureusement dans ses poignets.

La voiture descendit la 9e Avenue jusqu'à la 42e Rue. Ils étaient à présent du côté d'Hell's Kitchen – la cuisine du diable. Alice essaya de se raisonner :

Calme-toi ! Respire par le nez ! Garde ton sang-froid !

Elle n'allait pas mourir. Du moins, pas tout de suite. S'il avait voulu la tuer, l'homme l'aurait déjà fait. Il n'allait sans doute pas la violer non plus. Un détraqué voulant assouvir une simple pulsion n'aurait pas pris autant de risques en pénétrant dans un bâtiment aussi surveillé que Juilliard.

Qui était cet homme, alors ? Quelque chose l'avait marquée : il avait pris soin de ne pas l'atteindre au thorax avec son arme, préférant viser l'abdomen.

Il sait que j'ai été transplantée et qu'une décharge électrique trop près du cœur aurait pu me tuer...

Sans connaître encore les motivations de son ravisseur, Alice avait déjà compris que, ce soir, son passé la rattrapait.

L'homme conduisait prudemment, gardant sa droite, attentif à ne pas dépasser la vitesse autorisée pour éviter tout contrôle de police. Il avait rejoint l'extrémité ouest de la ville et descendait vers le sud en longeant le fleuve. Ils roulaient depuis moins d'un quart d'heure lorsque le pick-up s'engouffra dans le tunnel de Brooklyn Battery.

Mauvais signe, on quitte Manhattan...

Ils venaient de dépasser le péage lorsque le

téléphone de l'inconnu retentit. Il décrocha à la première sonnerie, grâce à un kit mains libres branché sur un ampli, permettant à Alice de saisir la plus grande partie de la conversation :

— Alors, Youri ? demanda la voix.

— Je suis sur la route. Tout s'est déroulé comme prévu, annonça-t-il avec un accent russe à couper au couteau.

— Tu ne l'as pas trop abîmée ?

— J'ai suivi les instructions.

— D'accord. Tu sais ce qui te reste à faire ?

— Oui, répondit le Russe.

— N'oublie pas de la fouiller et débarrasse-toi du pick-up.

— Compris.

La voix au téléphone... C'était celle de... Non, ce n'était pas possible...

Tout s'éclairait à présent. Le cœur d'Alice battit encore plus vite, car elle venait de comprendre que le danger était plus grand qu'elle ne l'avait imaginé.

Sous le coup de la panique, le bâillon la fit de nouveau suffoquer. Elle se força à respirer lentement. Il fallait absolument qu'elle tente quelque chose.

Mon mobile !

En essayant de ne pas attirer l'attention, Alice se contorsionna pour extirper son portable de la poche arrière de son survêtement. Malheureusement, ses poignets entravés rendaient tout mouvement difficile, surtout sous la surveillance quasi constante de « Youri » qui jetait de fréquents coups d'œil dans le rétroviseur. Pourtant, à force de patience et d'obstination, elle réussit à s'emparer de son appareil et à le déverrouiller. À l'aveugle, elle avait déjà composé les deux premiers chiffres du 911 lorsque le Dodge pila brutalement. Le téléphone gicla des mains d'Alice pour être projeté sous le siège de la banquette.

— Гандон ! jura le Russe à l'intention du motard qui venait de griller le feu.

Ficelée comme un saucisson, Alice ne pouvait plus rien faire : l'appareil était définitivement hors de sa portée.

Ils roulèrent encore une bonne quinzaine de minutes, s'enfonçant dans la nuit en direction du sud. Où allait-on ? Elle était persuadée qu'ils avaient déjà quitté Brooklyn depuis un moment lorsqu'elle aperçut le panneau de Mermaid Avenue, l'une des principales artères de Coney Island.

Elle eut un fol espoir lorsqu'ils croisèrent une voiture de police qui patrouillait dans Surf Avenue, mais les deux flics se garèrent devant la baraque de *Nathan's Famous* pour se bâfrer de hot dogs. Ce n'était pas d'eux qu'elle devait attendre son salut.

Le Russe tourna dans une impasse obscure et éteignit ses phares. Pas d'autre voiture en vue. Il avança jusqu'à un bâtiment délabré et coupa le contact.

Après avoir vérifié que l'endroit était désert, Youri ouvrit l'une des portes arrière du Dodge pour libérer la jeune fille.

D'un coup de couteau, il fit sauter les liens qui entravaient ses chevilles.

— Avance !

Alice entendit le bruit des vagues et sentit l'air salin balayer son visage. Ils se trouvaient au milieu d'une zone lugubre et désolée, proche de l'Atlantique. Il régnait sur la presqu'île une ambiance funèbre, loin des gratte-ciel de Manhattan et de l'agitation du Brooklyn branché. Au début du XXe siècle, Coney Island hébergeait pourtant une immense fête foraine. Ses attractions réputées pour leur originalité attiraient plusieurs millions de touristes venus des quatre coins des États-Unis. Ses manèges vibraient au rythme des flonflons et de l'effervescence. Sa grande roue était la plus haute du pays, son grand huit le plus rapide, ses trains fantômes les plus effrayants et son *Freak Show* exhibait les monstres les plus difformes. Suspendu à un câble, on pouvait même sauter en parachute du haut d'une gigantesque tour.

Mais cette époque glorieuse était loin. En cette froide nuit de décembre, le lieu n'avait plus rien de sa splendeur et de sa magie d'antan. Dès les années 1960, l'endroit avait amorcé son déclin, incapable de résister à l'ouverture de Disneyland et autres parcs à thème plus modernes. Aujourd'hui, la zone n'était plus qu'une succession de terrains vagues, de parkings grillagés, de hautes tours d'habitation décaties. Seule une poignée de manèges continuait à tourner pendant les mois d'été. Le reste de l'année, les attractions donnaient l'impression de pourrir sur place, rongées par la rouille et la crasse.

— Tu essaies de fuir, et je t'égorge comme un agneau, prévint Youri en plaçant la lame de son poignard sur le cou d'Alice.

★

Il l'entraîna sur un terrain boueux, protégé par de hautes palissades taguées, où couraient une meute de chiens déchaînés. Des dogues allemands au poil jaune dont les yeux fous irradiaient dans la nuit. Leur maigreur soulignait un manque de nourriture évident qu'ils compensaient par une agressivité et des aboiements effrayants. Youri lui-même eut du mal à faire taire ses molosses. Il pressa Alice jusqu'à un entrepôt désaffecté dont il ouvrit la porte, et força sa proie à descendre un escalier métallique conduisant à un tunnel étroit. Un courant d'air glacial s'engouffra avec eux dans l'espace resserré. Le passage était tellement sombre que le Russe fut obligé d'allumer une lampe-torche. Des tuyaux et des canalisations de toutes tailles parcouraient le souterrain. De vieux moteurs ainsi que d'antiques compteurs électriques étaient empilés le long du trajet. Sur un mur, on avait entreposé un panneau en bois peint représentant des dizaines de monstres et qui promettait THE SCARIEST SHOW IN TOWN : une publicité pour l'un de ces trains fantômes qui pullulaient dans le parc cinquante ans plus tôt. Visiblement, ils se trouvaient dans la salle des machines d'un ancien manège.

La lumière était faible. Leurs ombres dansaient sur la paroi. La lueur de la lampe se reflétait dans des flaques d'eau croupissante. Au bout du souterrain, ils dérangèrent un groupe de gros rats qui, dans leur panique, se mirent à couiner et à courir dans tous les sens. Des larmes coulaient sur les joues d'Alice. Elle eut un mouvement de recul, mais Youri la menaça à nouveau de sa lame pour la forcer à emprunter une rampe en colimaçon qui menait dans les profondeurs de l'entrepôt. Là, ils dépassèrent une dizaine de portes en ferraille qui se succédaient le long d'un corridor en cul-de-sac.

En traversant les ténèbres, Alice s'enfonçait dans sa peur, sentant un gouffre se creuser dans son estomac.

Au bout du couloir, ils arrivèrent devant le dernier rectangle métallique. Youri sortit un trousseau de sa poche et ouvrit la porte de l'enfer.

⋆

À l'intérieur, il faisait un froid polaire. L'obscurité était totale. Youri approcha sa torche pour trouver l'interrupteur. Un néon poussiéreux répandit péniblement une lumière blafarde, révélant une petite pièce aux murs décrépis. Il y flottait une odeur de moisi et d'humidité. Soutenue par des piliers métalliques rouillés, la cave avait un plafond bas qui aurait donné à n'importe qui un sentiment de claustrophobie. Le local était aussi insalubre que spartiate : à droite, une cuve de toilette répugnante et un petit lavabo encrassé ; à gauche, un lit de camp en acier.

Sans ménagement, le Russe poussa Alice dans la salle exiguë. Elle tomba sur le sol poreux où de l'eau suintante rendait la surface spongieuse et repoussante.

Malgré ses mains entravées, Alice parvint à se relever et assena de toutes ses forces un coup de pied rageur dans l'entrejambe de son ravisseur.

— Сволочь[1] ! cria la brute en encaissant.

Il recula, mais il en fallait plus pour le mettre à terre. Avant qu'Alice puisse armer un autre coup, il se rua sur elle, lui enfonçant un genou dans le coccyx pour la plaquer au sol, manquant de lui déboîter l'épaule.

Alice suffoqua. Il y eut quelques secondes confuses, puis elle entendit un cliquetis et se retrouva menottée à une épaisse canalisation qui courait le long du mur.

Se rendant compte que le mouchoir était en train de l'étouffer, Youri la délivra de son morceau de tissu. En larmes, la jeune fille eut un long accès de toux avant de reprendre son souffle, respirant avec avidité l'air raréfié.

Youri avait retrouvé de sa superbe, prenant plaisir à contempler la souffrance de sa victime.

— Essaie encore de me frapper ! plaisanta-t-il.

Alice hurla. Le cri comme dernière arme. Elle avait beau savoir qu'à cette profondeur, et compte tenu de l'isolement de l'endroit, personne ne pouvait l'entendre, elle mit toute l'énergie de son désespoir à crever le silence de la nuit.

Le Russe prit son pied pendant une longue minute. Tout l'excitait : la peur de la fille, l'étroitesse et l'obscurité de l'endroit, la sensation de

1. *Salope !*

puissance qu'il sentait monter en lui. Mais il se méfia de son désir. On lui avait bien dit de ne pas violer la gamine *pendant les trois premiers jours*. Après, il pourrait en faire ce qu'il voudrait...

*

À présent, Alice s'époumonait, mais bientôt ses cris se changèrent en crise de larmes. Youri jugea que la plaisanterie avait assez duré. Il fouilla dans sa poche et en tira un épais rouleau de chatterton dont il se servit pour museler l'adolescente. Par sécurité, il lui lia de nouveau les chevilles avant de l'abandonner à son sort en refermant la porte métallique derrière lui.

Il fit le chemin inverse, remonta la rangée de caves, la rampe en spirale, le tunnel glacial, l'escalier en acier. Il rejoignit enfin la surface et la meute de chiens qu'il affamait volontairement pour éloigner d'éventuels curieux. Maintenant, pour brouiller les pistes, il devait se débarrasser du Dodge. Il avait la possibilité de le brûler sur un terrain vague, mais c'était risqué car il pouvait se faire repérer par une patrouille de flics. Le plus simple était encore de l'abandonner quelque part dans le Queens. Avec des jantes de vingt pouces et son pare-chocs de tank, il représentait le top de la frime et du « bling-bling ». Le genre de caisse haut de gamme qui intéressait les voleurs. *A fortiori* si on laissait les clés sur le tableau de bord…

Satisfait d'avoir pris sa décision, il arriva dans la ruelle où il était garé pour constater que…

… la voiture n'était plus là !

Il regarda autour de lui. Tout était désert. Il tendit l'oreille. On n'entendait que le bruit des vagues et du vent qui faisait grincer les manèges.

Youri resta un long moment immobile, interloqué par la rapidité avec laquelle on avait subtilisé le véhicule. Devait-il s'en inquiéter ou s'en réjouir ? Surtout, devait-il prévenir son patron ? Il décida de ne rien dire. On lui avait demandé de faire disparaître la voiture et la voiture avait disparu. Voilà tout.

L'important, c'était d'avoir la fille…

28

Francesca

Quand tu aimes quelqu'un, tu le prends en entier, avec toutes ses attaches, toutes ses obligations. Tu prends son histoire, son passé et son présent. Tu prends tout, ou rien du tout.

R.J. ELLORY

Greenwich Village
5 heures du matin

Jonathan se réveilla en sursaut, la tête posée au creux de l'épaule de Madeline. Malgré la brutalité avec laquelle il était sorti du sommeil, il se sentait étonnamment bien. La maison s'était réchauffée. Du dehors montaient le bruit du vent et les palpitations de la ville. Il regarda l'heure, mais pendant un moment resta allongé, blotti contre le corps doux et brûlant. Puis il se fit violence et quitta en silence la bulle chaude de son amour naissant.

Il enfila son pull et son jean avant de fermer la porte de la chambre pour descendre au salon. De la poche de son manteau, il sortit la photocopie que Madeline lui avait donnée la veille : le courrier électronique volé dans l'ordinateur de George.

De : Francesca DeLillo
À : George LaTulip
Objet : Re :
Date : 4 juin 2010 19 : 47
George,
Je t'en supplie, renonce à ton projet d'aller voir Jonathan à San Francisco. Nous avons pris la bonne décision. Il est trop tard pour avoir des remords, je croyais que tu avais compris en lisant la presse… Oublie Jonathan et ce qui nous est arrivé. Laisse-le se reconstruire.
Si tu lui avoues la vérité, tu vas nous mettre tous les trois dans une situation dramatique et tu vas tout perdre : ton boulot, ton appartement, ton petit confort.
F.

Jonathan s'installa au bureau de chêne sur lequel trônait l'ordinateur. Claire devait avoir l'habitude de prêter son appartement à des amis : un papillon adhésif scotché à l'écran indiquait le mot de passe pour ouvrir une session « invité ». Jonathan se connecta à Internet et prit le temps de relire le message. Ainsi, Francesca ne l'aurait pas trompé avec George… Il avait encore du mal à le croire. Pourquoi avoir monté de toutes pièces ce scénario sordide ? Pour protéger quel autre secret ?

En lisant le mail une troisième fois, il surligna la phrase « je croyais que tu avais compris en lisant la presse… ». À quoi Francesca faisait-elle allusion ? Le mail datait du mois de juin. Madeline lui avait confié qu'elle avait épluché des articles de journaux parus les mois précédents en croisant les noms de Francesca et de George sans trouver de piste concrète.

Il écrasa un bâillement, se leva pour préparer du café avant de se mettre au travail et de compulser à son tour les archives de la presse en ligne. L'explication de ce mystère était forcément là. Au bout d'une heure, il tomba sur un étrange article du *Daily News* :

BAHAMAS :
LE CORPS D'UN FINANCIER RETROUVÉ DANS L'ESTOMAC D'UN REQUIN !

Parti à la pêche au mérou au large de l'île de Columbus, un plaisancier a fait ce jeudi une macabre découverte en capturant un requin dans ses filets.

Alors qu'il le hissait sur son embarcation, le squale a recraché un long morceau d'os qui ressemblait fort à un humérus. Intrigué, l'homme a prévenu les gardes-côtes qui ont ouvert le ventre de l'animal pour y trouver d'autres fragments de squelette humain, notamment un bout de cage thoracique et une mâchoire. Grâce à l'analyse de l'ADN extrait des os, la police bahamienne a pu identifier le cadavre. Il s'agirait du *businessman* américain Lloyd Warner, vice-président du complexe hôtelier de luxe Win Entertainment. Âgé de quarante-cinq ans, M. Warner n'avait plus donné signe de vie depuis le 28 décembre dernier, où il a été aperçu à l'aéroport de New York dans une boutique de prêt-à-porter, de retour des Bahamas justement.

Jonathan n'en crut pas ses yeux. Lloyd Warner était mort depuis deux ans et il ne l'apprenait qu'aujourd'hui ! Lloyd Warner, le directeur financier de Win Entertainment… L'homme qui avait précipité sa chute en refusant de rééchelonner la dette du groupe *Imperator*. En un éclair, le souvenir d'heures sombres remonta à la surface : le cercle vicieux de l'endettement, la faillite de son entreprise, les difficultés financières dans lesquelles s'était débattue Francesca pour lutter contre la prise de contrôle de Warner et de ses vautours, leurs anciens associés qui s'étaient mués en prédateurs.

Était-ce à cet article que faisait allusion son ex-femme dans son mail à George ? Avait-elle joué un rôle dans la mort de Lloyd Warner ? Mais dans quel but, puisque cet acte n'avait aucunement empêché la faillite de leur entreprise ?

Décontenancé par sa découverte, Jonathan imprima à la hâte l'extrait de journal et griffonna quelques mots sur l'ardoise murale à destination de Madeline. Puis il enfila son manteau avant d'attraper les clés de voiture pendues près de la porte.

★

Dès son arrivée, Jonathan avait repéré la Smart vert amande de Claire garée dans l'impasse privée. Le froid était de plus en plus vif. Il démarra la petite voiture et fit chauffer le moteur en écoutant sur une station d'info le début du flash :

« … poursuite aujourd'hui en Californie du procès de la Mexicaine Jezebel Cortes, l'héritière du chef d'un cartel de la drogue. Surnommée "La Muñeca", elle est la fille du parrain... »

Mais il n'avait pas l'esprit à s'infliger la litanie de tous les malheurs du monde. Il coupa l'autoradio et s'engagea dans Grove Street. À cette heure très matinale, la circulation était fluide. La 7e Avenue, Varick puis Canal Street… Il retrouvait la géographie new-yorkaise, parcourant un trajet qu'il avait effectué des centaines de fois lorsqu'il habitait ici.

Au milieu du flot de taxis jaunes, il remarqua la Ferrari noire dans son rétroviseur. Même quand il avait de l'argent, il n'avait jamais été un passionné de bagnoles, mais celle-ci était différente. Son père lui avait offert le modèle réduit lorsqu'il était enfant : une 250 GT California Spyder à châssis court. L'une des voitures les plus rares et les plus belles de l'histoire, produite à seulement quelques dizaines d'exemplaires au début des années 1960. Il eut à peine le temps de tourner la tête que le cabriolet déboîta sur sa droite et plaça une accélération foudroyante avant de disparaître en fonçant vers SoHo.

Quel malade…

TriBeCa avait beau être l'un des quartiers les plus chers de Manhattan, Jonathan ne s'y était jamais vraiment senti à l'aise, trouvant l'endroit dépourvu de charme et d'harmonie.

Il prit la première place qui se présenta aux abords de l'immeuble où vivait son ex-femme.

L'*Excelsior*, une imposante résidence d'une quinzaine d'étages, datait des années 1920. Récemment, les promoteurs s'étaient emparés de cet ancien hôtel Art déco pour le rénover et le transformer en lofts *high-tech* à destination d'une clientèle multimillionnaire.

— Hello Eddy ! lança-t-il en entrant dans l'immeuble.

Sanglé dans un uniforme marron à galons dorés, le portier mit plusieurs secondes pour le reconnaître.

— Monsieur Lempereur ! Ça, pour une surprise…, lâcha-t-il en réajustant sa casquette.

— J'aimerais voir Francesca. Pouvez-vous la prévenir que je suis dans le hall ?

— C'est qu'il est encore tôt…

— J'insiste, Eddy, c'est vraiment important.

— Je vais appeler madame directement sur son téléphone.

Physique imposant à la B.B. King, Eddy Brock était, à tous les sens du terme, l'« homme clé » de l'immeuble, celui qui connaissait les secrets de tous ses habitants : engueulades, tromperies, maltraitances, problèmes de drogue… Selon que vous entreteniez de bons ou de mauvais rapports avec lui, votre vie pouvait être grandement facilitée ou devenir un enfer.

— C'est bon, monsieur, elle vous attend.

Jonathan remercia le portier d'un signe de tête et appela l'un des ascenseurs alignés au fond du hall. Il tapa le code permettant à la capsule d'arriver directement dans l'appartement de son ex-femme, ouvrant ses portes sur l'antichambre du duplex de verre qui coiffait les deux derniers étages de l'immeuble.

Jonathan s'avança jusqu'au salon, une pièce démesurée au carrelage en pierre de lave et au mobilier contemporain en bois blond et en noyer. Ici, tout était dans l'épure et le minimalisme. Deux longues cheminées *high-tech* encastrées dans une avancée métallique crachaient une dizaine de petites flammes tandis que d'immenses baies vitrées, ouvertes sur l'Hudson, abolissaient la frontière entre l'intérieur et la terrasse. Alors que le jour se levait, la luminosité était féerique, mélange de rose, de pourpre et de gris-blanc.

Bien qu'il ait vécu ici pendant deux ans, Jonathan s'y sentait désormais comme un étranger. Le jardin intérieur, la terrasse de quatre cents mètres carrés, la vue arrogante, le service de concierge à toute heure, le personnel de maison, la piscine chauffée de vingt mètres de long, le gymnase, le sauna… À l'époque où il était « l'Empereur », tout ce luxe lui paraissait normal. Aujourd'hui, il avait l'impression d'avoir eu autrefois la folie des grandeurs et de n'être plus qu'un simple mortel venu visiter les dieux sur leur Olympe.

Sortant de la chambre à l'étage, Francesca se précipita.

— Qu'est-il arrivé à Charly ?

— Charly va très bien. Il est resté à San Francisco avec ton frère.

Rassurée, elle descendit l'escalier de verre qui donnait l'impression qu'elle flottait dans l'air.

Vu l'heure, elle avait certainement enfilé à toute allure son jean noir et son pull en V de cachemire beige. Pourtant, elle paraissait impeccable. Elle avait ce port altier et cette allure propres aux gens appartenant aux familles vivant dans la richesse depuis plusieurs générations. Son argent était marqué du sceau *« given, not earned*[1] ». C'était peut-être aussi cela qui les avait séparés. Lui au contraire avait gagné son argent… avant de le perdre.

— Tu l'as tué, n'est-ce pas ? demanda-t-il en lui tendant la feuille de papier où était imprimé l'article relatant la mort de Lloyd Warner.

Elle ne baissa même pas les yeux pour le lire. Elle ne demanda pas de qui il parlait. Elle resta simplement immobile quelques instants avant de s'installer sur le canapé et de s'enrouler dans un plaid.

---

1. *Donné, pas gagné.*

— Qui te l'a dit ? Cet imbécile de George ? Non… sûrement pas…

— Comment ça s'est passé ?

Elle ferma les yeux, laissant les souvenirs affluer.

— C'était fin décembre, il y a tout juste deux ans…, commença-t-elle. Tu m'avais accompagnée le matin à l'aéroport et je t'avais dit que j'allais à Londres pour visiter l'un de nos restaurants. C'était un mensonge. La semaine précédente, j'avais appris que Lloyd Warner irait aux Bahamas, à Nassau, pour négocier un contrat concernant l'un de leurs casinos. J'avais décidé d'y aller, moi aussi, pour le convaincre d'accepter un rééchelonnement de notre emprunt. En arrivant, je lui ai laissé un message à son hôtel, pour lui demander de me rejoindre à Columbus. À l'époque, tu n'avais pas conscience du gouffre abyssal de notre endettement. Nos restaurants commençaient à se développer, mais la crise économique et financière a cassé notre croissance. Je voulais que Win Entertainment nous laisse plus de temps pour rembourser, et il n'y avait pas moyen de lui parler seule à seul à New York.

— Il est venu te voir ?

— Oui. Nous avons dîné ensemble. J'ai essayé de le convaincre de nous laisser du temps, mais il ne m'a pas écoutée. À la place, il a passé la soirée à me draguer éhontément, si bien que j'ai quitté la table avant le dessert.

Une femme de chambre entra dans le salon, apportant un plateau supportant une théière et deux tasses. Francesca attendit qu'elle soit sortie pour continuer :

— Alors que je le croyais parti, Lloyd Warner est venu me rejoindre dans ma chambre pour me proposer un marché. Il était d'accord pour faire un effort concernant notre dette, mais à condition...

— ... que tu couches avec lui.

Elle acquiesça :

— Quand je l'ai envoyé paître, il a refermé la porte et s'est jeté sur moi. Il avait bu plus que de raison, sans doute sniffé pas mal de coke. J'ai crié, mais un mariage battait son plein dans tout l'hôtel. En me débattant, j'ai attrapé une statue sur la table de chevet : une imitation d'un bronze de Giacometti. J'ai porté le coup à la tête, très fort. Il s'est effondré. J'ai d'abord cru qu'il était sonné, mais il était mort.

Abasourdi, Jonathan se résolut à prendre place dans le fauteuil le plus proche de Francesca. Pâle et serrée dans son plaid, celle-ci semblait pourtant très calme. Jonathan, lui, n'arrivait pas à savoir s'il était soulagé ou fou de rage. Deux ans de mystère venaient de se résoudre en quelques phrases. Deux ans à ne plus pouvoir faire confiance à personne parce qu'il n'avait pas vu venir la trahison de sa femme... pour la bonne raison qu'elle ne l'avait pas trahi.

— Pourquoi n'as-tu pas appelé la police ?

— Tu crois vraiment qu'ils auraient cru à mon histoire de légitime défense ? avec les dettes qu'on avait ? avec le mot que je lui avais envoyé pour qu'il vienne me voir ?

— Qu'as-tu fait du corps ?

— J'étais descendue dans la suite sur pilotis où nous avions déjà logé tous les deux. J'ai eu l'idée d'emprunter le bateau que l'hôtel met à la disposition des clients. C'est un petit Hacker Craft en acajou, tu te souviens ? Je l'ai manœuvré jusqu'au ponton de la suite et j'ai traîné le corps dans la cabine. Il faisait nuit noire. J'ai prié pour ne pas croiser de gardes-côtes, et je suis allée balancer le corps de ce... salaud à une vingtaine de miles du rivage. Avant, j'ai eu la présence d'esprit de récupérer son portefeuille et son portable.

— À l'hôtel, personne ne s'est aperçu que tu prenais le bateau ?

— Non, la noce mobilisait toute l'attention du personnel. Tu me trouves atroce ?

Décontenancé, Jonathan détourna la tête pour fuir le regard de Francesca. Bien décidée à crever l'abcès, celle-ci ne laissa pas le silence s'installer.

— J'étais paniquée, reprit-elle. Si on signalait la disparition de Warner aux Bahamas, on allait remonter jusqu'à moi rapidement. Des dizaines de personnes nous avaient aperçus dînant ensemble au restaurant. Ma seule chance était qu'on ne retrouve pas son corps tout de suite – pour ça, j'avais lesté le corps avec la gueuse de fonte présente sur le *day boat* – et, surtout, de faire croire à tout le monde que Warner était rentré aux États-Unis. En consultant ses mails sur son téléphone, je suis tombée sur un message l'invitant à s'enregistrer pour son vol de retour. Je me suis connectée au site de la compagnie aérienne et j'ai rempli les formalités. C'était jouable, mais il fallait que quelqu'un prenne *physiquement* la place de Lloyd. J'ai alors pensé à George à cause de sa vague ressemblance avec Warner.

— George t'a servi d'alibi ?

— Oui. En accréditant l'idée qu'il était mon amant, j'ai pu justifier ma présence aux Bahamas et prétendre que c'était lui qui se trouvait avec moi à l'hôtel. D'où les photos pour le paparazzi du coin. Surtout, il a voyagé avec les papiers d'identité de Lloyd sur le vol de retour. Et une fois à New York, je lui ai demandé d'effectuer plusieurs achats avec la carte de crédit que j'avais récupérée dans la veste de Warner. Quelques jours plus tard, lorsqu'on a signalé la disparition de Warner, les flics étaient persuadés qu'il était bien rentré à Manhattan. Personne n'a donc cherché à investiguer du côté des Bahamas jusqu'à ce qu'on retrouve son corps, six mois après.

— Où en est l'enquête, aujourd'hui ?

Toujours sans toucher à son thé, Francesca prit le paquet de Dunhill posé sur la table basse et alluma une cigarette.

— Je ne sais pas. À mon avis, ils ont mis le dossier en sommeil. En tout cas, personne ne m'a jamais interrogée puisque officiellement ce n'est pas avec lui que j'ai dîné, mais avec George.

Trop longtemps contenue, la colère de Jonathan explosa :

— Pourquoi ne m'as-tu pas appelé *moi*, ton mari ? Tu avais si peu confiance en moi ? Ne pas me parler du voyage, passe encore, mais me cacher un meurtre !

— Pour vous protéger, toi et Charly ! Pour ne pas te rendre complice d'un meurtre, justement ! Pour qu'on n'aille pas en prison tous les deux ! Mon plan avait neuf chances sur dix de foirer. Réfléchis : qui aurait élevé notre enfant si on s'était fait prendre ?

Jonathan considéra l'argument. Il tenait la route, et une part de lui-même était admirative devant le sang-froid, la logique implacable et l'intelligence supérieure grâce auxquels Francesca était parvenue à se tirer d'affaire et à protéger sa famille. Aurait-il été capable de mettre en place un tel scénario ? Probablement pas. Sans doute aurait-il réagi en coupable. Sans doute se serait-il laissé submerger par ses émotions…

Subitement, le sentiment d'absurde et de chaos dans lequel l'avait jeté leur séparation venait de disparaître. Ce qui leur était arrivé avait un sens. Mais au même instant, Jonathan prit conscience qu'il regardait à présent Francesca comme une étrangère. Il n'avait plus pour elle aucun élan, ni aucun sentiment, comme si une barrière invisible les séparait désormais définitivement.

29

Un ange en enfer

Luctor et emergo[1].

Entrepôt de Coney Island
5 heures du matin

Glacé et humide, le réduit obscur baignait dans une odeur de pourriture.

Les deux mains menottées à la conduite, les pieds ligotés par le fil en Nylon, Alice tira de toutes ses forces sur ses chaînes dans l'espoir de faire céder la tuyauterie rouillée. Mais la canalisation était solide et la jeune fille s'écroula sur le sol mouillé.

Un sanglot de désespoir lui déchira la gorge, mais resta étouffé par le scotch.

---

1. *Je lutte pour ne pas me noyer*. Devise de la province hollandaise de Zeeland.

Ne pleure pas !

Son corps était secoué de frissons. Le froid brûlait tous ses membres, mordant sa peau, pénétrant jusque dans ses os. Les bracelets en acier meurtrissaient la chair de ses poignets, provoquant une douleur atroce qui irradiait jusque dans sa nuque.

Réfléchis...

Mais le froid et le stress rendaient toute concentration difficile. Un sentiment d'angoisse et d'impuissance lui barrait la poitrine. Un couinement monta derrière le lavabo poisseux. Alice leva la tête pour apercevoir le museau d'un rat de la taille d'un chaton. À nouveau, un cri bref s'étrangla dans son gosier. Aussi effrayé qu'elle, l'animal se faufila le long du mur opposé et se cacha sous le lit de camp.

Reste calme...

Elle ravala ses larmes, essaya d'ouvrir les mâchoires, mais le chatterton l'asphyxiait, lui enserrant fermement la bouche. Elle réussit néanmoins à glisser sa langue sous l'un des rebords de son bâillon et, avec ses incisives, rongea un bout du ruban adhésif jusqu'à parvenir à libérer sa lèvre inférieure. Elle inspira profondément plusieurs bouffées d'air vicié. Elle respirait mieux mais, malgré la faible température, elle sentait ses pulsations cardiaques qui s'accéléraient.

Mes médicaments !

Elle prit soudain conscience qu'elle n'allait pas pouvoir suivre son traitement ! Depuis qu'elle avait subi sa greffe cardiaque, son sac était une véritable armoire à pharmacie. Elle vivait presque normalement à condition d'absorber de façon stricte un cocktail médicamenteux très élaboré : pilules antirejet bien sûr, mais surtout médicaments antihypertenseurs et anti-arythmiques pour lutter contre son hypertension artérielle.

Son médecin l'avait souvent mise en garde : ne pas prendre ses cachets pouvait lui bousiller complètement les reins en quelques jours, voire en quelques heures ! Le processus pouvait se déclencher n'importe quand, surtout en cas de déshydratation.

Justement, sa gorge était sèche et irritée. Il fallait qu'elle boive pour éviter que la capacité de filtration de ses reins ne diminue. A quatre pattes, les mains toujours entravées, elle réussit à se mouvoir le long du tuyau jusqu'au lavabo, mais le robinet était trop haut. Portée par un nouvel élan, elle contracta ses muscles et avec une force insoupçonnée essaya à nouveau de faire céder la canalisation. Elle dut pourtant y renoncer très vite : à chaque poussée, les mandibules acérées des menottes entaillaient sa chair jusqu'au sang. Abandonnant le combat, elle se laissa glisser contre le mur. Couchée sur le sol, elle avait l'impression de n'être plus qu'un animal enchaîné soumis au bon vouloir de son maître. Désemparée, elle se résolut à laper l'eau croupie qui suintait du plancher.

Dans le coin opposé de la pièce, le rat la regardait.

★

TriBeCa
8 heures du matin

Le soleil s'était levé dans un ciel de cristal.

Sous le choc des révélations de Francesca, Jonathan sortit de l'*Excelsior* un peu sonné. Il remonta le trottoir jusqu'à la Smart de Claire. Il se mit au volant et démarra en direction de l'East Village, où il avait donné rendez-vous à Madeline. Il hésita à l'appeler pour s'assurer qu'elle avait bien trouvé son mot, mais se dit qu'elle dormait peut-être encore.

En s'arrêtant à un feu rouge au début de Little Italy, il regarda machinalement dans son rétroviseur et à son grand étonnement aperçut à nouveau les lignes fluides et élégantes de la Ferrari noire dans la file de droite derrière lui.

Étrange...

Il fronça les yeux pour en être certain.

Impossible de se tromper : c'était bien la même voiture au capot galbé, aux phares carénés et à la calandre féroce qui lui donnait un côté reptilien. Il se retourna. Cette fois, le cabriolet resta immobile, mais le soleil qui se reflétait sur le pare-brise éblouissait Jonathan, l'empêchant de distinguer le visage du conducteur. Il voulut mémoriser le numéro d'immatriculation du Spyder, mais à sa grande surprise la voiture n'avait pas de plaque !

Le feu passa au vert. Un coup de klaxon l'obligea à redémarrer et à dépasser le carrefour. Lorsqu'il put enfin jeter un nouveau coup d'œil dans son rétro, le mystérieux bolide avait disparu…

*

Entrepôt de Coney Island

Des bruits de pas.

Alice ouvrit les yeux, émergeant en sursaut du sommeil précaire qui avait fini par l'emporter.

Quelle heure était-il ? Combien de temps était-elle restée inconsciente ? Cinq minutes ou cinq heures ?

Le froid la faisait grelotter. Elle avait des fourmis dans les jambes et les bracelets des menottes lui tranchaient les poignets. Elle essaya de se mettre debout, mais y renonça. À présent, elle se sentait trop faible pour chercher à se débattre.

La porte s'ouvrit dans un grincement et la silhouette immense de Youri apparut dans l'embrasure.

— Сучка[1] ! s'énerva-t-il en constatant qu'elle avait rongé son bâillon.

Il l'attrapa par les cheveux, mais elle l'implora :

— Il me faut de l'eau ! Je n'ai pas mes médicaments ! Je risque de…

— Ferme-la !

Il la tira violemment en arrière, lui arrachant une poignée de cheveux. Elle comprit qu'elle avait intérêt à se taire. Le Russe sembla se calmer. Il approcha son visage du sien, respirant le parfum de son cou, caressant sa joue de ses gros doigts poisseux. Alice sentit son souffle près de sa bouche et ne put s'empêcher d'afficher son dégoût. Elle tourna la tête. C'est alors qu'elle aperçut le Caméscope qu'il tenait dans la main.

L'ombre noire et épaisse de Youri se détacha sous le néon blafard.

— Tu auras ton eau, promit-il, mais avant on va faire un petit film tous les deux…

---

1. *Espèce de chienne !*

30

La face cachée de la lune

Chacun de nous est une lune, avec une face cachée que personne ne voit.

Mark TWAIN

Lower East Side
8 heures du matin

Jonathan glissa la Smart entre deux voitures perpendiculairement au trottoir et descendit la Bowery jusqu'à la 2e Rue. Après avoir longtemps été un quartier mal famé, le Lower East Side passait aujourd'hui pour l'un des endroits les plus tendance avec ses petits cafés et ses restaurants branchés. Jonathan poussa la porte du *Peels*, son endroit préféré pour prendre un brunch. Le lieu était authentique et dégageait une vraie chaleur. Bondé entre 11 et 13 heures, il était plus calme le matin.

Jonathan chercha Madeline au milieu de la salle baignée de lumière. Autour d'un long comptoir en bois clair, une clientèle bohème et *trendy* dévorait des *pancakes* à la banane en buvant des cappuccinos.

Madeline n'était pas là. Déjà il s'inquiétait. Peut-être regrettait-elle leur étreinte de la nuit ? Peut-être était-elle repartie sur un coup de tête ? Peut-être...

Son téléphone vibra. « Je suis à l'étage », annonçait un SMS. Il leva la tête et la vit, penchée au-dessus de la rambarde, lui faisant un signe de la main.

Rassuré, il grimpa l'escalier pour la rejoindre à sa table. Murs blancs et parquet blond, grandes baies vitrées, lampadaires design : la pièce était agréable.

— Tu es là depuis longtemps ?

Il n'osa pas l'embrasser bien qu'il en ait très envie. Elle portait un jean et une veste de cuir cintrée qu'il ne lui connaissait pas et qui soulignaient sa minceur.

— Je viens d'arriver. C'est sympa, ici. Où étais-tu ?

— Chez mon ex-femme. Je te raconterai, assura-t-il en s'asseyant en face d'elle.

Madeline afficha un air dégagé ; pourtant, elle le contemplait tristement, comme s'ils s'étaient déjà perdus… Jonathan essaya de lui prendre une main qu'elle retira. Leurs regards se croisèrent, le silence se prolongea. Madeline, délicatement, glissa finalement ses doigts dans les siens. À présent, il était clair qu'ils ressentaient plus qu'un simple désir l'un pour l'autre, même s'ils n'étaient pas encore prêts à qualifier d'« amoureuse » la relation qui les unissait.

Lunettes de *geek*, chemise à carreaux et moustache à la gauloise : un serveur au look *hipster* s'approcha pour prendre leur commande. Jonathan parcourut le menu et choisit un espresso et un *Monkey Bread.* Madeline opta pour un *Blueberry Cream Cookie* et un verre de lait.

— J'ai emprunté quelques vêtements à ta copine. Ils sont un peu cintrés, mais…

— Ils te vont bien. Et ce n'est pas « ma copine » … Des nouvelles de Jim ?

— Aucune, répondit-elle en s'assombrissant. Son portable est toujours sur répondeur. Je vais appeler directement le commissariat.

Tandis qu'elle composait le numéro, Jonathan jeta un coup d'œil à l'exemplaire du *New York Post* qu'un client avait abandonné sur la banquette. Le journal revenait en une sur l'affaire dont il avait entendu parler à la radio :

OUVERTURE DU PROCÈS DE L'HÉRITIÈRE D'UN CARTEL DE LA DROGUE

Le procès de Jezebel Cortes s'est ouvert aujourd'hui devant la cour spéciale de Californie. Surnommée *La Muñeca*, elle est la fille du défunt Alfonso Cortes, un des chefs historiques d'un puissant cartel mexicain, abattu par un gang rival en mars 2001.
Installée à Los Angeles sous une fausse identité, Jezebel Cortes a été arrêtée il y a trois ans alors qu'elle faisait du shopping sur Rodeo Drive. L'acte d'accusation lui reproche notamment le contrôle de plusieurs filières d'exportation de la cocaïne vers les États-Unis ainsi que la mise en place d'un vaste système de blanchiment d'argent. Son procès a été plusieurs fois reporté, les avocats de *La Muñeca* exploitant le moindre vice de forme juridique.

Il s'interrompit dans sa lecture dès que Madeline réussit à joindre le commissariat de Manchester. Elle avait contacté son ancien partenaire, mais c'est le *detective* Trevor Conrad qui lui répondit :

— Madeline ? Ça me fait plaisir de t'entendre…

— Je cherche à joindre Jim depuis hier soir. Il est dans les murs ?

Au bout du fil, le policier marqua un long silence avant d'avouer :

— Jim est mort, Madeline.

— Comment ça ? Il m'a appelée il y a deux jours !

— Je suis désolé : on l'a retrouvé ce matin dans son bureau. Il s'est suicidé.

Madeline leva des yeux incrédules vers Jonathan en articulant silencieusement le mot : « Mort ! » Sidéré, il se rapprocha d'elle pour suivre la conversation. La jeune femme chercha à en savoir plus :

— Attends, le Jim que je connais n'est pas le genre de type à se foutre en l'air. Il avait des problèmes perso ?

— Je ne crois pas.

— C'est arrivé comment, Conrad ?

Le policier mancunien hésita à répondre.

— L'enquête est en cours. Je ne peux pas t'en révéler davantage.

— Ne joue pas au con : Jim a été mon coéquipier pendant six ans !

Un nouveau silence.

— Je te rappelle dans cinq minutes, annonça-t-il avant de raccrocher.

*

Sous le choc, Madeline se prit la tête entre les mains. La mort foudroyante de Jim fit rejaillir un bouquet d'émotions et de blessures. Elle les repoussa vivement pour ne pas entamer sa carapace. Sonné par la nouvelle, Jonathan était désemparé. Il tenta un geste tendre, mais Madeline s'était refermée.

— Conrad va certainement me rappeler depuis son portable ou d'une cabine. Tous les appels du commissariat sont susceptibles d'être enregistrés. Il ne veut pas prendre de risques, j'imagine.

— Tu ne crois pas à la thèse du suicide ?

— Je ne sais pas, avoua-t-elle. Après tout, tu l'as vu plus récemment que moi.

Jonathan se remémora sa rencontre avec le policier et tenta de restituer ses impressions.

— Il était fatigué et irritable, totalement passionné par l'enquête sur Alice Dixon et pressé de mener de nouvelles investigations. Mais le suicide est un geste mystérieux, difficilement prévisible ou repérable.

Et je suis bien placé pour le savoir...

Le portable sonna. C'était Conrad.

— Bon, que veux-tu savoir ? demanda le flic.

— Comment ça s'est passé ?

— Jim s'est mis une balle dans la tête dans son bureau, vers 4 heures et demie du matin.

— Avec son arme de service ?

— Non, avec un flingue non répertorié.

— Et tu ne trouves pas ça bizarre ?

— Tu m'emmerdes, Madeline.

— Tous les flics qui se suicident se butent avec leur arme de service !

— Pas tous, répliqua Conrad. J'en connais une qui s'est pendue dans son salon.

Le coup était inattendu, mais Madeline ne se démonta pas.

— Dis-m'en plus sur cette arme.

— Un Beretta 92 équipé d'un silencieux.

— C'est surréaliste ! Lorsque tu décides de te mettre une balle dans la tête, tu te fous pas mal de réveiller les voisins !

Et je suis bien placée pour le savoir, faillit-elle ajouter.

— Si on va dans ce sens, il y a un autre détail troublant, confia le flic.

— Dis-moi.

— Jim avait son arme dans la main droite.

— Putain !

Flaherty était gaucher.

— C'est perturbant, mais ça ne prouve rien, nuança le flic.

— Tu te fous de moi ?

— Lorsque tu poses le canon sur ta tempe, ce n'est pas du tir de précision. Difficile de manquer ta cible quelle que soit la main que tu utilises…

Madeline reprit ses esprits.

— Sur quoi travaillait Jim en ce moment ?

Mais Conrad n'était pas disposé à toutes les confessions.

— Je t'en ai assez dit. Il faut que je te laisse.

— Attends ! Pourrais-tu me transférer les derniers mails reçus par Jim dans les heures précédant sa mort ?

— Tu plaisantes ? Tu n'es plus de la maison, Madeline !

— Jim était mon ami !

— Inutile d'insister. Et même si je le voulais, je ne le pourrais pas.

— Pourquoi ?

— Depuis ce matin, un virus a planté notre serveur et infecté toutes nos bécanes. Personne n'a accès à son ordinateur.

— Trouve une autre excuse.

— C'est la vérité. Prends soin de toi, Madeline.

★

Elle repoussa le verre de lait qu'on venait de déposer devant elle et commanda à la place un pot de café noir. Puis elle sortit de son sac à dos le *notebook* de Jonathan.

— J'ai apporté ton ordinateur. Je voulais revoir le dossier Dixon. Tu m'as dit que tu l'avais téléchargé ? Ce sera plus facile pour le consulter que sur mon téléphone.

Jonathan alluma sa machine.

— Tu crois que Jim a été tué ?

— Je n'en sais rien.

— Moi, je pense qu'on l'a assassiné et que son meurtre est lié à ce qu'il venait de découvrir sur Alice.

— Ne t'emballe pas. Il y a encore une semaine, tu n'avais jamais entendu parler de cette affaire.

— C'est ce qui me permet d'y porter un œil neuf.

— Qui t'amène à quelle conclusion ?...

— Je pense que la police ou les services secrets ont tout fait pour étouffer cet enlèvement.

— Tu fabules !

— Tu veux des faits troublants ? Les caméras de surveillance ! J'ai lu le dossier ; à l'époque, une douzaine d'appareils filmaient les rues autour du collège d'Alice. Douze ! Et comme par hasard, elles étaient toutes endommagées ce jour-là. Ça ne t'a pas paru bizarre ?

— C'est ta théorie du complot qui est énorme.

— J'ai *vu* Alice six mois après que tu as reçu son cœur dans une glacière !

— On ne saura jamais si c'était vraiment elle.

— C'était elle ! Et c'est parce que Jim en avait la preuve qu'il a été tué !

— Il ne suffit pas d'affirmer les choses. Il faut les prouver.

— Alice n'est pas morte, fais-moi confiance.

— La confiance n'a rien à voir là-dedans.

— Alice n'est pas morte, répéta-t-il. Et si elle est encore vivante, c'est qu'elle a bénéficié d'une transplantation cardiaque. Une opération qui n'apparaît pourtant sur le registre d'aucun hôpital. Tu imagines le réseau de complicités et l'organisation nécessaires pour mettre ça sur pied ? Qui est capable de monter une telle opération à part une agence gouvernementale ?

— Tu regardes trop de séries télévisées. Écoute, tout le monde se foutait d'Alice Dixon lorsque j'enquêtais sur elle : sa mère la première, une *junkie* qui vivait dans un quartier pourri. Cette gosse, c'est la fille de personne et je ne vois pas ce que le gouvernement vient faire là-dedans.

Madeline avala une tasse de café puis, comme cent fois déjà dans sa vie passée, se plongea dans le dossier d'Alice pour se rafraîchir la mémoire.

Le compte rendu de la première audition du tueur en série Bishop s'afficha sur l'écran ainsi que différents clichés : les photos de la maison misérable d'Erin qui contrastaient avec celles de la chambre parfaitement rangée d'Alice, ses livres, ses affiches de concert, ses boîtes de biscuits Oreo et ses briquettes de lait fraise.

Mais l'image de Jim restait incrustée dans l'esprit de Madeline. Qu'avait-il fait après sa rencontre avec Jonathan ? Qu'aurait-elle fait, *elle* ? Sans doute avait-il ordonné une analyse graphologique et un relevé d'empreintes. Peut-être aussi une recherche génétique… En fouillant dans son portable, elle retrouva le numéro de Tasha Medeiros, l'une des techniciennes ADN du laboratoire de police scientifique de Birmingham. C'était une biologiste brillante, mais plutôt coulante avec les procédures. Dans le passé, Jim et elle l'avaient souvent sollicitée parce qu'elle acceptait d'effectuer des analyses en urgence sans passer forcément par le cadre légal. Il faut dire que Tasha faisait une consommation « maîtrisée » de cocaïne et que Jim, pour entretenir leurs bonnes relations, lui refilait ponctuellement quelques doses saisies lors des arrestations de petits dealers.

— Drôle de morale, commenta Jonathan.

— La police, c'est pas le monde des Bisounours ! objecta Madeline en composant le numéro.

Tasha ne travaillait pas aujourd'hui. Elle était chez elle avec sa fille, mais elle confirma que Jim lui avait effectivement demandé de faire une analyse. Elle était de garde la nuit dernière et elle lui avait envoyé les résultats par mail au petit matin.

— Tu ne te souviens plus de quoi il s'agissait ?

— Une comparaison entre deux ADN.

— Tu pourrais me transférer le courrier, s'il te plaît ?

— Aujourd'hui, ça sera difficile.

— C'est très important, Tasha. Jim vient de mourir. J'essaie de comprendre pourquoi.

— Merde…

— Je t'envoie mon adresse mail.

— OK, je vais passer au bureau avec Paola. Tu auras les résultats dans moins d'une heure.

*

Sur l'ordinateur, Jonathan consultait les photos des massacres de Bishop. Il avait revendiqué l'assassinat d'Alice sans jamais apporter la moindre preuve. Au milieu de ce déluge de sang et de violence, Jonathan prit soudain conscience que c'était grâce à ces atrocités que Madeline et lui étaient ensemble ce matin. Sans la disparition d'Alice, ils ne se seraient jamais revus…

Alors qu'elle tripatouillait son téléphone pour vérifier son accès au réseau, Madeline entreprit de vider le dossier de filtrage. Celui-ci contenait une bonne trentaine de spams en tout genre l'incitant à commander des montres de luxe, des pilules pour doper son énergie sexuelle ou des produits miracles capables de lui faire perdre dix kilos en dix jours.

— Regarde ça !

Au milieu de ces courriers non sollicités, un mail retint son attention. Il lui avait été envoyé vingt-quatre heures plus tôt par… Jim Flaherty !

Son cœur s'accéléra. Pourquoi le mail de Jim avait-il été filtré par le logiciel antispam ? Peut-être en raison de ses nombreuses et lourdes pièces jointes ? Elle en prit connaissance avec fébrilité :

De : Jim Flaherty
À : Madeline Greene
Objet : Autopsie
Date : 22 déc. 2011 18 h 36
Chère Madeline,
Ne trouves-tu rien d'étrange sur certaines de ces photos ?
Appelle-moi si c'est le cas.
Ton ami, Jim

Suivaient un document PDF ainsi que plusieurs clichés. Madeline transféra le mail sur l'ordinateur pour visionner les documents en mode plein écran. Ils se rapportaient tous à l'autopsie de Danny Doyle, le parrain de Cheatam Bridge.

— Qu'est-ce qu'il vient faire là-dedans celui-là ? demanda Jonathan tout haut.

Il se pencha pour lire le rapport d'autopsie en même temps que Madeline. Comme il le savait déjà, on avait retrouvé le corps de Danny au milieu d'une friche industrielle, abattu d'une balle dans la tête, les mains et les pieds tranchés, les dents arrachées. Une exécution attribuée à un gang ukrainien dont le chef avait subi les mêmes réjouissances quelques mois plus tôt. Le compte rendu du médecin légiste était classique : précision de l'heure de la mort d'après la rigidité cadavérique, mise en évidence de traces de poudre autour de la blessure, analyse des organes et de certains prélèvements – sang, contenu gastrique, ADN. Autant d'éléments qui avaient confirmé sans l'ombre d'un doute l'identité de Danny Doyle.

Comme souvent dans les autopsies de crimes violents, les photos donnaient des haut-le-cœur : visage violacé et déformé par la torture, thorax verdâtre incisé jusqu'à l'abdomen, hématomes par dizaines qui marbraient tout le corps. Danny avait été torturé et n'était pas parti en paix.

Mais qu'est-ce que Jim avait bien pu trouver d'« étrange » sur ces clichés ?

Madeline joua avec le zoom pour agrandir certaines zones.

— Ils lui ont même arraché un bout d'oreille, nota Jonathan.

Madeline fronça les sourcils et examina la zone qu'il pointait du doigt. C'était vrai : le cadavre avait une bonne partie du lobe de l'oreille droite déchirée. Mais cette blessure semblait ancienne. Or Danny n'avait jamais eu l'oreille abîmée, à l'inverse de… Jonny, son jumeau.

— Ce n'est pas Danny, c'est son frère ! s'écria-t-elle.

Elle expliqua l'histoire à Jonathan : les deux bébés sortis du ventre de leur mère à cinq minutes d'intervalle, la rivalité des deux frères, la violence et la cruauté de Jonny qui souffrait de schizophrénie et qui avait été plusieurs fois interné avant de sombrer dans l'alcoolisme.

Elle bascula sur le rapport d'autopsie pour relire le paragraphe sur l'analyse des organes. Le foie du cadavre était atteint d'une « dégénérescence des tissus vraisemblablement causée par l'absorption d'alcool ».

Une cirrhose.

— Danny buvait un verre de temps en temps, mais il n'a jamais été alcoolique.

— Comment les flics ont-ils pu faire une telle confusion ?

— Les « vrais jumeaux » possèdent le même patrimoine génétique, ce qui rend impossible de distinguer avec certitude leur ADN.

— Tu es sûre de ça ?

— Il y a eu plusieurs affaires de ce genre, notamment un vol en Allemagne et un trafic de drogue en Malaisie. Dans les deux cas, le suspect avait un jumeau et la justice a été obligée de le relâcher, faute de pouvoir l'identifier avec certitude.

— Mais si ce cadavre est celui de Jonny…

— … cela signifie que Danny est vivant, confirma Madeline, songeuse.

★

Ils commandèrent un nouveau pot de café. Pendant plusieurs minutes, ils se perdirent en conjectures jusqu'à ce que Madeline reçoive le courrier de Tasha Medeiros, la technicienne ADN du laboratoire de Birmingham.

De : Tasha Medeiros
À : Madeline Greene
Objet :
Madeline,
Voici le résultat de l'analyse que Jim m'avait demandé de pratiquer sans passer par le canal officiel.
Je suis très triste pour lui.
En espérant que cela puisse t'aider.
Tasha

Très intriguée, elle cliqua sur la pièce jointe tandis que Jonathan se penchait sur son épaule pour découvrir le document avec elle : il se présentait sous la forme d'un tableau complexe d'une quinzaine de lignes sur six colonnes. Chaque case contenait plusieurs chiffres. Il leur fallut quelques secondes pour comprendre qu'il s'agissait d'un test de paternité. Ils sautèrent alors au dernier paragraphe qui mentionnait le résultat, et ce qu'ils découvrirent les laissa sans voix :

Test de Paternité
réalisé sans présence
de matériel génétique de la Mère

Basé sur l'analyse de l'ADN.
Père Allégué : **Daniel Doyle.**
Enfant : **Alice DIXON.**
Des allèles similaires ont été mis en évidence dans les 15 loci analysés.

La Probabilité de Paternité est évaluée à **99.999 %.**

Avant de mourir, Jim avait eu une intuition géniale. Au bout de trois ans d'enquête, il avait réussi à prouver non seulement que Danny Doyle n'était pas mort, mais aussi qu'il était le père d'Alice Dixon.

Une découverte qu'il avait payée de sa vie.

31

En territoire ennemi

Dans les ténèbres, à chacun son destin.

Gao XINGJIAN

Café Peels
Lower East Side
10 heures du matin

Abasourdie, Madeline se rejeta en arrière sur la banquette, prise d'une soudaine nausée. Sa tête se mit à tourner. Ni Alice ni Danny n'étaient morts. Plus surprenant encore : l'adolescente était la fille du parrain de la pègre. Mais Jim était bien mort, lui ; elle-même avait failli se suicider. Des dizaines de personnes avaient travaillé nuit et jour sur cette enquête. Pourquoi ? Pour qui ? Soudain, elle douta de tout. Dans cette histoire, qui étaient les victimes ? Qui étaient les coupables ? Depuis le début de l'affaire, dès qu'elle parvenait à éclaircir une zone d'ombre, un autre mystère se faisait jour dans la foulée, l'entraînant sur un territoire chaque fois plus dangereux.

Elle leva les yeux et chercha du soutien auprès de Jonathan, mais celui-ci, le front collé à la vitre, s'inquiétait de ce qu'il voyait dehors.

— Je crois que nous sommes filés.

— Tu plaisantes ? fit-elle en s'approchant de la fenêtre.

— Tu vois la Ferrari noire, garée un peu plus bas ?

— Devant la galerie du *Morrison Hôtel* ?

— Oui, je l'ai croisée deux fois ce matin : d'abord à TriBeCa puis à Little Italy. Elle n'a pas de plaque et je ne parviens pas à identifier son conducteur.

Madeline plissa les yeux. À cette distance, impossible de distinguer la moindre silhouette à l'intérieur.

— Suis-moi, lança-t-elle d'un ton décidé.

Il y a encore une heure, elle n'aurait pas imaginé une seule seconde qu'on puisse les espionner, mais après la mort de Jim et ce qu'ils venaient de découvrir, elle se méfiait de tout.

Ils payèrent leurs petits déjeuners, descendirent

à l'étage et quittèrent le café pour rejoindre leur voiture.

— Laisse-moi le volant, demanda Madeline.

Elle s'installa aux commandes de la Smart et démarra.

— Tu crois qu'elle va nous suivre ? C'est peut-être cette enquête qui nous rend paranos…

— Juge par toi-même. Je te parie qu'elle va déboîter.

Effectivement, la Ferrari sortit de son emplacement et les prit « discrètement » en filature, vingt mètres derrière eux.

— Ne te retourne pas, ordonna-t-elle. Et boucle ta ceinture.

La petite citadine prit de la vitesse en remontant la Bowery vers Cooper Square. Soudain, Madeline freina et braqua le volant à fond vers la gauche, faisant décoller la voiture sur le terre-plein central.

— T'es givrée ! râla Jonathan en se cramponnant à la poignée.

Leur véhicule atterrit de l'autre côté de la route, prenant la Ferrari à revers.

— Ferme-la et ouvre les yeux !

Désormais les deux voitures roulaient en sens inverse. Lorsqu'elles se croisèrent, Jonathan eut une demi-seconde pour voir qui était au volant.

C'était une femme blonde, très belle, avec une

cicatrice en forme d'étoile qui partait de son arcade sourcilière pour lui déchirer le haut de la joue jusqu'à la commissure des lèvres…

*

— Alors ?

— Je la connais ! s'exclama-t-il. Je suis sûr que c'est la femme chez qui j'ai reconduit Alice il y a deux ans au Cap d'Antibes !

— Celle qui se faisait passer pour sa mère ?

— Oui !

Madeline regarda dans le rétroviseur. La Ferrari coupait vers l'ouest par Astor Place. Intuitivement, la Smart tourna sur Houston Street.

— Si elle repasse par Broadway, on peut la prendre en chasse, n'est-ce pas ?

— C'est jouable.

Ils croisèrent les doigts, guettant avidement les voitures. Quelques secondes plus tard, la calandre agressive de la GTO apparut dans l'axe routier qui traversait la ville en diagonale.

Le cabriolet tourna sur Spring Street. Dans son sillage, Madeline déboîta et se fondit dans la circulation. La conductrice avait dû les repérer, car la Ferrari plaça une accélération qui laissa la voiturette sur place.

— Merde, on la perd !

Ça paraissait inévitable : que pouvait une Smart contre un moteur V12 de 280 chevaux ? Mais il en fallait plus pour décourager Madeline. Refusant d'être semée, elle grilla un feu au croisement de Lafayette.

— Attention ! cria Jonathan.

Un vendeur de hot dogs ambulant avait engagé son chariot pour traverser. Madeline actionna le klaxon tout en braquant à gauche. Le marchand sursauta et fit un bond en arrière tandis que la Smart percutait le bord de la charrette en métal qui se retourna sur le sol, déversant sur la chaussée saucisses, ketchup, moutarde, oignons frits et choucroute.

La voiture fut déportée et mordit le trottoir, mais Madeline parvint à la maîtriser et écrasa l'accélérateur pour repartir à plein régime sur Delancey Street.

★

Pendant ce temps, à Coney Island…

Avachie au sol comme un animal apeuré, Alice tourna la tête à la recherche du rat, mais le rongeur s'était fait la malle avec Youri.

La fièvre brûlait dans son sang. La transpiration

inondait son corps, collant ses cheveux à son visage et faisant courir des frissons le long de ses articulations. Des contractions douloureuses se propageaient dans son ventre. Il lui sembla aussi que ses pieds et ses chevilles avaient enflé.

Après le « film », le Russe était reparti, la laissant enchaînée à ce maudit tuyau. Malgré ses supplications, il ne lui avait pas donné suffisamment d'eau, se contentant de lui asperger le visage avec une bouteille. Écrasée de fatigue, Alice fit un effort pour se contorsionner et remonta la fermeture Éclair de son sweat-shirt avec ses dents.

Au moindre mouvement, elle était prise de nausées et de vertiges. Cette fois, le haut-le-cœur la saisit à la gorge et elle vomit une bile jaunâtre. Elle se redressa contre le mur, incapable de reprendre son souffle. Des palpitations agitaient sa poitrine, les battements de son cœur gardaient un rythme inquiétant. Combien de temps allait-elle tenir ? À présent, elle ne pouvait plus se le cacher : les maux de tête qui vrillaient sa nuque et la barre de fer qui compressait son abdomen étaient le signe que son hypertension avait déclenché une insuffisance rénale.

Elle regarda la cuvette des W-C à deux mètres d'elle. Depuis des heures, elle avait envie d'aller aux toilettes, mais elle n'arrivait pas à s'y hisser.

Abandonnant toute dignité, elle se soulagea dans son survêtement. Elle n'était plus à une humiliation près. Elle baignait certes dans le vomi et dans l'urine, mais s'était au moins délestée d'un poids.

Ce répit dura quelque temps, puis un sifflement sourd bourdonna à ses oreilles. Sa vision se brouilla et elle eut l'impression que des points lumineux clignotaient dans toute la pièce. Elle suffoquait, elle dérivait, elle délirait. Elle lutta pour ne pas s'évanouir, mais sombra bientôt dans un semi-coma plein de confusion.

★

Lower East Side

— Elle est là ! s'écria Jonathan en pointant du doigt la Ferrari qui s'engageait sur le Williamsburg Bridge.

Le pont suspendu enjambait l'East River pour relier le Lower East Side à Brooklyn. Encerclé de grillages et de câbles d'acier, il s'étendait sur deux kilomètres et drainait des centaines de voitures sur ses quatre voies.

— La circulation est dense. Elle va être obligée de ralentir, devina Madeline.

Effectivement, la GTO marquait le pas, engluée dans le trafic. Madeline avait retrouvé de sa confiance. Jouant avec le feu, elle prit le risque de slalomer à vive allure entre les voitures, passant d'une file à l'autre pour combler la distance qui la séparait du Spyder.

— Ralentis ! On va se planter !

Dès la sortie du pont, le cabriolet italien vira sur les chapeaux de roues pour attraper la première sortie.

— On se dirige vers où ? demanda-t-elle, peu familière de la géographie new-yorkaise.

— Williamsburg.

Ils arrivèrent sur Bedford Avenue, le point névralgique du quartier. De vieux immeubles en brique alternaient avec des constructions flambant neuves. En pleine reconstruction, l'endroit contrastait avec le côté « aseptisé » de Manhattan. Les friperies, les petits cafés, les magasins de vinyles, les épiceries bio et les librairies d'occasion : tout se voulait à la fois authentique et avant-gardiste.

La progression de la Ferrari fut freinée par l'ambiance de village qui régnait dans la rue. Les commerçants avaient dressé des étalages sur le trottoir, des chanteurs amateurs animaient l'artère et un cracheur de feu faisait son numéro.

À présent, Madeline et Jonathan étaient à moins de dix mètres du Spyder. Pressé par la Smart, le bolide tourna à gauche avant d'arriver à McCarren

Park. En se rapprochant de la rive, ils traversèrent une zone d'entrepôts, de hangars et de terrains en friche. Couverts de graffitis, les murs rappelaient le New York des années Basquiat.

— Elle est coincée ! s'écria Jonathan alors qu'ils s'enfonçaient dans une ruelle. C'est une impasse. Il n'y a rien à part la rivière !

La Ferrari arriva en effet devant une concession de voitures d'occasion. Le bâtiment donnait sur les quais, offrant une vue inattendue sur les gratte-ciel de Manhattan. La GTO roula au ralenti sur le débarcadère puis, d'un brusque coup de volant, s'engouffra dans le hangar par une grande porte d'acier.

Madeline pila pour immobiliser sa voiture à vingt mètres de l'entrée du garage qui portait le nom de MACONDO MOTOR CLUB.

— Et maintenant ?

— On s'est fait avoir, jugea Jonathan. Ce n'était pas nous qui la chassions : c'était elle. Tu crois qu'on devrait… ?

Il n'eut pas l'occasion de terminer sa phrase. Un crissement de pneus les fit se retourner. La calandre démesurée d'une dépanneuse les percuta, harponnant la Smart et la poussant dans la gueule béante du garage. Le choc les projeta vers l'avant. Madeline n'avait pas bouclé sa ceinture mais le bras de Jonathan jaillit juste à temps pour éviter que sa tête ne heurte le volant. La remorqueuse traîna la petite voiture sur plusieurs dizaines de mètres jusqu'à la faire pénétrer complètement dans le hangar dont les portes se refermèrent sur eux.

L'entrepôt s'étendait sur plus de deux cents mètres carrés. Une cinquantaine de voitures s'y trouvaient, rangées les unes contre les autres. Jonathan reconnut une Peugeot 403 mais, apparemment, la concession était spécialisée dans les *muscle cars* : Ford Gran Torino, Chevrolet Camaro, Plymouth Barracuda…

— Pas de casse ? demanda-t-il en regardant Madeline.

Ils s'aidèrent mutuellement pour s'extraire de la Smart qui, à présent, ressemblait davantage à une compression du sculpteur César qu'à une voiture en état de marche.

Devant eux, la femme à la cicatrice postée près de sa Ferrari pointait une arme dans leur direction.

— Agent Blythe Blake de l'U.S. Marshals Service ! cria-t-elle tandis qu'ils se redressaient. Levez les mains au-dessus de votre tête !

L'U.S. Marshals Service ? La police fédérale du Département de la Justice…

Jonathan et Madeline se regardèrent avec étonnement. Cette femme était flic !

Puis ils se retournèrent vers la dépanneuse d'où un homme sauta au sol.

En pantalon de treillis et veste militaire, Danny Doyle s'avança vers eux.

— Salut Maddie ! Tu sais que tu as toujours le plus beau p'tit cul de toutes les fleuristes parisiennes…

32

La vérité sur Danny Doyle

Les épines que j'ai recueillies viennent de l'arbre que j'ai planté.

Lord BYRON

Quais de l'East River

— Tu es un vrai salaud ! Comment as-tu pu me faire croire qu'Alice était morte ?

— Maddie, calme-toi…

— Jamais je ne te le pardonnerai, Daniel !

— Laisse-moi la possibilité de me défendre.

Madeline et Danny se tenaient le long des quais de Williamsburg. Près de l'eau, la température était nettement plus froide, et Madeline serra autour d'elle son blouson. Dix mètres devant et derrière eux, deux « gardes du corps » sécurisaient la zone au fur et à mesure de leur progression.

— C'est qui ces guignols ?

— Des agents du FBI qui travaillent pour le Marshals Service.

À bout de nerfs, encore sous le choc de son accident et des révélations de la matinée, Madeline défia l'ancien truand :

— Dis-moi où est Alice, MAINTENANT !

— Je vais tout t'expliquer, mais arrête de crier, OK ?

Danny sortit de sa poche un cigarillo déjà entamé qu'il ralluma avec son briquet.

— Tout a débuté il y a trois ans et demi, commença-t-il en s'asseyant sur l'un des bancs qui bordaient le fleuve. C'était un mois avant la mort de ma mère. Elle terminait sa vie au Christie's Hospital, bouffée par un cancer en phase terminale. Je savais qu'elle vivait ses dernières semaines et j'allais la voir tous les jours.

Danny laissa ses souvenirs douloureux refaire surface. Il avait maigri. Ses cheveux étaient plus longs et encadraient un visage buriné aux traits tirés. Madeline consentit à se calmer et s'assit à côté de lui. Il aspira une bouffée de son cigare avant de continuer :

— Chaque soir, je sortais de l'hôpital un peu plus dévasté. J'avais pris l'habitude d'aller noyer mon angoisse au *Soul Café*, un pub d'Oxford

Road à cent mètres de la clinique. C'est là que je vis Alice pour la première fois. Elle donnait un coup de main au service, débarrassait les verres et les couverts. À l'époque, elle n'avait pas encore quatorze ans, même si on lui en donnait quinze ou seize. C'était évident qu'elle n'avait pas l'âge de travailler, mais personne ne s'en souciait vraiment.

— Tu l'as remarquée dès le début ?

— Oui, j'étais intrigué par son comportement : à chacune de ses pauses, elle s'installait à une table pour lire ou faire ses devoirs. Et puis, elle me regardait d'une façon étrange, comme si elle me connaissait…

— Tu lui as parlé ?

— Les premiers temps, elle s'est contentée de m'observer, puis, un soir, elle est venue m'adresser la parole, crânement. Elle m'a dit qu'elle savait qui j'étais. Puis elle m'a demandé si je me souvenais de sa mère, Erin Dixon…

— Je n'ai jamais su que tu avais fréquenté cette femme.

— Je l'avais oublié moi-même. D'ailleurs, il m'a fallu quelques secondes pour mettre un visage sur son nom. C'est vrai, j'avais couché avec Erin deux ou trois fois, une quinzaine d'années avant. C'était une fille facile qui se donnait sans faire de manières. Elle était jolie avant la dope, même si elle n'a jamais été très futée…

— C'est ce que tu as répondu à sa fille ?

— Non, bien sûr. J'étais embarrassé, mais elle n'y a pas été par quatre chemins : elle m'a dit qu'elle avait interrogé sa mère, qu'elle avait mené son enquête et que d'après elle… j'étais son père.

— Et tu l'as crue ?

— Avant même qu'elle me le dise. C'était comme une évidence.

— Pourquoi ? Tu trouves qu'elle te ressemble ?

— Non, je trouve qu'elle te ressemble.

Madeline sortit de ses gonds :

— Ne joue pas avec ça, Daniel !

— Ne dis pas le contraire ! Toi aussi, tu t'es attachée à cette gamine ! Pourquoi te serais-tu entêtée sur cette enquête si inconsciemment tu ne t'étais pas reconnue en elle ?

— Parce que c'était mon boulot.

Mais Doyle persista :

— Cette gosse, c'était la fille qu'on aurait pu avoir ensemble ! Elle était intelligente, solitaire, cultivée, tellement différente de tous ces abrutis qui m'entouraient. Elle faisait face à tout, affrontait la vie avec courage. Pour moi, ce fut comme un cadeau du ciel.

— Donc, vous avez pris l'habitude de vous revoir ?

— Oui, presque tous les jours, sans que personne soit au courant. C'était notre secret. J'ai appris à mieux la connaître et je ne lui ai pas menti sur mes activités. Elle m'a redonné une raison de me lever le matin. Pour la première fois, ma vie avait du sens.

— Tu lui donnais de l'argent ?

— Je l'aidais un peu, mais je ne voulais pas éveiller les soupçons. J'étais bien décidé à lui payer des études dans une bonne université. J'ai même pensé à la reconnaître légalement, mais vu le nombre de personnes qui voulaient me faire la peau, ça l'aurait mise en danger. Et puis, il y avait ce problème de santé qui m'inquiétait…

— Son cœur, n'est-ce pas ? devina Madeline.

Les yeux braqués sur les eaux ardoise de l'East River, Danny acquiesça avec tristesse :

— Je la trouvais essoufflée au moindre effort. Elle ne se plaignait pas, mais était souvent fatiguée et a fait deux fois un malaise devant moi. Je l'ai envoyée au Primary Care Trust. Le médecin a identifié un souffle cardiaque, mais pas d'anomalie spécifique. Pour être complètement rassuré, j'ai demandé au cardiologue qui suivait ma mère de faire d'autres examens. Ils ont révélé une cardiomyopathie dilatée : le cœur d'Alice fonctionnait au ralenti. La maladie était déjà à un stade avancé et elle risquait de mourir à n'importe quel moment.

— Le médecin a accepté de lui prescrire un traitement sous un faux nom ?

— Chaque homme a son prix, Madeline.

— Et ça a marché ?

— Les premiers mois, Alice a bien réagi aux médicaments.

Le vent se leva. Peu à peu, Madeline reconstituait la chronologie des événements, mais beaucoup de questions restaient en suspens.

— Alice savait-elle vraiment dans quoi tu trempais ?

— Oui, je n'ai jamais triché avec elle.

— Et ça ne lui posait pas de problème ?

— Disons qu'elle était suffisamment intelligente pour ne pas avoir une vision manichéenne des choses.

Madeline prit cette remarque pour un reproche à son intention, mais elle préféra ne pas la relever.

— À aucun moment tu n'as pensé à te ranger ?

— Bien sûr que si ! Mais qu'est-ce que tu crois ? Que c'était facile ? Qu'il suffisait de claquer des doigts ? J'étais dans une impasse : les flics sur le dos, les gangs rivaux qui voulaient ma peau et même mes propres hommes qui n'attendaient que la première occasion pour me trahir.

— Alice avait conscience de ça ?

— Plus que je ne l'imaginais puisque c'est elle qui m'a apporté la solution.

— Qu'est-ce que tu entends par là ?

— Un soir, je l'ai vue débarquer avec un épais dossier qu'elle avait constitué à partir de dizaines d'articles téléchargés sur Internet. Des textes de droit de la jurisprudence, des études de cas : un vrai travail d'avocat. Elle prétendait avoir trouvé la formule magique pour nous permettre à tous les deux de recommencer une nouvelle vie.

— Et c'était quoi, cette formule magique ?

— Le WITSEC : le Programme américain de protection des témoins.

33

Les témoins

Le procureur général des États-Unis peut accorder des mesures de protection à un témoin dans un procès relatif à une activité criminelle organisée, s'il estime que le témoin risque d'être victime de violences ou de mesures d'intimidation.

Article 3521 du titre 18
du code des États-Unis

Frigorifiés d'être restés trop longtemps sur le banc, Madeline et Danny avaient repris leur marche le long du quai. Malgré le froid, les berges de l'East River étaient loin d'être désertes. Équipés d'épuisettes, de seaux en plastique et de cannes à pêche, un groupe de grands-pères se félicitaient d'avoir trouvé un coin poissonneux juste en face de la *skyline* de Manhattan et sortaient à un rythme effréné des bars rayés, des soles et des petits flétans. Ils parlaient polonais, russe, espagnol… Le *melting-pot* dans ce qu'il avait de meilleur.

— Au début, expliqua Danny, j'ai répondu à Alice que son idée de « Programme de protection des témoins » était naïve et irréalisable. Je n'avais rien à échanger, aucune bille dans mon jeu. Mais elle a insisté : « Je suis sûre que tu peux te servir de ceux qui te coincent dans cette vie. » Cette réflexion a fait son chemin. Aux États-Unis, on était à quelques mois de la présidentielle et la lutte contre la drogue était l'un des thèmes de campagne. Tous les candidats parlaient du Mexique où la guerre des cartels avait déjà fait des dizaines de milliers de morts. Les Américains s'inquiétaient de la montée de l'insécurité près de la frontière. L'élection d'Obama a marqué un tournant lorsqu'il a reconnu la responsabilité de son pays dans le trafic en tant que principal pays consommateur. Avant même son investiture, il a rencontré son homologue mexicain et les deux pays ont réaffirmé leur intention de mener une lutte sans concession aux trafiquants de drogue. C'était un dossier brûlant de sa présidence : Washington n'avait aucune envie de se retrouver avec un narco-État à sa porte.

— Quel rapport avec toi ? demanda Madeline. Le blanchiment ?

— Il y a quinze ans, lors de mon année d'études en Californie, j'ai rencontré Jezebel Cortes sur les bancs de l'UCLA.

— La fille de ce chef de cartel ? Il y a son nom partout dans les journaux à cause de son procès.

— Nous sommes restés en contact. Nous avions en commun un passé familial assez lourd. Entre enfants de criminels, on se comprenait.

— Tellement bien que vous avez chacun repris le flambeau de vos pères respectifs…

— Jezebel n'a pas directement de sang sur les mains. C'était la comptable de l'organisation. Une *executive woman* discrète et intelligente qui pendant des années a blanchi les millions de la drogue en les recyclant dans des activités légales.

— Tu as une façon assez sidérante de présenter les choses…

— Au fil des années, avec l'intensification de la lutte contre l'argent sale, il est devenu plus difficile pour les narcos de blanchir leurs dollars *via* les banques et les paradis fiscaux. Jezebel a été obligée de se tourner vers d'autres activités et d'autres intermédiaires.

— C'est là qu'elle a fait appel à toi…

— Oui, pendant cinq ans, j'ai investi pour son compte dans l'immobilier et l'hôtellerie. Je savais que les agents du fisc américain essayaient de la faire tomber, mais nous étions prudents. Lorsque Alice m'a parlé du Programme de protection des témoins, j'ai demandé à mon avocat de prendre contact avec le bureau d'enquête de l'IRS[1].

— Tu leur as proposé un marché ?

— Mon impunité et une nouvelle identité pour Alice et moi contre mon témoignage pour faire tomber Jezebel Cortes. Ils tenaient absolument à l'arrêter aux États-Unis pour pouvoir saisir ses biens : des comptes bancaires, une centaine d'appartements, des complexes hôteliers, des bureaux de change et des agences immobilières dans toute la Californie.

— Ils ont accepté facilement ?

— Non, mais le Congrès s'apprêtait à voter une aide massive d'un milliard de dollars à destination du Mexique. Le FBI avait besoin d'une arrestation symbolique pour faire passer la mesure dans l'opinion publique. L'affaire est remontée jusqu'à l'attorney général qui a fini par trouver un accord avec le MI6.

— Les services secrets britanniques ?

— Ce sont eux qui ont exfiltré Alice en faisant croire à un enlèvement. Il était convenu que je la rejoindrais après.

---

1. L'une des agences du Département du Trésor chargée de la collecte des impôts et de faire respecter les lois fiscales.

Madeline se sentit soudain totalement démunie : pendant des mois, elle avait essayé de résoudre une enquête que l'Intelligence Service prenait soin d'étouffer. Tout s'expliquait : les caméras de surveillance défectueuses, l'absence d'indices, les témoignages bidons et contradictoires. Elle aurait pu enquêter pendant dix ans, elle n'aurait pas avancé d'un iota. Ou alors, elle aurait fini comme Jim, « suicidée » à son bureau…

Une rage impuissante s'empara de Madeline. Elle tenta en vain de faire taire sa colère :

— Pourquoi tu m'as fait ça, Danny ? Pourquoi m'as-tu fait croire que tu la cherchais, pourquoi m'avoir envoyé son cœur ?

— À peine arrivée à Manhattan, Alice est devenue réfractaire aux médicaments. Son insuffisance cardiaque a empiré. J'étais très inquiet : elle était seule, elle était de plus en plus souvent fatiguée, multipliait les grippes et les bronchites. Seule une transplantation pouvait la sauver. J'ai fait pression sur le FBI : pas question de témoigner si ma fille mourait. Ils se sont débrouillés pour l'inscrire sur la liste des receveurs prioritaires et l'opération s'est déroulée très vite dans un hôpital new-yorkais. Ça n'a pas été une période facile pour elle…

— Mais pourquoi m'avoir envoyé son cœur ? insista Madeline.

— Ce n'est pas moi qui te l'ai envoyé, mais ceux qui nous protégeaient. Parce que tu devenais gênante, Madeline, avoua-t-il de sa voix rocailleuse abîmée par le tabac. Tu remuais ciel et terre pour retrouver Alice. Tu allais finir par faire le lien avec moi. Le MI6 a paniqué. Ce sont eux qui ont eu l'idée du cœur. Pour clore ce dossier.

— Quel rôle a joué Bishop ?

— Bishop, c'est le hasard. Les services secrets savaient bien qu'un jour ou l'autre un tordu s'accuserait du crime d'Alice. C'est seulement venu plus vite que prévu. Ensuite, comme convenu, quelques mois après sa « disparition », j'ai mis en scène ma propre mort et je l'ai rejointe à New York.

— Tu as tué ton frère !

— Non, Jonny s'est tué lui-même. Tu le connaissais : c'était un zombie rongé par la dope, un malade mental et un assassin. J'ai fait des choix et Alice était ma priorité. Pour ceux qui agissent, il y a toujours un prix à payer.

— Épargne-moi ton discours, je le connais ! Et Jonathan ? Comment est-il tombé sur vous ?

— Pendant les vacances de Noël qui ont suivi, Alice et moi sommes allés passer quelques jours de vacances sur la Côte d'Azur. Après son opération, Alice n'avait pas pu s'empêcher de taper son propre nom sur les moteurs de recherche pour voir la tournure que prenait l'enquête sur son « enlèvement ». Elle avait trouvé des articles sur toi, sur ta tentative de suicide. Elle voulait qu'on te mette dans la confidence, mais Blythe Blake, la marshal chargée de notre surveillance, avait refusé. Alice l'avait mal pris. À notre arrivée en France, elle a fugué pour aller te voir à Paris, mais une fois dans la capitale elle y a renoncé pour ne pas nous mettre en danger, et c'est là qu'elle est tombée sur Jonathan Lempereur.

Le cœur de Madeline se serra. Non seulement Alice connaissait son existence, mais elle avait cherché à prendre contact avec elle.

— À partir de cette époque, le FBI et la police des douanes avaient vos deux noms dans leur fichier et une alerte se déclenchait automatiquement lorsque vous vous déplaciez sur le sol américain. Hier soir, on a informé Blythe Blake que vous étiez *tous les deux* à New York. Ça ne pouvait pas être un hasard. Je lui ai demandé de mettre au point un stratagème pour te faire venir ici.

— Pour me faire taire ?

— Non, Madeline, pour que tu m'aides.

— T'aider à quoi faire ?

— À retrouver Alice.

★

Aménagé comme un loft, l'appartement surplombait le garage et les quais. Le front collé à la baie vitrée, l'agent Blythe Blake ne quittait pas des yeux Danny et Madeline. La marshal avait sommairement répondu aux questions de Jonathan et restait tout entière concentrée sur sa tâche : surveiller et protéger le témoin. Le Français détaillait cette femme étrange à la beauté gracieuse et aristocratique. Elle avait la blondeur et l'élégance froide des héroïnes hitchcockiennes. Taille de guêpe, *tregging* noir, cuissardes lacées et perfecto en cuir ouvert sur un col roulé. De petites barrettes ramenaient ses cheveux en un chignon sophistiqué. Lorsqu'on la regardait sur son bon profil, on ne pouvait qu'être séduit par la finesse de ses traits et son regard délicatement souligné.

Même sa cicatrice avait quelque chose de fascinant. Loin de la défigurer, la balafre qui outrageait son visage lui donnait un côté « femme fatale » que certains hommes devaient trouver excitant.

— On doit souvent vous poser la question..., commença-t-il.

Tout en braquant ses jumelles vers Danny, elle répondit à Jonathan d'une voix monocorde :

— Un éclat d'obus en Irak dans le « triangle de la mort ». Trois millimètres à côté, et je perdais mon œil...

— C'était quand ?

— Il y a huit ans. J'étais engagée volontaire. Si c'était à refaire, je le referais.

— Vous êtes restée longtemps dans l'armée ?

— Je suis un agent gouvernemental : mon dossier est confidentiel.

Comme il insista, elle finit par lâcher :

— J'ai quitté les marines après ma blessure. Je suis resté deux ans à Quantico[1] puis j'ai effectué des missions *undercover* au sein de la DEA avant d'être détachée dans le corps des marshals.

— C'était où ces missions ?

— Écoutez, mon petit vieux, c'est moi qui pose les questions, OK ?

— C'est ce que vous répondez dans les soirées lorsqu'un type s'intéresse à vous ?

Elle s'exaspéra :

— Nous ne sommes pas dans une soirée et pour votre information vous n'êtes pas du tout mon genre.

— C'est quoi votre genre ? Des mecs comme Doyle ?

— Pourquoi dites-vous ça ? Vous vous inquiétez pour votre copine ?

— Et vous ? Ça vous fait triper les assassins ?

---

1. Base américaine accueillant notamment l'académie de formation et d'entraînement du FBI.

— Plus que les pères de famille, oui, le provoqua-t-elle. Mais si vous voulez tout savoir, mon job est de surveiller Doyle, pas de coucher avec lui.

Oreillette greffée à l'oreille, elle aboya quelques instructions pour ordonner aux deux cerbères de resserrer leur protection.

— Vous pensez que Danny peut se faire buter par les Mexicains ?

— Ce n'est pas impossible, mais je ne le crois pas un seul instant.

— Pourquoi ?

— Parce que, d'une certaine façon, il a *déjà* témoigné.

Cette fois, Jonathan était perdu :

— Il y a cinq minutes, vous m'avez dit que son audition était prévue pour la semaine prochaine !

Blythe précisa ses explications :

— Comme la loi le permet dans ce genre de situation, Danny a enregistré sa déposition avant même le début du procès. Un témoignage filmé, en présence d'un juge et d'un avocat, qui accable Jezebel Cortes.

Jonathan commençait à comprendre :

— Donc, même si Danny était tué aujourd'hui…

— … cette bande serait suffisante pour faire condamner la trafiquante, confirma Blythe. Le seul espoir du cartel serait que Danny change sa version le jour du procès.

— Mais pourquoi ferait-il une chose pareille ?

— À cause de ça, répondit-elle.

À l'aide d'une télécommande, elle alluma un grand écran plat accroché au mur et lança une vidéo.

34

The Girl in the Dark

L'esprit cherche et c'est le cœur qui trouve.

George SAND

Le film durait moins de trente secondes. Il consistait en un plan serré sur le visage dévasté de la jeune fille. Paniquée, visiblement à bout de forces, les yeux cernés, Alice regardait la caméra avec intensité. La lumière blafarde qui l'entourait laissait penser qu'on la retenait dans un sous-sol ou un cachot. Son débit était saccadé, coupé par les sanglots. En hoquetant, elle parvint néanmoins à s'adresser directement à son père pour lui communiquer les revendications de ses ravisseurs :

Save me, Dad ! Change your testimony, please !

And we'll be together again. Right, Dad[1] ?

Puis la caméra s'éloigna, permettant de distinguer la frêle silhouette d'Alice enchaînée à une canalisation.

— Ce film nous est parvenu ce matin par l'intermédiaire d'un coursier, expliqua Blythe Blake en faisant un arrêt sur image.

Danny serra les poings. Réduit à l'impuissance et rongé par la culpabilité, il était profondément pessimiste :

— Ça va faire douze heures qu'elle a été enlevée. Si on ne la retrouve pas très vite, ils la tueront quoi que je fasse. Et sans ses médicaments, elle risque à tout moment de faire une insuffisance rénale.

Blythe s'installa à une table en fer forgé sur laquelle étaient posés trois ordinateurs portables.

— Nous avons essayé sans succès de localiser le téléphone d'Alice, précisa-t-elle en transférant le film sur l'un de ses disques durs.

Elle visionna plusieurs fois l'enregistrement, isolant la bande-son et effectuant des dizaines de captures d'écran, zoomant sur le moindre détail.

Intéressée par ces aspects techniques, Madeline s'approcha des ordinateurs. Blythe lui détailla sa procédure :

---

1. *Sauve-moi, papa ! Change ton témoignage, s'il te plaît ! Et nous serons à nouveau ensemble. D'accord, papa ?*

— Il y a la date et l'heure précise en bas du film. En amplifiant la piste sonore, on repérera peut-être des bruits en apparence inaudibles : métro aérien, bourdonnement de la circulation… qui peuvent nous mettre sur une piste.

— Et le Caméscope ? demanda Jonathan.

— L'image semble de bonne qualité malgré la pénombre. C'est un modèle récent, analysa Blythe.

En quelques manipulations, elle lança un logiciel capable d'identifier la marque et le modèle.

— C'est un Canon à mémoire flash, sorti sur le marché il y a moins d'un an. Je vais demander au Bureau de dresser la liste des dernières ventes en magasin ou sur Internet, mais ça prendra du temps.

Elle isola ensuite le détail d'une image qu'elle afficha en gros plan.

— Ce qui m'intéresse, c'est ce tuyau ! dit-elle en montrant un agrandissement de la conduite à laquelle était enchaînée Alice. Il est ancien et massif. À première vue, je dirais que cette canalisation a au moins un siècle, mais je vais contacter des experts capables de la dater très précisément. Avec un peu de chance, en croisant toutes nos données, on pourra localiser la planque.

Puis elle se tourna vers l'agent qui avait réceptionné la clé USB contenant le film.

— Tu as la déposition du coursier, Chris ?

Depuis son téléphone, le *Man in Black* transféra un document qui s'afficha sur l'écran de l'ordinateur.

— Il travaille pour Bike Messenger, une agence de livraison près de Wall Street, mais aujourd'hui il bossait en free-lance. Il a pris livraison du paquet au croisement de Dutch et de John Street. L'expéditeur s'était déplacé lui-même : grand, caucasien, épais, la quarantaine… Il a réglé en espèces sans mentionner son nom.

— On a son portrait-robot ?

— Euh… Terence est en train d'interroger le livreur.

— Eh bien, dis-lui de passer la vitesse supérieure ! Je veux pouvoir diffuser son signalement dans dix minutes. À partir de maintenant, chaque seconde compte !

★

Une demi-heure plus tard

Le *Matchbox*[1] devait sans doute son nom à l'exiguïté du lieu. Dieu sait comment, le propriétaire du pub était parvenu à aménager la pièce de façon à pouvoir disposer une vingtaine de couverts dans une petite salle *cosy* ouverte sur un jardinet.

---

1. Boîte d'allumettes.

Assis devant un bagel au saumon, Jonathan venait de rendre compte à Madeline de son entrevue avec Francesca.

— Qu'est-ce que tu en penses ?

Il avait parlé avec sincérité, lui racontant précisément les circonstances dans lesquelles sa femme avait tué Lloyd Warner et s'était débarrassée de son corps avant de s'assurer un alibi avec la complicité de George. Une prouesse qui lui avait permis de ne pas être accusée de meurtre, mais qui lui avait coûté son mariage.

— Je pense qu'avec la mort de ce type, la Terre compte un salaud de moins, répondit Madeline.

Une saillie à la Danny Doyle...

— Je trouve que ta femme possède un sacré sang-froid et une intelligence redoutable, compléta-t-elle.

Elle avala une dernière bouchée de sa tartine de chèvre frais et prit une gorgée de vin.

— Et je crois que tu devrais aller la retrouver.

Jonathan tomba des nues. En une seconde, Madeline avait fait voler toute leur histoire en éclats.

— Et... nous ?

Elle le regarda dans les yeux.

— Ne nous mentons pas : notre relation est fragile. Quel est notre avenir ? Nous habitons à dix mille kilomètres l'un de l'autre, nous sommes aussi paumés l'un que l'autre. Il y aura toujours un moment où tu regretteras de ne pas être retourné vivre avec ta femme et ton fils.

Jonathan tenta de garder son calme.

— Ça, tu n'en sais rien du tout ! On ne va quand même pas se séparer à cause d'une hypothèse foireuse...

— Tu n'as plus rien à faire ici. Alice Dixon ne représente rien pour toi. Ce n'est pas ton combat.

— Elle fait autant partie de ma vie que de la tienne !

Il avait haussé le ton cette fois. Le restaurant était tellement étriqué que tous les regards se tournèrent vers lui. Il détestait cet endroit avec ses tables collées les unes aux autres, ne laissant ni liberté de mouvement ni intimité.

— Écoute, Jonathan, cette histoire a commencé dans le sang et elle finira dans le sang. Il n'y aura pas d'issue heureuse et tu n'es pas préparé à affronter cette violence. Moi, je suis flic, Blythe travaille pour le FBI, Danny est un assassin, mais toi...

— Moi, je ne suis qu'un gentil restaurateur, c'est ça ?

— Toi, tu as une famille...

— Je pensais que tu pourrais en faire partie, remarqua-t-il en se levant.

Il posa deux billets sur la table avant de quitter la brasserie.

C'était la première fois que Madeline se sentait vraiment amoureuse d'un homme. Pourtant, elle ne chercha pas à le retenir.

— Fais attention à toi, murmura-t-elle.

Mais il était déjà parti.

Le cartel mexicain qui avait commandité l'enlèvement d'Alice était manifestement prêt à tout. Touché dans sa fierté, Jonathan n'avait pas compris que c'était parce qu'elle l'aimait que Madeline refusait de l'entraîner avec elle dans ce fleuve de ténèbres.

★

La station de métro de Bedford Avenue n'était qu'à un pâté de maisons. Jonathan s'engouffra dans la gare et rentra à Greenwich.

Chez Claire, il resta vingt minutes immobile sous la douche, épuisé par le décalage horaire et le manque de sommeil, traversé par un flux d'émotions et de sentiments contraires.

Quinze heures. Il appela San Francisco et parla longuement avec son fils. Charly ne comprenait pas pourquoi son papa n'était pas avec lui la veille de Noël.

Mais Marcus se montrait à la hauteur et le remplaçait comme il pouvait dans ce rôle de père dont Jonathan n'avait jamais vraiment su jouer la partition.

Ce dialogue avec son fils l'enfonça encore un peu plus dans la tristesse. Pour échapper à la solitude, il enfila des vêtements propres et sortit prendre un café dans le premier bar qu'il trouva sur MacDougal Street. Il espérait que la caféine l'aiderait à retrouver des idées claires. Pendant un moment, des images d'une famille à nouveau réunie se superposèrent dans son esprit à la manière d'un diaporama rassurant. Il se remémora tous les moments de plénitude qu'il avait partagés avec son ex-femme et Charly. Les aveux de Francesca l'avaient libéré d'une souffrance qui l'emprisonnait depuis deux ans, le noyant dans un brouillard qui lui avait fait perdre sa confiance et ses repères.

À présent, il avait l'occasion de retrouver sa « vie d'avant ». N'était-ce pas finalement ce qu'il avait toujours voulu ? Dans deux heures, il pouvait être dans un avion pour la Californie, récupérer Charly et revenir à New York passer les fêtes avec Francesca.

Cette perspective était réconfortante. Il se souvenait d'une phrase d'un de ses collègues : « Un arbre sans racines n'est qu'un bout de bois. » Il avait besoin de fondations pour ne pas perdre pied. Pourtant, l'image de Francesca s'effaça peu à peu derrière celle de Madeline. La jeune femme avait sans doute raison : leur histoire s'était construite sur du vent. Et pourtant…

Pourtant, il était incapable de se plier à la voix de la raison. Madeline avait fracturé son cœur pour y instiller le poison du manque.

Machinalement, il sortit un stylo de sa poche et, saisi d'une inspiration subite, commença à griffonner sur la nappe en papier. Au bout de trois minutes, il se rendit compte qu'il avait conçu un dessert à l'image de la jeune Anglaise : un mille-feuille à la crème légère de rose et de violette avec une fine pâte feuilletée caramélisée à l'orange douce de Tunisie. Il en fut le premier étonné. Depuis deux ans, il était en panne sèche de créativité et n'avait pas inventé le moindre plat. Aujourd'hui, le verrou venait de sauter et l'amour l'inspirait à nouveau.

Cette perspective le rasséréna et lui donna confiance en l'avenir. Pourquoi n'ouvrirait-il pas un restaurant à New York couplé à une petite école de cuisine ? Enfin un projet qui avait du sens.

Jonathan avait appris de ses erreurs et ne commettrait pas deux fois les mêmes bêtises. Fini la foire aux vanités, la course aux étoiles, la recherche de la consécration médiatique. Il avait en tête un établissement de caractère, servant une cuisine originale et ambitieuse, mais pas dans un décor luxueux. Terminé les verres en cristal et les services en porcelaine créés par des *designers* à la mode. Plus jamais il n'accolerait son nom à des produits dérivés ou à des plats surgelés dégueulasses vendus en hypermarché. Désormais, il ferait son métier en artisan, avec pour seul objectif de prendre et de donner du plaisir.

Il quitta le café en emportant avec lui quelques ferments d'espoir. Mais il savait que cet avenir passait forcément par la survie d'Alice Dixon. Où serait-il aujourd'hui s'il n'avait pas croisé la route de la jeune fille ? Enterré six pieds sous terre, sans aucun doute. Il lui devait la vie : c'était la dette la plus forte qu'il avait jamais contractée. Une créance de sang qu'il était bien décidé à honorer.

★

Dix-huit heures. Les images de la captivité d'Alice envahissaient son esprit. Tout était désordonné. Il essaya de se souvenir de ses dernières paroles, mais il n'y parvint pas. Il remonta jusqu'à la 20e Rue. La nuit commençait à tomber. Malgré le froid qui lui cinglait le visage, il continua à déambuler dans les rues, repensant à l'incroyable destin d'Alice. À sa vie qu'elle avait menée comme un combat. À la force de caractère qu'il lui avait fallu pour se libérer de ses chaînes et devenir maîtresse de son existence. Depuis son plus jeune âge, elle s'était battue toute seule, sans famille, ni amis, choisissant chaque fois le chemin le plus dur : celui qui consiste à ne pas fréquenter la médiocrité, à éviter de se laisser tirer vers le bas par les minables et les abrutis. Une ligne de conduite déjà difficile à suivre lorsqu'on est adulte, mais lorsqu'on a treize ans…

Il arriva à l'est de Chelsea. À présent, il faisait nuit et quelques flocons argentés, portés par le vent, voltigeaient sous les lampadaires. Le froid l'incita à pousser la porte du *Life & Death*, un célèbre bar à cocktails. Une musique *lounge* s'élevait des quatre coins de la pièce. Jonathan n'appréciait pas forcément ce genre d'endroit, mais les mouvements et les conversations lui donnaient l'impression d'être moins seul. Quant à la musique, elle créait une sorte de bulle qui, paradoxalement, l'aidait à réfléchir, à ressasser des idées, à macérer dans ses réflexions. Alice… Il devait se concentrer sur Alice…

Son intuition lui disait que l'enquête de Blythe Blake et de Madeline ne déboucherait sur rien. De son côté, il n'avait aucun moyen d'investigation.

Il ne possédait que ses neurones et sa psychologie. L'alcool lui brûla l'estomac, mais amplifia sa sensibilité. Il commanda un nouveau verre pour maintenir à vif son émotivité. En tant que créateur, il avait toujours parié sur une forme d'intelligence des émotions. Peu à peu, la barrière de sa mémoire s'estompa et le contenu du film lui revint en tête : le regard brillant et fiévreux de l'adolescente, son air désemparé, le cachot sordide, les menottes qui entravaient ses poignets, sa voix saccadée et ses paroles :

« Save me, Dad ! Change your testimony, please ! And we'll be together again. Right, Dad ? »

Il essaya de faire le vide en lui, d'entrer en empathie avec Alice. La terreur qui se lisait sur son visage n'était pas feinte, mais il y avait aussi une telle intensité dans ses yeux… Malgré la peur, son intelligence et sa vivacité y étaient toujours présentes. Comme si elle ne cherchait pas seulement à susciter de la compassion, mais aussi… à faire passer un message…

Non, c'était impossible. On avait dû lui donner un texte à lire ou, du moins, des indications précises. Comment improviser quelque chose sur seulement quelques mots ?

Il prit le sous-verre en carton placé sous son cocktail et écrivit néanmoins les quatre phrases :

Save me, Dad !
Change your testimony, please !
And we'll be together again.
Right, Dad ?

Bon, et après ? À en croire Danny, la jeune fille était parfaitement au courant des risques qu'elle courait. Elle savait que son ravisseur était probablement mandaté par le cartel mexicain. Donc, ce n'était pas l'identité de son kidnappeur, mais peut-être davantage des informations sur son lieu de détention qu'elle aurait cherché à communiquer. Sauf si…

Il eut un flash qui soudain imposa l'évidence. Il attrapa son stylo et repassa avec la bille sur la première lettre de chaque phrase :

***S**ave me, Dad !*
***C**hange your testimony, please !*
***A**nd we'll be together again.*
***R**ight, Dad ?*

Mises l'une après l'autre, les majuscules formaient un mot de quatre lettres : ***SCAR***

La « cicatrice » en anglais…

35

À bout de souffle

Il y a un instant où la mort a toutes les cartes et où elle abat d'un seul coup les quatre as sur la table.

Christian BOBIN

Williamsburg
Macondo Motor Club
23 heures

Un calme trompeur régnait dans le loft qui surplombait le garage. Installées devant les écrans d'ordinateur, Blythe Blake et Madeline poursuivaient leurs analyses de données. Debout face à la baie vitrée, Danny se rongeait les sangs, fumant cigarette sur cigarette. Deux agents montaient la garde : le premier installé devant la porte de l'appartement, le second patrouillant autour du garage au milieu des flocons qui tourbillonnaient dans la nuit.

Presque imperceptible, un tintement métallique annonça à Madeline l'arrivée d'un SMS.

Elle jeta un rapide coup d'œil à l'écran :

> Je sais qui a enlevé Alice !
> Viens me retrouver au Life
> &
> Death, à l'angle de la
> 10e Avenue et de la 20e Rue.
> Viens SEULE. Surtout, N'EN
> PARLE À PERSONNE.
> Jonathan.

Totalement incrédule, elle crut d'abord à un stratagème de Jonathan pour la revoir.

Mais jamais il n'aurait instrumentalisé un tel drame...

Peut-être avait-il réellement découvert quelque chose ? Dans ce cas, pourquoi ne pas lui avoir téléphoné au lieu de chercher à l'attirer dans un bar ?

— Tu me prêtes ta voiture, Danny ?

— Tu sors ?

— Je vais faire une course, affirma-t-elle en enfilant sa veste de cuir.

Elle récupéra le sac à dos contenant l'ordinateur portable de Jonathan et suivit Danny dans l'escalier en fonte qui menait au garage. Sous la surveillance du garde du corps, ils traversèrent le hangar qui regorgeait de voitures de collection.

— Prends celle-là, dit-il en désignant une Pontiac rouge vif de 1964.

— Tu n'aurais pas quelque chose de moins voyant ?

Elle tourna la tête et plissa les yeux à la recherche d'un modèle plus discret.

— Pourquoi pas celle-ci ? proposa-t-elle en montrant un cabriolet Peugeot 403. On dirait la voiture de Columbo !

— Monte dans la Pontiac ! insista-t-il.

Elle comprit qu'il valait mieux ne pas s'obstiner et s'installa au volant de la belle américaine.

Danny se pencha à la fenêtre.

— Les papiers sont là, expliqua-t-il en déployant le pare-soleil. Puis il pointa la boîte à gants.

— S'il y a un problème…

Madeline entrouvrit le vide-poche pour apercevoir la crosse d'un Colt Anaconda. Elle comprit alors l'entêtement de Danny à lui faire prendre sa propre voiture.

— Tu vas retrouver ton copain ? demanda-t-il d'un air mauvais. Elle remonta la vitre en ignorant sa question.

— À plus tard.

*

La nuit et la neige ne facilitaient pas la conduite. Madeline hésita à utiliser le GPS de son téléphone, mais choisit finalement de la jouer « à l'ancienne ». Elle négocia le virage serré qui permettait de regagner le pont et traversa l'East River pour rejoindre Manhattan.

Jusqu'à présent, l'adrénaline de l'enquête l'avait tenue éveillée, mais, d'un coup, elle sentit la fatigue accumulée s'abattre sur elle, alourdissant ses mouvements et brouillant ses idées. Ces trois derniers jours, elle n'avait grappillé que quelques heures d'un mauvais sommeil. Ses yeux la brûlaient et elle fut prise d'un bref vertige.

Putain, je n'ai plus vingt ans ! se plaignit-elle en essayant de faire marcher le chauffage.

À la sortie du pont, elle reconnut la Bowery qu'elle avait empruntée le matin même lors de leur course-poursuite avec Blythe. Elle la remonta jusqu'à Houston Street où le quadrillage impersonnel de la ville reprenait ses droits, rendant l'orientation beaucoup plus aisée. Elle vérifia l'adresse que lui avait donnée Jonathan et se laissa guider jusqu'au *Life & Death*. Il était déjà tard et la circulation était fluide. Elle éprouva un soulagement en repérant plusieurs places libres au début de la 20e Rue, car garer la Pontiac n'était pas une partie de plaisir.

Elle traversa le bar et repéra Jonathan assis devant un verre vide.

— Tu es venue seule ? s'inquiéta-t-il.

— Comme tu me l'as demandé.

— Du nouveau sur Alice ?

— Pas vraiment.

Elle s'assit devant lui et dénoua son écharpe.

— Qu'est-ce que c'est que cette histoire ? Pourquoi prétends-tu savoir qui l'a enlevée ?

— Juge par toi-même, répondit-il en lui tendant le sous-verre.

Elle regarda le carton pendant une dizaine de secondes.

— Et alors ?

— *SCAR !* s'écria-t-il. La cicatrice en anglais.

— Oui, merci, c'est ma langue maternelle, je te signale.

— Blythe ! C'est Blythe qui a enlevé Alice ! En tout cas, c'est ce qu'elle cherche à nous faire comprendre ! Blythe est complice des Mexicains !

La moue dubitative de la jeune femme doucha l'excitation de Jonathan.

— Tu te crois dans le *Da Vinci code* ? se moqua-t-elle.

— Pour toi, c'est un hasard ?

— Quatre lettres, ça ne veut rien dire…

Mais Jonathan n'était pas prêt à abandonner :

— Réfléchis trente secondes.

— Je crois que c'est à ma portée.

— Mets-toi à la place des Mexicains. Qui chercherais-tu à « retourner » prioritairement dans cette affaire ?

— Dis-moi ?

— La marshal chargée de la protection de Danny, bien sûr !

Elle semblait toujours aussi sceptique, mais il continua :

— Aux États-Unis, les cartels mexicains tentent d'infiltrer toutes les agences de maintien de l'ordre : les gardes-frontières, l'immigration, les douanes… De plus en plus de fonctionnaires américains se laissent corrompre. Et la crise n'a rien arrangé.

— Blythe Blake est une patriote, contra Madeline.

— Elle a le profil idéal au contraire ! Elle a travaillé en infiltrée chez les narcos. Au bout d'un moment, tu perds tes repères. Et quand on te propose des millions de dollars, le patriotisme, tu t'assois dessus.

Tout homme a un prix, pensa-t-elle en se

souvenant des paroles de Danny. Gagnée par le doute, elle regarda d'un autre œil les majuscules qui formaient le mot SCAR. Se pourrait-il qu'Alice ait eu la présence d'esprit de faire passer un tel message ?

— Il faut avertir Danny ! trancha Jonathan. Il est menacé !

Madeline sortit son portable dans lequel elle avait enregistré le numéro de Danny. Après une brève hésitation, elle se résolut à lui envoyer un message.

> Méfie-toi de Blythe.
> Peut-être retournée par les narcos.
> Contacte le FBI. Sois très prudent. Tu es en danger.
> Madeline.

— Nous, on file prévenir les flics, en espérant que tu ne te sois pas trompé.

Quand ils quittèrent la chaleur du bar pour le vent glacé de la nuit, la Ferrari noire les attendait de l'autre côté de la route…

*

— C'est elle !

Ils eurent un mouvement de recul. Blythe avait

certainement trouvé louche le départ de Madeline et se doutait que quelque chose se tramait dans son dos.

— Je vais voir, décida Jonathan en traversant.

— Non, tu es dingue !

Et merde ! pensa Madeline.

Elle courut jusqu'à la Pontiac, se souvenant de l'arme dans la boîte à gants.

Il faisait très sombre. Jonathan arriva près du Spy-der. Il était vide. Tous feux éteints. Son moteur coupé.

Où est-elle ?

Il perçut un mouvement derrière lui. Le cabriolet était garé devant l'entrée d'un parking qui s'élevait sur plusieurs niveaux. Pour maximiser le nombre d'emplacements, un ingénieux système d'ascenseurs hydrauliques permettait de déplacer verticalement et horizontalement près de deux cents voitures empilées les unes sur les autres. Le vent soufflait fort, faisant grincer les piliers métalliques de l'énorme armature. L'endroit était sinistre et donnait froid dans le dos.

— Il y a quelqu'un ? demanda Jonathan en s'engageant imprudemment dans le parc de stationnement.

*

Qu'il est con ! jura Madeline en le regardant de loin. Elle se hâta de mettre le contact, espérant pouvoir « récupérer » Jonathan, mais…

★

Trop tard.

La détonation claqua et une balle siffla, passant à un cheveu du crâne de Jonathan avant de ricocher contre une colonne en acier.

Il se jeta à terre, évitant un nouveau projectile. À vingt mètres derrière lui, Blythe le canardait !

Il se leva d'un bond et courut sans se poser de questions, empruntant le premier escalier en plein air à l'entrée du parking. Derrière lui, il entendait résonner les pas de la marshal. Elle le prenait en chasse, mais la volée de marches en colimaçon l'empêchait d'ajuster ses tirs.

En haut de l'escalier, il se retrouva face à une barrière grillagée haute de deux mètres.

Pas d'autre choix que de l'escalader.

Il n'avait plus fait de sport depuis des mois, mais la perspective de finir trucidé fut suffisante pour lui donner la force de grimper à mains nues le long de la clôture. Il franchit la grille pour se retrouver…

… sur l'ancienne voie ferrée aérienne qui

surplombait le Meatpacking District, autrefois quartier des abattoirs et des boucheries. La ligne permettait jadis aux wagons de marchandises de desservir les entrepôts. La structure était restée abandonnée pendant près de trente ans, envahie par la végétation avant d'être réaménagée en promenade. L'été, c'était un écrin de verdure qui offrait une vue plongeante sur la rivière. Ce soir, une succession de dalles en béton, hostiles et lugubres…

19e Rue, 18e Rue…

Jonathan courait comme un dératé. Sur cette première partie, la ligne de tram était rectiligne. Il était donc à découvert, constituant une cible de choix. À quinze mètres derrière lui, Blythe tira par deux fois. Une balle l'effleura, l'autre fit exploser le mur de protection en Plexiglas du côté de l'Hudson. Heureusement pour Jonathan, à cette heure de la nuit, on avait coupé l'éclairage tout le long du parcours pour ne pas attirer les squatteurs…

*

Madeline sursauta en entendant les coups de feu. Au volant de la Pontiac, elle guettait par la fenêtre ouverte le moindre mouvement sur la voie ferrée. Les yeux levés vers les jardins suspendus, elle essayait de deviner la progression de la poursuite, roulant au ralenti sur la chaussée qui suivait la *High Line*. À travers le belvédère vitré qui surplombait la route, elle aperçut furtivement la silhouette de Jonathan et poussa un soupir de soulagement de le savoir toujours en vie.

★

Jonathan avait repris de l'avance. La neige qui tourbillonnait en lourds flocons rendait le sol glissant. La promenade bifurquait à présent vers la gauche pour traverser en diagonale la 10e Avenue, flottant au-dessus des toits, serpentant entre les immeubles en brique, frôlant les façades et les panneaux publicitaires géants.

Pour que le lieu garde son authenticité, on avait cru bon de conserver des tronçons entiers de voie ferrée. Deux files de rails en acier continuaient de courir à découvert au milieu du béton. Gagné par un excès de confiance, Jonathan enjamba une jardinière coulée dans du ciment d'un saut maîtrisé, mais il se tordit la cheville, se coinçant le pied dans l'une des traverses en bois.

Merde !

Il reprit sa course à un rythme plus lent. Blythe s'était rapprochée, mais au niveau du Chelsea Market l'ancienne friche industrielle plongeait dans un tunnel sur un pâté de maisons, offrant un peu de répit au Français.

★

14ᵉ Avenue, Washington Street…

Madeline se faufilait entre les immeubles, gardant un contact visuel avec la structure en acier de l'ancienne friche industrielle. Plusieurs fois, elle fut tentée de s'arrêter au niveau des escaliers qui jalonnaient le parcours, mais, à cette heure avancée, leur accès était bloqué.

Elle décida finalement d'aller jusqu'au terminus de la voie et gara sa voiture sur Gansevoort Plaza en espérant que Jonathan ne se ferait pas descendre avant qu'elle l'ait rejoint.

★

Jonathan sortit du tunnel en haletant. Blythe était à moins de dix mètres derrière lui. Une douleur aiguë le transperça au-dessous des côtes. En sueur, il continua néanmoins à courir à en perdre haleine, slalomant entre les massifs de mauvaises herbes. Il arriva au niveau du *sundeck* : la zone réservée à la bronzette où de grands transats en bois brut faisaient face à la *sky-line* du New Jersey. Pour freiner la progression de son adversaire, il renversa méthodiquement tout ce qui lui tombait sous la main : chaises longues, tables de jardin, bacs à fleurs…

Un nouveau coup de feu fit voler en éclats une jarre en terre cuite.

Juste à côté.

À bout de souffle, il déboula sur la dernière partie de la travée. Il donna ses ultimes forces pour traverser ce passage à la végétation plus fournie. Les arbres hauts et les bosquets empêchèrent Blythe de tirer.

Puis le tronçon s'arrêta brutalement.

Jonathan s'engouffra dans l'escalier qui donnait sur Gansevoort Street. Blythe déboula derrière lui. Un dernier grillage à escalader et…

Trop tard. Blythe avait sauté presque en même temps que lui. Cette fois, zigzaguant au milieu de la rue, il était vulnérable et sans aucune défense.

Elle prit son temps pour l'ajuster. À cette distance, elle ne pouvait pas le rater.

★

— Stop ! Posez votre arme ou je fais feu ! hurla Madeline.

L'ombre féline de Blythe Blake se retourna,

jugeant la situation en un clin d'œil. Madeline pointait sur elle le Colt Anaconda de Danny.

Sans l'ombre d'une hésitation, la marshal ignora la menace et se précipita vers Jonathan, l'enserrant à la gorge et posant son arme sur sa tempe.

— Un geste et je le descends ! cria l'Américaine. Reculez !

Les deux femmes se faisaient face, chacune campée sur sa position. Une neige épaisse, fouettée par le vent, masquait leurs ombres qui se fondaient dans un ciel lourd.

Blythe recula vers la rivière en accentuant sa pression sur le cou de Jonathan.

Madeline avança d'un pas. Les flocons l'empêchaient de bien distinguer la marshal.

— Si vous le tuez, vous êtes foutue ! cria-t-elle. Vos copains du FBI seront là dans moins de deux minutes.

— Pour la dernière fois, reculez ou je le flingue ! Les agents du FBI, je m'en tape, j'ai dix portes de sortie pour les semer.

Madeline avait-elle réellement le choix ? Si elle posait son arme, Blythe ne leur laisserait pas la vie sauve pour autant. Elle les descendrait tous les deux. La jeune Anglaise cligna des yeux plusieurs fois et sa vision se troubla. La fatigue et le stress refaisaient surface. Au mauvais moment.

Elle sentit sa main trembler. Le canon du revolver pesait une tonne. C'était une arme de « mec », conçue pour la chasse ou les séances de tir sportif. Avec ça, elle pouvait tout aussi bien arracher la tête de Blythe que celle de Jonathan... Il suffisait d'une erreur d'un millimètre au moment du tir pour que la balle prenne une mauvaise trajectoire. Et c'était un jeu dans lequel on n'avait pas de deuxième chance.

Maintenant.

Elle tira un seul coup. Anticipant un recul brutal, Madeline mit toute sa force pour maintenir un bras ferme, contrant ainsi le déplacement vers l'arrière du Colt.

Touchée en plein crâne, Blythe Blake fut violemment déportée vers l'arrière. Elle tenta de s'agripper à Jonathan, mais l'instant d'après, son corps sans vie bascula au-dessus de la barrière et plongea dans l'Hudson.

*

Le vent soufflait de plus en plus fort, portant le hululement des sirènes de police qui venaient de la rue.

Accablée d'un poids immense, noyée au milieu des flocons glacés, Madeline grelottait. Elle venait de tuer la seule personne qui savait où était enfermée Alice. Elle venait de tuer Alice. Sa main toujours crispée sur le flingue, elle n'arrivait pas à quitter l'eau noire des yeux. Jonathan, lui, restait immobile, sous le choc, la chemise éclaboussée de sang. Soudain, il parut sortir de sa transe. Face à lui, Madeline vacillait, ployant sous l'angoisse. Craignant qu'elle ne s'évanouisse, il l'entraîna vers la Pontiac garée sur Gansevoort Plaza.

Il démarra en trombe, observant dans son rétroviseur les éclairs des gyrophares bleu et rouge qui zébraient la pénombre du ciel.

36

Finding Alice

Le seul élément qui puisse remplacer la dépendance à l'égard du passé est la dépendance à l'égard de l'avenir.

John DOS PASSOS

Lower East Side
Un immeuble près de Tompkins Square Park
Une heure du matin

Jonathan poussa la porte de la salle de bains. Madeline s'était endormie dans la baignoire. Il trouva un peignoir pendu derrière la porte et s'approcha pour la réveiller en douceur. Elle était pâle, le regard vide, les gestes las. Docile, elle se laissa envelopper et frictionner dans la tunique en tissu-éponge.

Il était trop dangereux de retourner chez Claire ou

de descendre dans un hôtel standard où on aurait pu les repérer facilement. Après avoir garé la voiture quelques rues plus bas, ils avaient trouvé refuge dans cette petite chambre d'hôtes appartenant à Anita Kruk, une vieille Polonaise qui tenait un *delicatessen* au cœur d'Alphabet City. Jonathan avait autrefois embauché sa fille comme chef de rang à *L'Imperator* et Anita ne l'avait pas oublié. Pour être certains de ne pas être localisés, ils avaient aussi éteint leurs téléphones qu'ils avaient abandonnés dans la Pontiac. Les seuls objets qu'ils avaient gardés avec eux étaient leur ordinateur et le flingue de Danny.

On frappa à la porte. Tandis que Madeline s'enfonçait au fond du lit, Jonathan ouvrit à Anita. La vieille femme leur apportait un plateau-repas sur lequel étaient disposés deux bols fumants de zurek, une soupe de légumes à la farine et au seigle fermenté.

Jonathan remercia leur logeuse puis proposa un des bols à Madeline :

— Goûte, tu vas voir, c'est… spécial.

Elle prit une cuillère de potage et la recracha dans un haut-le-cœur.

— C'est vrai que c'est peut-être un peu aigre, mais c'est l'intention qui compte, n'est-ce pas ?

Sans même lui répondre, elle éteignit la lumière et sombra dans le sommeil.

Avant d'aller la rejoindre, il s'approcha de la fenêtre et regarda à travers la vitre. La neige tombait toujours à un rythme soutenu. Une couche de plus de dix centimètres de poudreuse recouvrait la route et les trottoirs. Où était Alice à cette heure et par ce froid ? Était-elle seulement encore en vie ? Arriveraient-ils à la sortir de cet enfer ?

Il fallait être réaliste : les choses étaient mal engagées. La mort de Blythe rendait à présent très hypothétique la possibilité de remonter jusqu'au lieu de sa détention.

Les paroles de Madeline lui revinrent en mémoire comme un écho prémonitoire : *« Cette histoire a commencé dans le sang et se terminera dans le sang. »*

Il ne savait pas encore à quel point elle avait raison.

⋆

Entrepôt de Coney Island
2 heures du matin

Dans le silence de la pièce glaciale, on n'entendait que le souffle rauque d'une respiration oppressée.

Ce fut le froid qui réveilla Alice. Le froid et la douleur : une douleur déchirante qui lui cisaillait les reins au moindre mouvement. Couchée sur le flanc, le bras tordu, elle avait presque perdu toute sensibilité sur cette partie du corps complètement engourdie. Le sang battait contre ses tempes et à ses maux de tête se mêlaient des étourdissements et des palpitations.

Elle toussa pour éclaircir ses bronches, essaya d'avaler sa salive, mais eut l'impression que sa langue était devenue dure comme du plâtre.

Elle ne savait plus combien de temps s'était écoulé depuis son enlèvement. Quelques heures ? Un jour ? Peut-être deux ? Elle avait envie d'uriner tout le temps, mais les muscles de sa vessie donnaient l'impression d'être paralysés.

Elle suffoquait. Sa pensée était fragmentée, sa vision trouble, la fièvre la faisait délirer. Elle s'imaginait qu'un rat géant était en train de lui dévorer le ventre tandis que sa longue queue écailleuse s'enroulait autour de son cou pour l'étrangler.

*

8 heures du matin

— Debout !

Jonathan ouvrit un œil et émergea avec difficulté.

— Debout ! répéta Madeline. Il faut partir.

Une lueur laiteuse perçait derrière la vitre. Le jour pointait à peine.

Jonathan écrasa un bâillement et quitta le lit difficilement. Madeline s'était déjà habillée. Après cette courte nuit de sommeil, elle avait repris ses esprits et paraissait plus déterminée que jamais.

Alors qu'il empruntait le couloir qui menait à la salle de bains, elle lui lança ses habits.

— Tu prendras une douche un autre jour ! On n'a pas le temps.

Ils sortirent dans la rue après avoir laissé quelques billets à leur hôtesse. Ce matin, ce n'étaient plus dix centimètres, mais au moins le double qui recouvrait la ville. Les flocons continuaient à tomber, ralentissant la circulation. Sur les trottoirs, les gens déblayaient leurs entrées, des employés municipaux salaient la chaussée et, sur la Bowery, deux immenses chasse-neige repoussaient la poudreuse des deux côtés de la route, noyant sous une avalanche les vélos et les voitures mal garées.

Ils retrouvèrent la Pontiac et récupérèrent leurs téléphones avant de reprendre leur marche vers *Peels*, leur nouveau quartier général.

À cause de la neige et de l'heure matinale, le café était clairsemé. Ils s'installèrent à la même table que la veille et commandèrent café, yaourts et céréales.

Comme il n'y avait pas de poste de télé, Madeline sortit l'ordinateur et le connecta en wi-fi.

— Quelle est la chaîne d'infos locale la plus sérieuse ici ?

— Essaye NY1 News.

Madeline se rendit sur leur site. La page d'accueil s'ouvrait sur une vidéo – *NY1 Minute* – qui résumait l'actualité du jour en une soixantaine de secondes. Si les trois quarts du flash étaient consacrés aux chutes de neige inattendues qui menaçaient de paralyser New York, la dernière partie évoquait *« le mystérieux assassinat, cette nuit, d'une marshal des États-Unis, Blythe Blake, tuée d'une balle dans la tête. Son corps a été retrouvé dans l'Hudson. Cette ancienne militaire était en charge de la protection d'un citoyen devant apporter un témoignage capital, lundi prochain, lors du procès de la baronne de la drogue Jezebel Cortes. Ce témoin essentiel est à présent sous la protection du FBI »*.

Madeline respira : impossible de savoir si la police avait établi la culpabilité de Blythe, mais au moins Danny était hors de danger. Cette satisfaction fut de courte durée : il fallait retrouver l'adolescente, et ils n'avaient pas l'ombre d'une piste.

— Blythe avait sans doute un complice, observa-t-elle.

Jonathan remplit de café la tasse de la jeune femme avant de se servir le sien.

— Il faut reprendre l'enquête au début. Il est évident que, dans les heures qui ont suivi l'enlèvement d'Alice, Blythe s'est arrangée pour éliminer les preuves et saboter les investigations.

— Tu penses à quoi ?

— Il faudrait essayer de localiser le portable d'Alice.

— On n'a pas le matériel. C'est un travail de flic.

Jonathan secoua la tête.

— Plus aujourd'hui. Avec la recrudescence des vols de portable, beaucoup d'opérateurs conseillent à leurs clients d'activer la fonction de localisation à distance. Si le smartphone d'Alice était récent, il bénéficiait sûrement de cette option.

Madeline était dubitative.

— On ne connaît même pas son numéro…

— Ça ne fonctionne pas avec le numéro, mais avec l'adresse mail.

Jonathan tourna vers lui l'écran de l'ordinateur pour se connecter sur le site « Localiser mon smartphone » d'une célèbre marque informatique. Pour parvenir à repérer l'appareil, il fallait en effet fournir l'adresse de courrier électronique ainsi que le mot de passe associé.

— On n'a ni l'un ni l'autre, comme ça le problème est réglé, dit Madeline, maussade, en le regardant pianoter.

Cette fois, Jonathan haussa le ton :

— Je pourrais savoir pourquoi, chaque fois que j'ai une idée, tu la trouves mauvaise ?

— Parce qu'on va perdre du temps pour rien !

— Je te signale que c'est quand même GRÂCE À MOI qu'on a pu confondre Blythe !

— Mais c'est À CAUSE DE TOI que j'ai été obligée de la tuer ! lui reprocha-t-elle.

Voilà, c'était ça. La culpabilité qui rongeait Madeline venait d'opérer un retour en force. Jonathan choisit d'essayer de la raisonner.

— C'était quoi déjà, ton expression ? *Le monde compte un salaud de moins*... Écoute, quoi qu'il ait pu arriver, Blythe ne nous aurait de toute façon jamais dit où elle retenait Alice prisonnière.

— Si ça peut alléger ta conscience...

— Ce qui allégerait ma conscience, c'est que tu m'aides à retrouver Alice !

Elle le pointa du doigt et s'apprêtait à lui balancer une nouvelle repartie lorsqu'elle réalisa qu'il n'avait pas tort.

— Bordel ! On se dispute comme un vieux couple ! se désola-t-elle.

Elle se rapprocha de l'ordinateur.

« Veuillez saisir votre identifiant »

— Bon, Sherlock, tu as une idée ?

— On peut essayer un compte en hotmail ou en gmail, proposa Jonathan. Ou plutôt… pourquoi pas le compte de son école d'art ?

Jugeant l'idée séduisante, Madeline ouvrit une nouvelle fenêtre pour se connecter au site de la Juilliard School. Apparemment, les professeurs, le personnel et les élèves bénéficiaient d'un compte de courrier électronique sous la forme basique : prenom.nom@juilliard.edu. Madeline entra donc consciencieusement :
alice.kowalski@juilliard.edu

« Veuillez à présent saisir votre mot de passe »

— Là, je cale, avoua Jonathan.

— Attends ! Et si elle avait conservé l'ancien ?

— Celui qu'elle utilisait lorsqu'elle avait quatorze ans ?

— Les gens font souvent ça, non ? Moi, en tout cas, j'ai le même depuis des lustres.

— C'est quoi ?

— *Mind your business*[1] !

1. *Occupe-toi de tes affaires !*

— Allez, dis-moi !

— Pas question !

— S'il te plaît !

— *violette1978*, soupira-t-elle. J'ai plus qu'à en changer maintenant...

— 1978, c'est ton année de naissance ?

— Oui. Pourquoi, tu me donnais quel âge ? Plus ou moins ?

Il lui répondit d'un sourire, heureux de leur complicité retrouvée.

— C'était quoi le code d'Alice, déjà ?

— Heathcliff, le personnage principal des *Hauts de Hurlevent*.

Jonathan entra le mot de passe.

— Croisons les doigts, dit-il en appuyant sur la touche de validation.

L'ordinateur moulina quelques secondes durant lesquelles ils se regardèrent en silence, avec un mélange d'anxiété et d'incrédulité. Ça ne pouvait pas être si simple. Depuis le départ, la chance les avait toujours fuis. Rien ne leur avait souri. Les obstacles s'étaient multipliés, chaque fois plus insurmontables, entraînant des conséquences de plus en plus tragiques. Ça ne pouvait pas être ça.

Et pourtant, ça l'était...

Une carte de Manhattan apparut sur l'ordinateur et un point bleu cerné d'un halo clignota sur l'écran : non seulement le téléphone d'Alice se trouvait à New York, mais encore il était à moins de trois kilomètres d'ici !

★

Ils se levèrent d'un bond en criant, faisant lever la tête aux rares clients installés. Il avait suffi de deux minutes pour que l'espoir revienne.

Jonathan se pencha sur la console pour situer le point plus précisément : un grand bâtiment à l'angle de la 5e Avenue et de la 23e Rue.

— Tu sais ce que c'est ? demanda Madeline, presque essoufflée d'excitation.

— Le « marché » italien en face du Flatiron[1].

Ils transférèrent les données sur leurs téléphones et sortirent sur la Bowery. Il neigeait tellement qu'ils renoncèrent à leur voiture.

— On y va à pied ? proposa-t-elle.

— Non, avec cette météo, on mettrait une demi-heure ! Mieux vaut essayer de prendre un taxi.

Mais à cause de la tempête, beaucoup de *yellow cabs* étaient restés à leur dépôt et ils durent batailler plus de cinq minutes avant d'attraper une voiture sur Broadway.

---

1. L'un des plus vieux et des plus populaires gratte-ciel de Manhattan en forme triangulaire de « fer à repasser ».

Une fois installés sur la banquette, ils vérifièrent sur leur écran la position du téléphone d'Alice. Apparemment, le point n'avait pas bougé.

— J'espère que le portable n'a pas été abandonné, s'inquiéta Jonathan.

— C'est quoi ce marché dont tu m'as parlé ?

— Ça s'appelle *Eataly* : le temple de la gastronomie italienne à Manhattan. Une sorte d'immense supermarché de luxe.

Ils arrivèrent devant le grand magasin. Contre un billet de 20 dollars, le taxi accepta de les attendre à condition que leur course n'excède pas dix minutes.

Le marché couvert venait à peine d'ouvrir, mais en ce jour de réveillon il était, contrairement aux rues, déjà plein à craquer.

— Suis-moi !

Les yeux rivés sur leur terminal, ils parcoururent une partie des milliers de mètres carrés de boutiques, de restaurants et d'étalages de produits raffinés.

Le mobile d'Alice émettait un signal toutes les trente secondes, offrant une localisation en temps réel. Son puissant GPS permettait de le situer avec une précision de dix mètres.

— Par là !

Jouant des coudes, ils se faufilèrent à travers les pyramides de pains au levain, les boîtes de *pasta* et de *risotto*, les meules de parmesan, les jambons de Parme suspendus au plafond, le restaurant végétarien, la pizzeria…

— C'est là !

Ils se trouvaient à présent dans le passage qui regroupait les stands de dégustation de crèmes glacées et de café.

Sous tension, ils scrutèrent les dizaines de personnes qui se pressaient dans l'allée. Il y avait beaucoup de mouvement, la foule était dense, l'endroit bruyant.

— Ça va pas être facile, soupira Madeline. Tu n'aurais pas une autre idée géniale ?

Jonathan baissa les yeux sur son terminal.

— Le site permet d'afficher un message sur le mobile ou de le faire sonner sans interruption pendant deux minutes même s'il est en mode silencieux.

— Essaie ça !

Il activa cette fonction et ils tendirent l'oreille. Mais au milieu du brouhaha et du grouillement de la foule, impossible de percevoir la moindre sonnerie, même dans un rayon de quelques mètres.

— Tiens-toi prêt à recommencer ! fit Madeline en dégainant son arme.

— Qu'est-ce que tu… ?

Sans hésiter, elle tira un coup de feu en l'air.

— Maintenant !

L'énorme déflagration secoua toutes les personnes présentes. Avant de laisser la place aux hurlements, il y eut une demi-seconde de stupeur pendant laquelle régna un silence presque total. Une demi-seconde suffisante pour que se fasse entendre le bip prolongé d'une sonnerie.

— C'est elle ! désigna Madeline en pointant de son arme une jeune vendeuse du stand d'espressos.

C'était une belle fille, entre dix-huit et vingt ans. Une métisse avec de longs cheveux noirs défrisés. Le portable dépassait de la poche de son tablier. Madeline se précipita sur elle et la tira de force de son comptoir.

— Suis-nous ! ordonna-t-elle.

Encadrant la gamine en larmes, la portant à demi, Madeline et Jonathan parvinrent à quitter les lieux avant l'intervention du service de sécurité.

Dieu merci, le taxi les avait attendus.

— Hé, c'est quoi ce truc ? se plaignit le chauffeur en apercevant le Colt.

— Roule ou la prochaine est pour toi ! hurla Madeline.

Puis se tournant vers la fille toujours en pleurs :

— Tu es qui toi ?

— Je m'appelle Maya.

— Tu l'as depuis quand ce téléphone ?

— Depuis… depuis hier matin, répondit-elle entre deux sanglots.

— Arrête de pleurnicher ! Qui te l'a filé ?

— C'est un cadeau de mon petit ami, Anthony.

— Un cadeau ?

— Un truc qu'il a piqué à son boulot, précisa-t-elle. Il m'a demandé de ne pas l'éteindre, parce qu'il ne possède pas les codes d'accès pour le réactiver.

— Et c'est quoi son boulot ?

— Anthony travaille à la fourrière de Brooklyn, sur Columbia Street.

Une fourrière… C'était un lieu de détention possible. La piste devenait intéressante.

— Il est de service aujourd'hui ?

— Non, il est chez ses parents, à Stuyvesant Town.

Madeline se tourna vers Jonathan, spécialiste de la topographie de la ville.

— Ce n'est pas très loin : complètement à l'est, entre la 14e et la 23e Rue.

Elle frappa deux coups contre la vitre qui les séparait du chauffeur.

— Tu as pigé, Fangio ?

*

Construit au sortir de la Seconde Guerre mondiale, Stuyvesant Town était un complexe tentaculaire d'une centaine de petits immeubles de brique rouge. Bénéficiant de loyers contrôlés, il avait permis à des générations de membres de la classe moyenne – flics, pompiers, instits, infirmières – de continuer à habiter au cœur de Manhattan malgré la flambée des prix de l'immobilier.

Guidé par les indications de Maya, le taxi se faufila entre les barres de logements.

— C'est ici, au neuvième étage : la deuxième porte à droite en sortant de l'ascenseur.

— Monte avec nous. Et toi, casse-toi ! ordonna-t-elle au taxi qui fila sans demander son reste.

La porte du HLM céda sous le coup de pied de Madeline. L'ancienne flic avait retrouvé non seulement ses anciens réflexes, mais aussi une détermination qui confinait à l'impulsivité. Sa facilité à passer à l'acte inquiétait Jonathan, même s'il savait que c'était la condition *sine qua non* pour retrouver Alice.

L'appartement était vide à l'exception du fameux Anthony qui s'accordait une grasse matinée. Avant d'avoir pu reprendre ses esprits, il se retrouva dans le plus simple appareil avec le flingue de Madeline pointé vers ses testicules.

Le type était grand et mince avec des abdos

en acier et des tatouages de rappeur. Son premier réflexe fut de cacher son pénis, mais Madeline lui imposa de garder les mains en l'air.

— Si tu ne veux pas que j'explose ton Black Mamba, tu vas répondre à mes questions, compris ?

— Com… compris.

— À qui as-tu volé ce téléphone ?

Jonathan lui agita le mobile d'Alice sous le nez.

— Je l'ai trouvé !

— Trouvé où ?

— Dans une caisse que j'ai enlevée avec ma remorqueuse avant-hier soir.

— C'était quoi cette voiture ?

— Un gros Dodge tout neuf, expliqua Anthony. Le téléphone était à l'intérieur. Sous l'un des sièges de la banquette arrière.

— Et ce Dodge, tu l'as enlevé où ?

— À Coney Island.

— Sois plus précis ! réclama Jonathan. File-nous un nom de rue.

— Je sais plus ! Près de la plage. À côté de l'ancien train fantôme. Pas très loin du marchand de hot dogs. Je me souviens qu'il y avait des chiens sur le terrain d'en face qui gueulaient tout le temps…

Jonathan consultait le plan sur son téléphone.

— Ici ? demanda-t-il en montrant un point sur la carte.

— Encore plus proche de la mer. Ici, du côté droit…

Madeline mémorisa les coordonnées.

— On y va ! lança-t-elle en sortant de la chambre.

37

La fièvre dans le sang

Tandis qu'un animal se tapit dans le noir pour mourir, un homme cherche la lumière. Il veut mourir chez lui, dans son élément, et les ténèbres ne sont pas son élément.

Graham Greene

Coney Island
10 heures du matin

Alice était trempée de la tête aux pieds. De grosses gouttes de sueur ruisselaient sur son visage. Elle baissa la tête pour constater qu'une tache de sang avait traversé son pantalon de survêtement au niveau du bas-ventre. Ses reins saignaient. À présent, elle n'en avait plus pour longtemps. Toujours dévorée par la fièvre, elle émergea malgré tout de son délire, retrouvant un peu de lucidité.

Ne pas mourir avant d'avoir tout tenté...

Elle sentit que le serre-flex qui entravait ses chevilles s'était un peu relâché. Pas suffisamment néanmoins pour qu'elle puisse libérer ses pieds. Ses jambes étaient lourdes. Couchée sur le sol, elle fit un effort pour les pousser vers le haut et agripper le muret étroit qui supportait les toilettes. Dans cette position, elle commença à frotter la bande de Nylon contre l'arête du mur. Le coin était usé et crénelé, mais certaines parties restaient suffisamment effilées pour écorcher la fibre.

Dégoulinante de transpiration, les muscles perclus de crampes, elle continua ce mouvement de va-et-vient pendant un quart d'heure jusqu'à ce...

Le serre-flex céda !

Galvanisée par cette petite victoire, elle retrouva avec soulagement une certaine liberté de mouvement. Certes, les menottes l'enchaînaient toujours à la canalisation, mais plus rien ne lui paraissait impossible. Elle s'accroupit et passa d'un pied sur l'autre pour dégourdir ses jambes. Malgré la faible lumière, elle examina en détail la tuyauterie. Le système avait au moins un siècle. Elle repéra un point de raccordement entre deux tubes où la rouille avait commencé à attaquer la fonte.

Si ce machin doit céder, c'est par là qu'il le fera !

Elle se mit en position et, avec le talon droit de sa basket, envoya un grand coup de pied à la jonction des conduites. Toute la structure s'ébranla, sans casser pour autant. Sous l'effet du choc, les bracelets métalliques entaillèrent encore un peu plus sa chair, mais elle n'était plus à une douleur près.

La canalisation allait se rompre. Alice en était certaine. Malheureusement, son attaque contre la plomberie avait provoqué un bruit retentissant qui s'était répandu dans tout le bâtiment. Il fallait prier pour que le Russe ne se trouve pas dans les parages…

De toute façon, qu'avait-elle à perdre ?

Déterminée, elle rassembla le peu de forces qui lui restait pour enchaîner une série de coups chaque fois plus violents. Son intuition s'avéra juste : après avoir résisté à une dizaine d'assauts, la tuyauterie lâcha au niveau de son point névralgique.

Alice poussa un cri furieux et libérateur.

Délivrée de ses fers, elle se retourna et…

… la silhouette inquiétante de Youri se détachait dans l'encadrement de la porte. Un rictus sinistre déformait son visage bouffi.

— Ma petite Matriochka…, dit-il en s'avançant vers elle.

Alice poussa un hurlement de bête et perdit connaissance.

★

Manhattan

Madeline et Jonathan sortirent du complexe d'habitation. Le ciel était noir, la tempête balayait toujours la ville. La neige tombait continûment depuis près de douze heures. La couche de poudreuse dépassait à présent les trente centimètres et rien n'indiquait que cela allait s'arrêter. Au contraire, des flocons lourds et épais s'abattaient à un rythme de plus en plus soutenu. Surtout, les piétons peinaient à avancer, ralentis par les bourrasques glaciales qui leur arrivaient en plein visage.

— Comment va-t-on à Coney Island ? cria Madeline pour dominer le blizzard.

— Essayons le métro. Il y a une station de l'autre côté de la rue.

Pour Jonathan qui avait vécu des années à New York, la neige n'était pas inhabituelle, mais l'ampleur de la tempête avait dû prendre de court la municipalité.

Même sur la 14e Rue pourtant très large, un bus était immobilisé. Les taxis patinaient et un cycliste téméraire venait de se prendre le gadin le plus mémorable de sa vie. Les chasse-neige et les pelleteuses balayaient laborieusement les grandes artères, mais semblaient en nombre insuffisant pour dégager les rues secondaires. Les équipes d'entretien étaient manifestement à court de personnel. Sans doute en raison des fêtes de Noël.

Madeline et Jonathan s'engouffrèrent dans la station dont l'escalier était devenu une vraie patinoire.

— La neige va semer une pagaille monstre ! s'inquiéta Jonathan. Ce sera le chaos dans moins d'une heure.

Sur les quais, les retards s'accumulaient. Ils parvinrent difficilement à se glisser dans un wagon bondé.

— C'est loin d'ici ? demanda Madeline en regardant sa montre.

Jonathan consulta le plan affiché dans la rame.

— La ligne n'est pas directe. Il faudra changer à Union Square. À partir de là, on peut y être en moins d'une heure.

— Et en voiture ?

— Normalement une vingtaine de minutes, mais pas un jour comme aujourd'hui.

Le wagon roulait au ralenti et s'arrêta tant de fois qu'il leur fallut une éternité pour parcourir la distance entre trois stations.

À peine descendue sur le quai, Madeline attrapa Jonathan par le bras.

— Embrasse-moi ! demanda-t-elle pour tromper les éventuelles caméras de surveillance.

Elle profita de leur étreinte pour coincer le Colt dans le jean de Jonathan.

— Qu'est-ce que tu veux que j'en fasse ?

— Toi, tu continues par le métro, moi, je tente ma chance par la route.

— C'est de la folie, Madeline ! La circulation va être bloquée à la sortie de Manhattan.

— J'ai mon idée, dit-elle. Le premier qui arrive fait ce qu'il a à faire. *Take care.*

Il essaya de protester, mais elle ne lui en laissa pas le temps.

⋆

Le ciel était si sombre qu'on se serait cru en pleine nuit. Habituellement très fréquenté, Union Square était presque désert. Les rares véhicules avaient allumé leurs feux de détresse et roulaient au ralenti. Le signal « *Off duty* » brillait sur le toit des taxis. Pour dégager la route, un 4×4 du NYPD remorquait une voiture abandonnée. Seuls les tout-terrain permettaient de circuler normalement. Madeline repéra une limousine embourbée dans la neige au début de Park Avenue. Elle se posta près de la berline et attendit que l'un des

Ford Explorer de la police s'arrête pour treuiller le véhicule. Elle guetta le moment précis où les deux flics sortirent du 4×4 pour s'installer sur le siège conducteur.

— Hé ! cria l'officier.

Elle démarra dans un éclair. Cette bagnole devait peser deux tonnes et mesurer près de cinq mètres. En tout cas, elle était hyperstable. Madeline accrocha sa ceinture, régla le siège et les rétros à sa conduite. Désormais, elle connaissait bien le quartier et prit la direction sud-est. Sur le GPS, elle entra les coordonnées que lui avait fournies Anthony, le voleur de la fourrière. Cette fois, elle savait qu'elle touchait au but. Grâce à Jonathan, elle connaissait avec certitude l'endroit où était détenue Alice. Aujourd'hui s'écrivait l'épilogue d'une enquête qui la tourmentait depuis plus de trois ans.

Bien sûr, les flics allaient chercher à intercepter sa voiture et toutes les bagnoles de police étaient repérables par satellite, mais c'était justement ce qu'elle espérait : attirer le maximum de flics à Coney Island au cas où les choses tourneraient mal.

Les premiers kilomètres se déroulèrent comme dans un rêve. Aux commandes du tout-terrain, Madeline avait l'impression que la ville désertée lui appartenait. Puis le trafic se ralentit aux abords du Brooklyn Bridge. Elle alluma la radio sur une station locale. La mise en garde de la municipalité tournait en boucle, demandant aux habitants d'éviter de se déplacer pendant la tempête. Mais ces incantations n'avaient que peu d'effet sur les New-Yorkais qui, en ce week-end de Noël, n'allaient pas renoncer à quitter Manhattan.

Madeline enclencha son gyrophare et la sirène. L'effet fut immédiat. Les voitures s'écartaient docilement pour lui livrer passage, lui permettant de traverser le pont rapidement. Bien décidée à profiter pleinement de ce passe-droit, elle s'engagea sur l'Interstate 278, l'autoroute à trois voies qui longeait les quais de l'Upper Bay. Même si la neige freinait la circulation, les autorités n'avaient pas encore fermé les ponts et les tunnels. D'après les infos, cela risquait d'arriver d'une minute à l'autre.

Alors que le 4×4 se faufilait entre les véhicules de secours, Madeline aperçut un panneau lumineux annonçant l'imminence d'un nouveau bouchon. Deux kilomètres plus loin, dans une zone où les voies se rétrécissaient, les voitures roulaient pare-chocs contre pare-chocs. Elle essaya de forcer le passage, fit une embardée, mordit le terre-plein central et brisa son rétroviseur en longeant à toute vitesse un mur en béton.

Merde !

Cette fois, elle était bloquée. Un poids lourd coincé par la neige neutralisait le trafic.

Sans se démonter, elle fouilla le 4×4. L'un des flics avait eu l'imprudence de laisser son arme à feu dans la pochette de la portière : le fameux Glock 17, l'arme réglementaire des flics du NYPD. Elle s'empara du pistolet automatique et abandonna le SUV au bord de la route. Le ciel de plomb et le mur de flocons qui bouchait l'horizon donnaient à l'autoroute un aspect fantomatique. À pied, elle remonta la chaussée sur une centaine de mètres pour dépasser l'accident. Grâce à des manœuvres périlleuses, quelques voitures parvenaient à s'extraire de ce bourbier. Madeline braqua la première sur son passage : un break familial conduit par un crâne d'œuf arborant sur la vitre arrière un autocollant à la gloire du Tea Party.

— Descends ! hurla-t-elle en lui pointant le flingue sur le visage.

L'homme ne se le fit pas dire deux fois et attendit prudemment que sa voleuse ait pris du champ pour lever le poing et lui balancer une flopée d'injures.

Madeline avait remis le pied sur l'accélérateur. Elle n'avait plus de sirène ni de gyrophare, mais gardait la main enfoncée sur le klaxon.

Elle n'avait jamais été si près du but. Elle prit un virage serré pour attraper la bretelle qui menait à Coney Island. La voiture tangua, les roues arrière se bloquèrent un instant, mais, par une rétrogradation et un coup de volant bien senti, elle parvint à la redresser.

L'image d'Alice Dixon captive, telle qu'elle l'avait vue dans le film, revint hanter son esprit. Même si elle sortait vivante de ce calvaire, dans quel état physique et mental l'adolescente allait-elle se retrouver à l'issue de ce nouveau cauchemar ? Alice avait déjà fait preuve de solidité et d'équilibre, mais quel genre d'adulte devient-on après pareille succession de traumatismes ? Comment ne pas se laisser envahir par la haine ou la folie ?

Elle chassa ces questions en arrivant sur Neptune Avenue et en tournant dans l'impasse que lui avait indiquée Anthony.

★

Ligne F du métro new-yorkais
Station Parke Slope

« Notre train est arrêté quelques instants. Pour votre sécurité, veuillez ne pas descendre de voiture... »

Jonathan regarda sa montre avec anxiété. Il se

demanda où était Madeline. Il essaya de la joindre, mais le réseau était inaccessible. Les arrêts entre les gares étaient de plus en plus fréquents. Visiblement, les rails commençaient à geler, les stations fermaient l'une après l'autre et Coney Island était encore loin…

★

L'impasse dans laquelle s'enfonçait la voiture était presque bloquée par la neige. Madeline prit le pistolet automatique, vérifia que le chargeur était plein et abandonna le break au début de la ruelle. Elle remonta le long du trottoir, découvrant ces lieux surréalistes. Avec ses immeubles délabrés et ses manèges rouillés, l'ancien parc d'attractions avait des allures de fin du monde. Quelques chantiers, commencés çà et là, laissaient deviner que la zone serait réhabilitée un jour, mais ce n'était pas pour demain. Au milieu de la tempête, ses rues étaient vides et menaçantes. On n'entendait que le bruit du vent et des vagues faire grincer les carcasses de métal.

Puis soudain… un aboiement.

Elle se rappela ce que lui avait dit le type de la fourrière : *Je me souviens qu'il y avait des chiens qui gueulaient tout le temps.*

Elle avait trouvé l'endroit.

Madeline écarta deux planches moisies d'une palissade pour apercevoir un dogue allemand au poil jaune et aux yeux fous. Il montrait les dents dans un grognement ininterrompu. Elle fut terrifiée par sa maigreur. Le molosse n'avait que la peau sur les os. Peut-être était-il malade ? Ou peut-être un dingue le maintenait-il volontairement dans cet état de torture…

Elle sentit l'adrénaline l'envahir et se mélanger à la peur : les chiens et elle, ce n'était pas le grand amour. Depuis qu'un boxer l'avait mordue dans son enfance, elle ne les regardait que de loin, nourrissant une frousse bleue que tous les clébards du monde sentaient à trois kilomètres à la ronde, la gratifiant d'un aboiement agressif chaque fois qu'elle passait devant eux.

On pouvait accéder au terrain par une barrière grillagée. Elle sortit le Glock de son étui et tira sur le cadenas pour en exploser la serrure. Comme elle l'espérait, la détonation surprit le molosse qui s'éloigna, quelque peu désorienté. Elle pénétra sur la propriété qui menait à un grand entrepôt menaçant de tomber en ruine. Avant qu'elle ait pu atteindre la bâtisse, le dogue avait été rejoint par des confrères. Cinq cerbères l'entouraient désormais dans un concert d'aboiements. Le premier s'élança sur elle et referma ses mâchoires sur son bras gauche.

Madeline poussa un cri déchirant en sentant les crocs de l'animal s'enfoncer dans sa chair. Un autre l'attaqua à la jambe, la faisant chuter dans la boue, tandis qu'un troisième bondissait à son cou.

C'est lui qu'elle tua en premier. Une balle à bout portant dans la tête. Puis les deux autres qui s'étaient jetés sur elle. Au comble de la panique, elle abattit dans une crise de fureur les deux derniers chiens qui se précipitaient à leur tour vers elle.

Entourée des cinq cadavres, elle reprit son souffle en restant sur ses gardes, prête à ouvrir le feu si d'autres monstres pointaient leur nez. Elle avait du sang partout. Elle refusa de regarder ses blessures, mais sentait la douleur dans son bras, lacéré à plusieurs endroits.

Plus tard.

Elle se remit debout et logea une nouvelle balle dans la serrure du hangar.

⋆

— Alice ? cria-t-elle.

L'entrepôt était plongé dans l'obscurité. Elle sortit la lampe de poche de l'étui du pistolet et la positionna sur le rail du canon.

— Alice ? répéta-t-elle en s'avançant lentement, les doigts crispés sur la détente, la lampe-torche braquée vers l'avant.

Sur le sol en terre battue, elle remarqua des traces de pas qui menaient jusqu'à un escalier métallique.

Si quelqu'un est planqué là, il va m'abattre comme un lapin.

Pourquoi n'avait-elle pas attendu Jonathan ? Pourquoi n'avait-elle pas prévenu les flics ?

Parce qu'elle était convaincue qu'il n'y avait pas la moindre seconde à perdre.

— Alice ?

Elle s'engagea dans l'escalier qui la mena à une sorte de tunnel sombre. Elle souleva le Glock un peu plus haut, balayant du faisceau de lumière le passage resserré à travers lequel le vent s'engouffrait. Elle sentait le sang de sa blessure ruisseler le long de son bras, mais pour l'instant la peur était le meilleur des antidouleurs. Le souterrain envahi de conduites en fonte servait de dépotoir où s'entassaient toutes sortes d'immondices. Elle ne put s'empêcher de frissonner en tombant sur les panneaux publicitaires en bois peint ornés de monstres repoussants qui hantaient *THE SCARIEST SHOW IN TOWN.*

Elle marcha dans une flaque d'eau et entendit un couinement. Elle braqua immédiatement son arme vers le bas, mais ce n'était qu'un groupe de rats.

Au bout du tunnel, une rampe en colimaçon invitait à s'enfoncer encore dans les ténèbres.

— Alice ? cria-t-elle à nouveau, autant pour se signaler que pour se donner du courage.

Elle arriva devant une dizaine de portes en ferraille qui se succédaient. Elle fit sauter la première serrure, balaya du canon de son pistolet la pièce qui sentait le renfermé et la moisissure. Elle était vide. Elle s'attaqua méthodiquement à toutes les autres portes : même punition, même résultat. Jusqu'à la dernière.

Dans cette pièce régnait une faible lumière. On avait installé un lit de camp très sommaire, mais surtout… elle comptait une canalisation semblable à celle à laquelle on avait menotté Alice. En fouillant chaque recoin du cachot, Madeline tomba sur un serre-flex en Nylon coupé, un bout de chatterton et le pull rose et gris à capuche appartenant à l'adolescente. Elle s'agenouilla pour le ramasser et le porter près de son visage : il était trempé d'une transpiration tiédasse. Vu le froid qui régnait dans cette prison, Alice était sûrement encore ici moins d'un quart d'heure auparavant !

Trop tard ! Elle était arrivée trop tard ! À cause de cette putain de neige ! À cause de son manque de clairvoyance ! À cause de son cerveau trop lent ! À cause de…

Son découragement dura moins de deux secondes. Déjà Madeline se relevait et, l'arme au poing, traversait le corridor humide pour quitter l'entrepôt, bien décidée à continuer la chasse.

38

Little Odessa

— C'est dur d'avoir envie de protéger quelqu'un et d'en être incapable, fit observer Ange.

— On ne peut pas protéger les gens, petit, répondit Wally. Tout ce qu'on peut faire, c'est les aimer.

John IRVING

Le fourgon blanc avançait avec difficulté dans la neige collante de Surf Avenue. Malgré leurs battements rapides, les essuie-glaces avaient du mal à chasser les flocons qui giflaient le pare-brise.

Au volant de son camion, Youri était gagné par l'inquiétude. Une heure plus tôt, il avait été stupéfait en apprenant la mort de Blythe Blake aux informations. Il avait d'abord craint que la police ne remonte sa piste, puis il avait très vite décidé de tirer avantage de la situation. Désormais, Alice lui appartenait. La petite garce avait bien essayé de lui fausser compagnie, mais elle n'en avait pas la force. Vu son état, il avait tout de même intérêt à ne pas trop tarder s'il voulait la « revendre » à un bon prix. Les frères Tachenko lui avaient donné leur accord de principe pour racheter la gamine. Racket, prostitution, trafic d'armes : les deux Ukrainiens étaient des touche-à-tout du crime organisé. Alice était jeune, belle, excitante et sans doute vierge. Après l'avoir un peu requinquée, les proxos récolteraient un bon paquet d'oseille en la faisant tapiner.

Cahin-caha, le van continuait sa route, sans trop s'embourber dans l'épais tapis cotonneux. Sur le tableau de bord, une icône de la Vierge à l'Enfant voisinait avec un chapelet byzantin tremblant sous les secousses.

Youri respira en rejoignant Brighton Avenue. La grande artère commerçante surplombée par le métro aérien était bien protégée de la tempête. Il fit demi-tour pour garer son fourgon devant un magasin d'alimentation. Avant de sortir, il jeta un œil à sa prisonnière.

À l'arrière, couchée sur le plancher, Alice était retombée dans le délire de la fièvre. Plusieurs fois déjà, elle lui avait réclamé de l'eau.

— Autre chose ? demanda-t-il. À manger ?
Elle fit oui de la tête.
— Je voudrais…, commença-t-elle.

★

Madeline sortit du hangar en titubant. Elle se hâta de traverser le terrain où gisaient les cadavres des cinq clebs pour vomir son petit déjeuner sur le trottoir. Elle avait l'estomac retourné, le visage luisant de sueur, la rage dans le cœur. Que faire à présent ? Se relever. Ne pas renoncer. Lutter jusqu'au bout. Le ravisseur d'Alice avait au plus un quart d'heure d'avance sur elle. C'était beaucoup, ce n'était rien.

On n'y voyait pas à dix mètres. Inutile de prendre la voiture. Garder sa liberté de mouvement, surtout qu'elle ne connaissait pas les lieux. Elle descendit la rue et se retrouva sur la digue, face à l'Atlantique. L'océan était déchaîné, la vue aussi saisissante qu'inattendue. Madeline n'était plus à New York, elle était en Sibérie.

À l'instinct, elle remonta la promenade du bord de mer avec son plancher en bois et ses baraques à frites taguées. Le *boardwalk* était désert à l'exception de quelques mouettes qui fouillaient dans les poubelles.

Elle était trempée. Bientôt, elle prit conscience que ce qu'elle prenait pour de la transpiration était du sang. À chaque pas, elle laissait une fine traînée d'hémoglobine dans son sillage. Sa cuisse était salement touchée, mais c'était surtout de son bras, lacéré et entaillé sur toute la longueur du muscle, que venait l'hémorragie. Avec son écharpe, elle se confectionna un garrot de fortune qu'elle noua avec son membre valide et ses dents. Puis elle reprit sa progression.

★

Le métro n'alla pas plus loin que l'avant-dernier arrêt. Cette fois, les rails étaient complètement gelés. Le froid paralysait tout. La neige étouffait la ville sous une chape pesante.

Ce n'est qu'en sortant de la gare que Jonathan retrouva quelques « barres » de réseau sur son téléphone. Il appela Madeline à trois reprises, mais elle ne décrocha pas. Il était encore loin de leur lieu de rendez-vous et ignorait tout de l'endroit où elle se trouvait.

Le dos au mur.

Et si...

Il décida de localiser le téléphone de Madeline de la même manière qu'ils l'avaient fait pour celui d'Alice.

Il lança le navigateur de son mobile.

« Veuillez saisir votre identifiant »

Facile : il connaissait par cœur le mail de Madeline.

« Veuillez à présent saisir votre mot de passe »

Elle en avait plaisanté deux heures plus tôt ! Il tapa « *violette1978* » et attendit quelques secondes avant de voir un point clignoter sur son écran. Madeline était à plus d'un kilomètre de lui, au sud, près du bord de mer. Il attendit quelques secondes pour que la page se rafraîchisse et se rendit compte que le point se déplaçait sur le plan.

★

Madeline courait, bravant les flocons qui lacéraient son visage. Plutôt crever que de rendre les armes. Pas maintenant, pas si près. Elle quitta le bord de mer pour couper par un parking, puis emprunta l'une des rues qui menaient à l'artère principale de Little Odessa.

Le quartier tenait son nom des premières communautés juives qui avaient fui la Russie lors des pogroms et qui avaient trouvé un air de ressemblance entre la baie new-yorkaise et le port de la mer Noire.

Madeline évalua les lieux : elle se trouvait à Brighton Avenue, le cœur de l'enclave russe. Sous les structures du métro aérien s'alignaient des dizaines de vitrines et de commerces aux enseignes rédigées en alphabet cyrillique. Malgré la neige, l'endroit grouillait de monde et les voitures circulaient à peu près normalement.

Elle ouvrit les yeux, cherchant à accrocher un détail, à repérer un indice, un véhicule suspect…

Rien.

Dès qu'elle s'arrêta de courir, la douleur la foudroya. Surtout, elle entendait les éclats de voix dans lesquels le russe avait pris le pas sur l'anglais. Des conversations qui la visaient directement.

En apercevant son reflet dans une vitrine, elle comprit pourquoi : sa veste avait perdu sa manche ; son garrot s'était détaché et elle pissait le sang.

Elle ne pouvait pas continuer en électron libre, sans boussole et dégoulinante d'hémoglobine. Elle entra dans un *deli* qui faisait l'angle avec la 3e Rue. Si les premiers rayons de la grande épicerie débordaient de pâtés en croûte, de boulettes de viande, de filets d'esturgeon et d'autres spécialités locales, le fond du magasin était approvisionné en produits de toilette. Pour se désinfecter, Madeline prit une bouteille d'alcool à 70 % ainsi que plusieurs boîtes de gaze et de coton. Elle patienta à la caisse derrière un homme qui payait son pack d'eau minérale et ses biscuits.

— бутылку клубничного молока, demanda-t-il en pointant l'armoire réfrigérée derrière le comptoir.

La vendeuse ouvrit l'appareil frigorifique pour donner à son client la petite bouteille de lait à la fraise qu'il venait de réclamer.

Il y eut un déclic.

Un appel.

★

Madeline regarda plus précisément la boîte de cookies : c'étaient des biscuits ronds au chocolat, garnis de crème blanche.

Des Oreo.

★

Son cœur sauta dans sa poitrine. Elle abandonna ses achats à la caisse pour suivre l'homme dans la rue. C'était un grand type rustaud et costaud, une sorte de rugbyman à bedaine et aux grosses joues abîmées par la couperose. D'une démarche lourde et puissante, il regagna son fourgon blanc, garé un peu plus bas.

Madeline sortit lentement le pistolet de sa poche. Comme dans un geste de prière, elle joignit les mains autour des rainures de la crosse et attendit de l'avoir parfaitement dans sa ligne de mire avant de lui hurler :

— *Freeze ! Put your hands overhead !*

À ce moment-là, elle savait très bien qu'elle allait le tuer.

Parce qu'elle savait très bien qu'il n'allait pas lever les mains et se rendre. Il allait essayer de fuir en pariant sur sa chance.

Et c'est ce que fit Youri. Il ouvrit la porte de son camion et…

Madeline tira, mais aucune balle ne partit. Elle tira et tira encore, mais il fallait se rendre à l'évidence, son chargeur était vide.

*

Jonathan remontait l'avenue abritée par le métro aérien lorsque son téléphone vibra. Madeline était au bout du fil, lui criant :

— Le fourgon blanc !

Il leva la tête pour apercevoir la jeune femme, vingt mètres devant lui. L'arme au poing, elle lui faisait de grands signes dont il ne saisissait pas le sens.

Sauf qu'il fallait aller très vite.

Et qu'il avait un revolver dans la poche.

Et qu'il était écrit depuis le début que cette histoire prendrait fin dans le sang.

Il saisit le Colt de Danny, l'arma et le dirigea vers la camionnette qui venait de démarrer en trombe. Bien qu'il n'eût jamais tiré le moindre coup de feu de sa vie, les gestes s'enchaînèrent d'eux-mêmes. Il leva le flingue, verrouilla son bras pour ne pas trembler, visa avec tout le soin dont il était capable et appuya sur la détente.

La balle fit exploser le pare-brise.

Le fourgon se déporta sur toute la largeur de la route et frappa le terre-plein central avant de se renverser et de s'encastrer dans le pilier de la structure du métro.

★

Le sang de Madeline bourdonnait à ses tempes. Le temps s'était figé. Elle ne ressentait plus la moindre douleur. Les bruits de l'extérieur ne l'atteignaient plus, comme si on lui avait crevé les tympans. Comme au ralenti, elle courut vers l'arrière du fourgon. Un véhicule de pompiers arrivait au bout de la rue. Bientôt, ça seraient les gyrophares de la police et ceux des ambulances. Un coup d'œil à droite. Un coup d'œil à gauche. Encore sous le choc, la foule l'entourait avec méfiance : le boucher avait en main son couteau, le poissonnier avait décroché sa batte de base-ball, le maraîcher sa barre de fer.

Elle la lui retira des mains d'un geste déterminé et s'en servit comme d'un pied-de-biche pour fracturer les portes à battants de la zone arrière.

Combien de fois, en rêve, avait-elle vécu cette scène ? Combien de fois s'était-elle repassé le film dans sa tête ? C'était son obsession. Le sens profond de sa vie. Sauver Alice. La faire renaître.

À force d'être attaquées, les portes finirent par céder. Madeline s'engouffra dans le fourgon.

Alice était inanimée, ligotée, les habits tachés de sang.

Non !

Elle ne pouvait pas mourir maintenant.

Madeline se pencha sur elle et posa son oreille sur sa poitrine à la recherche d'un battement de cœur.

Et son sang se mélangea au sien.

ÉPILOGUE

Le lendemain matin

Le soleil levé dans un ciel serein faisait miroiter ses rayons sur la ville de nacre.

Ployant sous soixante centimètres de neige, New York était coupée du monde. Les congères bloquaient les rues et les trottoirs. Aujourd'hui, les bus et les taxis resteraient au dépôt, les trains dans leur gare et les avions cloués au sol. Pour au moins quelques heures, Manhattan devenait une immense station de sports d'hiver. Chaussés de skis ou de raquettes, de nombreux New-Yorkais bravaient le froid malgré l'heure matinale et déjà les enfants s'en donnaient à cœur joie : courses de luge, batailles de boules de neige, confection de bonshommes aux accessoires rigolos.

Un gobelet dans une main, un paquet en carton

dans l'autre, Jonathan descendait à pas prudents le trottoir gelé. Il avait passé une bonne partie de la nuit au commissariat pour un long débriefing avec des policiers locaux et des huiles du FBI qui s'occupaient désormais de la protection de Danny.

Malgré ses précautions, il finit par glisser sur la patinoire. Tel un équilibriste, il se rattrapa du coude à un lampadaire, noyant de liquide bouillant le couvercle de son gobelet. Il franchit avec soulagement les portes de l'hôpital St. Jude, à la lisière de Chinatown et du Financial District.

Il prit l'ascenseur jusqu'à l'étage où était soignée Alice. Le couloir débordait de flics en uniforme qui montaient la garde devant la chambre.

Jonathan présenta son accréditation avant de pousser la porte. Étendue sur le lit, une perfusion dans le bras, Alice recevait des soins. Elle leva les yeux vers lui et, encore un peu étourdie, éclaira son beau visage d'un sourire. Le miracle de la réhydratation était à l'œuvre : Alice avait retrouvé des couleurs et faisait preuve d'une sérénité étonnante après ce qu'elle venait de vivre. Il lui rendit son sourire, lui adressant un signe de la main pour lui indiquer qu'il repasserait après le départ de l'infirmière.

Jonathan se rendit ensuite au niveau où était soignée Madeline. En passant devant un chariot métallique, il s'empara d'un plateau en plastique sur lequel il plaça son gobelet de chocolat chaud. Il ouvrit sa boîte en carton et en sortit trois *cupcakes* qu'il disposa le plus harmonieusement possible. Enfin, repérant une couronne de fleurs blanches accrochée au mur, il subtilisa une anémone qui compléta l'équilibre de son plateau.

— Petit déjeuner ! lança-t-il en entrant dans la chambre.

Alors qu'il pensait que Madeline serait seule, il se retrouva nez à nez avec le capitaine Delgadillo, l'un des piliers du NYPD : un grand Latino aux dents blanches et à l'air sévère. Tiré à quatre épingles, un peu méprisant, le flic ne lui accorda pas le moindre regard.

— J'attends votre réponse d'ici la fin de la semaine, mademoiselle Greene, affirma-t-il avant de quitter la pièce.

Madeline était allongée dans son lit. La veille, elle avait subi une anesthésie générale. L'opération s'était bien déroulée, mais les crocs avaient pénétré la chair profondément et elle garderait à jamais des marques de son affrontement avec les dogues.

— C'est pour moi ? demanda-t-elle en prenant un gâteau.

— Vanille, chocolat, *marshmallows*. Les meilleurs *cupcakes* de tout New York, assura-t-il.

— Tu m'en prépareras un jour ? Tu sais que je n'ai toujours pas goûté à tes plats !

Il acquiesça de la tête et s'assit à côté d'elle sur le matelas.

— Tu as vu Alice ? demanda-t-elle.

— À l'instant. Elle reprend du poil de la bête.

— Et chez les flics, ça s'est bien passé ?

— Je crois. Ils m'ont dit qu'ils avaient pris ta déposition ici ?

— Oui, par l'intermédiaire de ce type que tu as vu. Tu ne devineras jamais : il m'a proposé un poste !

Il crut d'abord qu'elle plaisantait, mais elle s'enthousiasma :

— Détective consultante pour le NYPD !

— Tu vas accepter ?

— Je crois. J'aime bien les fleurs, mais ce boulot de flic, je l'ai dans la peau.

Jonathan acquiesça en silence et se leva pour ouvrir les rideaux. Alors que le soleil inondait la chambre, un frisson glacial secoua Madeline. Quel était l'avenir de leur couple ? Pendant ces quelques jours, ils avaient vécu dans la fièvre du danger. Les épreuves qu'ils avaient surmontées ensemble avaient été si intenses qu'elles marqueraient forcément une frontière dans leur existence. À tour de rôle, chacun avait tenu la vie de l'autre entre ses mains. Ils s'étaient fait confiance, ils s'étaient complétés, ils s'étaient aimés.

Et maintenant ?

Elle s'enveloppa dans la couverture pour venir le rejoindre devant la vitre. Elle allait lui poser la question lorsqu'il prit l'initiative :

— Qu'est-ce que tu penses de cet endroit ? demanda-t-il en lui tendant son téléphone.

Sur l'écran du mobile, elle fit défiler les photos d'une maison ancienne à la façade *terracotta* dans une petite rue de Greenwich Village.

— C'est joli, pourquoi ?

— Elle est à vendre. Ça pourrait faire un beau restaurant. Je crois que je vais me lancer.

— Vraiment ! Eh bien, ça n'est pas une mauvaise idée, souffla-t-elle, incapable de cacher sa joie.

Il la taquina :

— Comme ça, si tu restes à New York, je pourrai te donner un coup de main sur tes enquêtes.

— Un coup de main sur mes enquêtes ?

— Parfaitement. J'ai remarqué que tu avais souvent besoin de mon cerveau sexy pour débloquer les situations.

— C'est vrai, admit-elle. Et moi, en échange, je pourrai t'aider à la cuisine !

— Hum..., fit-il dubitatif.

— Quoi « hum » ? Je connais des recettes, figure-toi ! Je t'ai dit que ma grand-mère était d'origine écossaise ? Elle m'a légué le secret de sa fameuse panse de brebis farcie.

— Quelle horreur ! Et pourquoi pas du pudding à la graisse de rognons de veau !

Jonathan fit coulisser le battant de la baie vitrée. Unis par leur complicité retrouvée, ils sortirent continuer leur badinage sur le minuscule balcon qui dominait l'East River et le pont de Brooklyn.

L'air était vif et le ciel cristallin. En regardant la neige scintiller sous le soleil, Madeline se rappela la phrase qu'Alice avait recopiée à la première page de son journal intime : *« Les plus belles années d'une vie sont celles que l'on n'a pas encore vécues. »*

Ce matin, elle avait envie d'y croire…

MERCI

à Laurent Tanguy,

La boutique de fleurs de Madeline existe ! Enfin presque… Elle m'a été notamment inspirée par le très beau *Jardin Imaginaire* de Laurent Tanguy rue de La Michodière à Paris. Merci Laurent pour toutes tes anecdotes, ta disponibilité et ta passion communicative pour l'art floral.

à Pierre Hermé,

Merci d'avoir pris le temps de m'éclairer sur les « mécanismes » de création de vos desserts. Notre conversation a nourri mon imaginaire pour les élans créatifs de Jonathan.

à Maxime Chattam et à Jessica,

Merci Max pour ta visite guidée du « Brooklyn de Brolin ». Notre balade du 25 décembre 2009 dans un Coney Island surréaliste et enneigé reste un excellent souvenir qui a servi de cadre aux derniers chapitres de ce roman.

à vous, chers lectrices et lecteurs,
qui, depuis des années, prenez le temps de m'écrire pour partager vos réflexions et entretenir le dialogue.

et à « l'inconnue de l'aéroport »,
qui, un jour d'août 2007 à Montréal, a par mégarde échangé son téléphone portable avec le mien, plantant dans mon esprit la graine à l'origine de cette histoire…

DES LIEUX ET DES GENS…

Certains lecteurs, qui connaissent la ville de Manchester, s'étonneront que je fasse grandir Madeline et Danny à Cheatam Bridge, alors qu'il existe un véritable quartier du nom de Cheatham Hill. Non, je ne me suis pas trompé. Mais j'éprouvais le besoin d'inventer un quartier pour écrire leur enfance : pour moi, le roman est un monde parallèle.

À l'inverse, la Juilliard School, cette fantastique école du spectacle de New York, existe bien. C'est un lieu merveilleux pour l'art et la culture : étudiants qui avez la chance d'y exercer vos talents, n'ayez aucune inquiétude, la scène affreuse que j'y place n'est que pure imagination.

Parmi les clins d'œil qui émaillent ce roman, vous aurez reconnu à travers le perroquet Boris un hommage à Hergé et à son truculent capitaine Haddock, tandis que c'est évidemment un extrait de la célèbre chanson de Brassens, *Fernande* (éditions 57), qui est reproduit en ouverture du chapitre 3.

Un dernier mot. Depuis des années, je note les phrases qui me font rêver ou rire, qui m'émeuvent ou même qui m'impressionnent. Elles viennent, livre après livre, appuyer ce que j'essaie de transmettre à travers un chapitre ou un autre. Les lecteurs français et étrangers s'y sont attachés et je reçois de plus en plus de messages me demandant d'où je les tire. C'est pourquoi l'on trouvera ci-après une liste de références. Je suis heureux que ces exergues soient des portes ouvertes sur l'univers d'un autre auteur.

RÉFÉRENCES

Chapitre 1 : Claudie Gallay, *Seule Venise*, Rouergue, 2004 ; Chap. 2 : Paul Morand, *L'Homme pressé*, Gallimard, 1941 ; Chap. 3 : Stieg Larsson, *Millénium 1 – les hommes qui n'aimaient pas les femmes*, traduit par L. Grumbach, M. de Gouvenain, Actes Sud, 2006 ; Chap. 4 : Carlos Ruiz Zafon, *L'Ombre du vent*, traduit par F. Maspero, Grasset, 2004 ; Chap. 5 : Joyce Carol Oates, *Fille noire, fille blanche*, traduit par C. Seban, éd. Philippe Reg 2009 ; Chap. 6 : Paolo Giordano, *La Solitude des nombres premiers*, traduit par N. Bauer, Seuil, 2009 ; Chap. 7 : Romain Gary, *Clair de femme*, Gallimard, 1977 ; Chap. 8 : Joseph O'Connor, *Desperados*, traduit par P. Masquart et G. Meudal, Phebus, 1998 ; Chap. 9 : Marguerite Yourcenar, *L'Œuvre au noir*, Gallimard, 1968 ; Chap. 10 : Guy de Maupassant, *Solitude*, in *Monsieur Parent*, Contes et Nouvelles 1884-1890, Robert Laffont, 1988 ; Chap. 11 : André Malraux, *Les Noyers de l'Altenburg*, 1948, Gallimard, Folio, 1997 ; Chap. 12 : Carson McCullers, *Frankie Addams*, 1946, traduit par J. Tournier, Stock, 2008 ; Chap. 13 : Michael Connelly, *The Last Coyote*, Little, Brown and Company, 1995 ; Chap. 14 : Joseph O'Connor, *Desperados*, Phebus, traduit par P. Masquart et G. Meudal, 1998 ; Chap. 15 : Paul Verlaine, « Amoureuse du Diable », in *Jadis et Naguère*, LGF, 2009 ; Chap. 16 : Proverbe allemand ; Chap. 17 : Marilyn Monroe, *Fragments*, édité par S. Buchthal et B. Comment, traduit par T. Samoyault, Seuil, 2010 ; Chap. 18 : Sophocle, *Œdipe Roi ;* Chap. 19 : Boris Cyrulnik, *Mourir de dire : la honte*, Odile Jacob, 2010 ; Chap. 20 : Flannery O'Connor, *Mon mal vient de plus loin*, traduit par H. Morisset, Gallimard, 1969 ; Chap. 21 : Milan Kundera, *L'Insoutenable légèreté de l'être*, traduit par F. Kérel, Gallimard, nouv. éd., 1987 ; Chap. 22 : Juan Manuel de Prada, *La Tempête*, traduit par G. Iaculli, Seuil, 2000 ; Chap. 23 : Alfred de Musset, « À mon frère revenant d'Italie », *Poésies complètes*, LGF, 2006 ; Chap.

24 : François Cheng, *L'Éternité n'est pas de trop*, Albin Michel, 2002 ; Chap. 25 : Jay McInerney, *Trente ans et des poussières*, traduit par J. Huet, J. -P. Carasso, L'Olivier, 1993 ; Chap. 26 : Horace, *Odes*, Livre IV, I ; Chap. 27 : Sénèque, *De la clémence* ; Chap. 28 : R.J. Ellory, *Seul le silence*, traduit par F. Pointeau, Sonatine, 2008 ; Chap. 29 : Devise de la province hollandaise de Zeeland ; Chap. 30 : Mark Twain, *Following the Equator : a Journey around the World*, American Publishing Co., 1897 ; Chap. 31 : Gao Xingjian, *La Montagne de l'âme*, traduit par N. et L. Dutrait, éd. de l'Aube, 1995 ;

Chap. 32 : Lord Byron, *Le Pèlerinage de Childe Harold* (1812), *Œuvres complètes*, traduit par B. Delaroche, 1938 ; Chap. 33 : Article 3521 du titre 18 du code des États-Unis ; Chap. 34 : George Sand ; Chap. 35 : Christian Bobin, *Le Christ aux coquelicots*, Lettres vives, 2002 ; Chap. 36 : John Dos Passos, *Against American Literature*, New Republic, 1916 ; Chap. 37 : Graham Greene, *Le Troisième Homme*, traduit par M. Sibon, Robert Laffont, 1950 ; Chap. 38 : John Irving, *L'Œuvre de Dieu, la part du Diable*, traduit par F. et G. Casaril, Seuil, 1986.

TABLE DES MATIÈRES

Prologue 9

Première partie
Le Chat et la Souris

1. L'échange 17
2. Separate Lives 35
3. En secret 57
4. Décalage horaire 73
5. You've got mail 85
6. Le fil 103
7. Lempereur déchu 121
8. Ceux qu'on aime 141
9. Un secret bien gardé 155
10. La vie des autres 163
11. L'enquête 177

Deuxième partie

L'Affaire Alice Dixon

12. Alice 185
13. Jours de faillite 199
14. L'ennemi intime 209
15. The girl who wasn't there 223
16. La boîte 227
17. L'orchidée noire 233
18. Hypnotique 255
19* Croiser ta route 263
19** 273
19*** 293
19**** 299
20. À vif 301
21. The wild side 305
22. Le fantôme de Manchester 327
23. Le miroir à deux faces 345

Troisième partie

L'un pour l'autre

24. Ce que les morts laissent aux vivants 365
25. La ville qui ne dort jamais 371
26. La fille aux yeux de Modigliani 389
27. Captive 397
28. Francesca 411

29. Un ange en enfer 427
30. La face cachée de la lune 433
31. En territoire ennemi 451
32. La vérité sur Danny Doyle 463
33. Les témoins 471
34. The Girl in the Dark 483
35. À bout de souffle 497
36. Finding Alice 513
37. La fièvre dans le sang 531
38. Little Odessa 547

Épilogue 557

Merci 563
Des lieux et des gens… 565
Références 567

Composition et mise en pages
Nord Compo à Villeneuve-d'Ascq

Imprimé en France par

MAURY IMPRIMEUR
à Malesherbes (Loiret)
en mai 2015

POCKET – 12, avenue d'Italie – 75627 Paris Cedex 13

N° d'impression : 198312
Dépôt légal : octobre 2013
Suite du premier tirage : mai 2015
S24687/04